Missionários
da luz

Francisco Cândido Xavier

Missionários da luz

Pelo Espírito
André Luiz

Copyright © 1945 *by*
FEDERAÇÃO ESPÍRITA BRASILEIRA — FEB

45ª edição – 18ª impressão – 10 mil exemplares – 7/2025

ISBN 978-85-7328-801-8

Todos os direitos reservados. Nenhuma parte desta publicação pode ser reproduzida, armazenada ou transmitida, total ou parcialmente, por quaisquer métodos ou processos, sem autorização do detentor do *copyright*.

FEDERAÇÃO ESPÍRITA BRASILEIRA – FEB
SGAN 603 – Conjunto F – Avenida L2 Norte
70830-106 – Brasília (DF) – Brasil
www.febeditora.com.br
editorial@febnet.org.br
+55 61 2101 6161

Pedidos de livros à FEB
Comercial
Tel.: (61) 2101 6161 – comercial@febnet.org.br

FSC
www.fsc.org
MISTO
Papel | Apoiando uma gestão florestal responsável
FSC® C121203

Adquirindo esta obra, você está colaborando com as ações de assistência e promoção social da FEB e com o Movimento Espírita na divulgação do Evangelho de Jesus à luz do Espiritismo.

Dados Internacionais de Catalogação na Publicação (CIP)
(Federação Espírita Brasileira – Biblioteca de Obras Raras)

L953m   Luiz, André (Espírito)

    Missionários da luz / pelo Espírito André Luiz; [psicografado por] Francisco Cândido Xavier. – 45. ed. – 18. imp. – Brasília: FEB, 2025.

    384 p.; 21 cm – (Coleção A vida no mundo espiritual; 3)

    Inclui índice geral

    ISBN 978-85-7328-801-8

    1. Espiritismo. 2. Obras psicografadas. I. Xavier, Francisco Cândido, 1910–2002. II. Federação Espírita Brasileira. III. Título. IV. Coleção.

CDD 133.93
CDU 133. 7
CDE 00.06.02

Sumário

Ante os tempos novos 7
1   O psicógrafo 11
2   A epífise 19
3   Desenvolvimento mediúnico 27
4   Vampirismo 37
5   Influenciação 49
6   A oração 63
7   Socorro espiritual 73
8   No plano dos sonhos 85
9   Mediunidade e fenômeno 99
10 Materialização 113
11 Intercessão 131
12 Preparação de experiências 163
13 Reencarnação 189
14 Proteção 245
15 Fracasso 259
16 Incorporação 269
17 Doutrinação 287

18 Obsessão 307
19 Passes 331
20 Adeus 349
Índice geral 361

Ante os tempos novos

Enquanto a história relaciona a intervenção de fadas, referindo-se aos gênios tutelares, aos palácios ocultos e às maravilhas da floresta desconhecida, as crianças escutam atentas, estampando alegria e interesse no semblante feliz. Todavia, quando o narrador modifica a palavra, fixando-a nas realidades educativas, retrai-se a mente infantil, contrafeita, cansada... Não compreende a promessa da vida futura, com os seus trabalhos e responsabilidades.

Os corações, ainda tenros, amam o sonho, aguardam heroísmo fácil, estimam o menor esforço, não entendem, de pronto, o labor divino da perfeição eterna e, por isso, afastam-se do ensinamento real, admirados, espantadiços. A vida, porém, espera-os com as suas leis imutáveis e revela-lhes a verdade, gradativamente, sem ruídos espetaculares, com serenidade de mãe.

As páginas de André Luiz recordam essa imagem.

Enquanto os Espíritos sábios e benevolentes trazem a visão celeste, alargando o campo das esperanças humanas, todos os companheiros encarnados nos ouvem extáticos, venturosos. É a consolação sublime, o conforto desejado. Congregam-se os corações para receber as mensagens do Céu, mas se os emissários do plano superior revelam alguns ângulos da vida espiritual, falando-lhes do trabalho, do esforço próprio, da responsabilidade pessoal, da luta edificante, do estudo necessário, do autoaperfeiçoamento, não ocultam a desagradável impressão. Contrariamente às suposições da primeira hora, não enxergam o céu das facilidades nem a região dos favores, não divisam acontecimentos milagrosos nem observam a beatitude repousante. Em vez do paraíso próximo, sentem-se nas vizinhanças de uma oficina incansável, onde o trabalhador não se elevará pela mão beijada do protecionismo, e sim à custa de si mesmo, para que deva à própria consciência a vitória ou a derrota. Percebem a lei imperecível que estabelece o controle da vida, em nome do Eterno, sem falsos julgamentos. Compreendem que as praias de beleza divina e os palácios encantados da paz aguardam o Espírito em outros continentes vibratórios do Universo, reconhecendo, no entanto, que lhes compete suar e lutar, esforçar-se e aprimorar-se por alcançá-los, bracejando no imenso mar das experiências.

    A maioria espanta-se e tenta o recuo. Pretende um Céu fácil, depois da morte do corpo, que seja conquistado por meras afirmativas doutrinais.

    Ninguém, contudo, perturbará a Lei Divina; a verdade vencerá sempre e a vida eterna continuará ensinando, devagarinho, com paciência maternal.

    Ao Espiritismo cristão cabe, atualmente, no mundo, grandiosa e sublime tarefa.

    Não basta definir-lhe as características veneráveis de Consolador da Humanidade, é preciso também revelar-lhe a feição de movimento libertador de consciências e corações.

    A morte física não é o fim. É pura mudança de capítulo no livro da evolução e do aperfeiçoamento. Ao seu influxo, ninguém deve esperar soluções finais e definitivas, quando sabemos que cem anos de atividade no mundo representam uma fração relativamente curta de tempo para qualquer edificação na vida eterna.

Infinito campo de serviço aguarda a dedicação dos trabalhadores da verdade e do bem. Problemas gigantescos desafiam os Espíritos valorosos, encarnados na época presente, com a gloriosa missão de preparar a nova era, contribuindo na restauração da fé viva e na extensão do entendimento humano. Urge socorrer a religião, sepultada nos arquivos teológicos dos templos de pedra, e amparar a Ciência, transformada em gênio satânico da destruição.

A espiritualidade vitoriosa percorre o mundo, regenerando-lhe as fontes morais, despertando a criatura no quadro realista de suas aquisições. Há chamamentos novos para o homem descrente, do século XX, indicando-lhe horizontes mais vastos, a demonstrar-lhe que o Espírito vive acima das civilizações que a guerra transforma ou consome na sua voracidade de dragão multimilenário.

Ante os tempos novos e considerando o esforço grandioso da renovação, requisita-se o concurso de todos os servidores fiéis da verdade e do bem para que, antes de tudo, vivam a nova fé, melhorando-se e elevando-se cada um, a caminho do mundo melhor, a fim de que a edificação do Cristo prevaleça sobre as meras palavras das ideologias brilhantes.

Na consecução da tarefa superior, congregam-se encarnados e desencarnados de boa vontade, construindo a ponte de luz, através da qual a Humanidade transporá o abismo da ignorância e da morte.

É por este motivo, leitor amigo, que André Luiz vem, uma vez mais, ao teu encontro, para dizer-te algo do serviço divino dos missionários da Luz, esclarecendo, ainda, que o homem é um Espírito eterno habitando temporariamente o templo vivo da carne terrestre; que o perispírito não é um corpo de vaga neblina, e sim organização viva a que se amoldam as células materiais; que a alma, em qualquer parte, recebe segundo as suas criações individuais; que os laços do amor e do ódio nos acompanham em qualquer círculo da vida; que outras atividades são desempenhadas pela consciência encarnada, além da luta vulgar de cada dia; que a reencarnação é orientada por sublimes ascendentes espirituais e que, além do sepulcro, a alma continua lutando e aprendendo, aperfeiçoando-se e servindo aos desígnios do Senhor, crescendo sempre para a glória imortal a que o Pai nos destinou.

Se a leitura te assombra, se as afirmativas do mensageiro te parecem revolucionárias, recorre à oração e agradece ao Senhor o aprendizado, pedindo-lhe te esclareça e ilumine, para que a ilusão não te retenha em suas malhas. Lembra-te de que a revelação da verdade é progressiva e, rogando o socorro divino para o teu coração, atende aos sagrados deveres que a Terra te designou para cada dia, consciente de que a morte do corpo não te conduzirá à estagnação, e sim a novos campos de aperfeiçoamento e trabalho, de renovação e luta bendita, onde viverás muito mais, e mais intensamente.

EMMANUEL

Pedro Leopoldo (MG), 13 de maio de 1945.

1
O psicógrafo

1.1 Encerrada a conversação, referente aos problemas de intercâmbio com os habitantes da esfera carnal, o instrutor Alexandre, que desempenha elevadas funções em nosso plano, dirigiu-me a palavra gentilmente:

— Compreendo seu desejo. Se quiser, poderá acompanhar-me ao nosso núcleo, em momento oportuno.

— Sim — respondi encantado —, a questão mediúnica é fascinante.

O interlocutor sorriu benevolentemente e concordou:

— De fato, para quem lhe examine os ascendentes morais.

Marcou-se, mais tarde, a noite de minha visita e esperei os ensinamentos práticos, alimentando indisfarçável interesse.

Surgida a oportunidade, vali-me da prestigiosa influência para ingressar no espaçoso e velho salão, onde Alexandre desempenha atribuições na chefia.

Entre as dezenas de cadeiras, dispostas em filas, somente dezoito permaneciam ocupadas por pessoas terrestres, autênticas. As demais atendiam à massa invisível aos olhos comuns do plano físico.

Grande assembleia de almas sofredoras. Público extenso e necessitado. **1.2**

Reparei que fios luminosos dividiam os assistentes da região espiritual em turmas diferentes. Cada grupo exibia características próprias. Em torno das zonas de acesso, postavam-se corpos de guarda, e compreendi, pelo vozerio do exterior, que, também ali, a entrada dos desencarnados obedecia a controle significativo. As entidades necessitadas, admitidas ao interior, mantinham discrição e silêncio.

Entrei cauteloso, sem despertar atenção na assembleia que ouvia, emocionadamente, a palavra generosa e edificante de operoso instrutor da casa.

Grande número de cooperadores velavam atentos. E, enquanto o devotado mentor falava com o coração nas palavras, os dezoito companheiros encarnados demoravam-se em rigorosa concentração do pensamento, elevado a objetivos altos e puros. Era belo sentir-lhes a vibração particular. Cada qual emitia raios luminosos, muito diferentes entre si, na intensidade e na cor. Esses raios confundiam-se à distância aproximada de 60cm dos corpos físicos e estabeleciam uma corrente de força, bastante diversa das energias de nossa esfera. Essa corrente não se limitava ao círculo movimentado. Em certo ponto, despejava elementos vitais, à maneira de fonte miraculosa, com origem nos corações e nos cérebros humanos que aí se reuniam. As energias dos encarnados casavam-se aos fluidos vigorosos dos trabalhadores de nosso plano de ação, congregados em vasto número, formando precioso armazém de benefícios para os infelizes, extremamente apegados ainda às sensações fisiológicas.

Semelhantes forças mentais não são ilusórias, como pode parecer ao raciocínio terrestre, menos esclarecido quanto às reservas infinitas de possibilidades além da matéria mais grosseira.

1.3   Detinha-me na observação dos valores novos de meu aprendizado, quando o meu amigo, terminada a dissertação consoladora, me solicitou a presença nos serviços mediúnicos.

Demonstrando-se interessado no aproveitamento integral do tempo, foi muito comedido nas saudações.

— Não podemos perder os minutos — informou.

E, designando reduzido grupo de seis entidades próximas, esclareceu:

— Esperam ali, os amigos autorizados.

— À comunicação? — indaguei.

O instrutor fez um sinal afirmativo e acrescentou:

— Nem todos, porém, conseguem o intuito à mesma hora. Alguns são obrigados a esperar semanas, meses, anos...

— Não supunha tão difícil a tarefa — aduzi espantado.

— Verás! — falou Alexandre gentil.

E dirigindo-se para um rapaz que se mantinha em profunda concentração, cercado de auxiliares de nosso plano, explicou atencioso:

— Temos seis comunicantes prováveis, mas, na presente reunião, apenas compareceu um médium em condições de atender. Desde já, portanto, somos obrigados a considerar que o grupo de aprendizes e obreiros terrestres somente receberá o que se relacione com o interesse coletivo. Não há possibilidade para qualquer serviço extraordinário.

— Julguei que o médium fosse a máquina, acima de tudo — ponderei.

— A máquina também gasta — observou o instrutor — e estamos diante de maquinismo demasiadamente delicado.

Fixando-me a expressão espantadiça, Alexandre continuou:

— Preliminarmente, devemos reconhecer que, nos serviços mediúnicos, preponderam os fatores morais. Neste momento, o médium, para ser fiel ao mandato superior, necessita clareza e serenidade, como o espelho cristalino de um lago. De outro modo, as ondas de inquietude perturbariam a projeção de nossa espiritualidade sobre a materialidade terrena, como as águas revoltas não refletem as imagens sublimes do Céu e da Natureza ambiente.

1.4 Indicando o médium, prosseguiu o orientador, com voz firme:

— Este irmão não é um simples aparelho. É um Espírito que deve ser tão livre quanto o nosso e que, a fim de se prestar ao intercâmbio desejado, precisa renunciar a si mesmo, com abnegação e humildade, primeiros fatores na obtenção de acesso à permuta com as regiões mais elevadas. Necessita calar, para que outros falem; dar de si próprio, para que outros recebam. Em suma, deve servir de ponte, na qual se encontrem interesses diferentes. Sem essa compreensão consciente do espírito de serviço, não poderia atender aos propósitos edificantes. Naturalmente, ele é responsável pela manutenção dos recursos interiores, tais como a tolerância, a humildade, a disposição fraterna, a paciência e o amor cristão; todavia, precisamos cooperar no sentido de manter-lhe os estímulos de natureza exterior, porque se o companheiro não tem pão, nem paz relativa, se lhe falta assistência nas aquisições mais simples, não poderemos exigir-lhe a colaboração, redundante em sacrifício. Nossas responsabilidades, portanto, estão conjugadas nos mínimos detalhes da tarefa a cumprir.

Raiando-me a ideia de que o médium deveria esperar, satisfeito, a compensação divina, Alexandre ponderou:

— Consideremos, contudo, meu amigo, que ainda nos encontramos em trabalho incompleto. A questão de salário virá depois...

Nesse ponto da conversação, convidou-me à aproximação do aparelho mediúnico e, colocando-lhe a destra sobre a fronte, exclamou:

1.5 — Observe. Estamos diante do psicógrafo comum. Antes do trabalho a que se submete, neste momento, nossos auxiliares já lhe prepararam as possibilidades para que não se lhe perturbe a saúde física. A transmissão da mensagem não será simplesmente "tomar a mão". Há processos intrincados, complexos.

E, ante minha profunda curiosidade científica, o orientador ofereceu-me o auxílio magnético de sua personalidade vigorosa e passei a observar, no corpo do intermediário, grande laboratório de forças vibrantes. Meu poder de apreensão visual superara os raios X, com características muito mais aperfeiçoadas. As glândulas do rapaz transformaram-se em núcleos luminosos, à guisa de perfeitas oficinas elétricas. Detive-me, porém, na contemplação do cérebro, em particular. Os condutores medulares formavam extenso pavio, sustentando a luz mental, como chama generosa de uma vela de enormes proporções. Os centros metabólicos infundiam-me surpresas. O cérebro mostrava fulgurações nos desenhos caprichosos. Os lobos cerebrais lembravam correntes dinâmicas. As células corticais e as fibras nervosas, com suas tênues ramificações, constituíam elementos delicadíssimos de condução das energias recônditas e imponderáveis. Nesse concerto, sob a luz mental indefinível, a epífise[1] emitia raios azulados e intensos.

— Observação perfeita? — indagou o instrutor, interrompendo-me o assombro. — Transmitir mensagens de uma esfera para outra, no serviço de edificação humana — continuou —, demanda esforço, boa vontade, cooperação e propósito consistente. É natural que o treinamento e a colaboração espontânea do médium facilitem o trabalho; entretanto, de qualquer modo, o serviço não é automático... Requer muita compreensão, oportunidade e consciência.

---

[1] N.E.: Pequena glândula endócrina do tamanho de uma ervilha, localizada entre os dois hemisférios cerebrais, cujos hormônios regulam as reações do organismo à luz e à obscuridade, desempenhando importante papel no sono e no controle das atividades sexuais. O mesmo que glândula pineal.

Estava admirado. 1.6

— Acredita que o intermediário — perguntou — possa improvisar o estado receptivo? De nenhum modo. A sua preparação espiritual deve ser incessante. Qualquer incidente pode perturbar-lhe o aparelhamento sensível, como a pedrada que interrompe o trabalho da válvula receptora. Além disso, a nossa cooperação magnética é fundamental para a execução da tarefa. Examine atentamente. Estamos notando as singularidades do corpo perispiritual. Pode reconhecer, agora, que todo centro glandular é uma potência elétrica. No exercício mediúnico de qualquer modalidade, a epífise desempenha o papel mais importante. Por meio de suas forças equilibradas, a mente humana intensifica o poder de emissão e recepção de raios peculiares à nossa esfera. É nela, na epífise, que reside o sentido novo dos homens; entretanto, na grande maioria deles, a potência divina dorme embrionária.

Reconheci que, de fato, a glândula pineal do intermediário expedia luminosidade cada vez mais intensa.

Deslocando, porém, a sua atenção do cérebro para a máquina corpórea em geral, o orientador prosseguiu:

— A operação da mensagem não é nada simples, embora os trabalhadores encarnados não tenham consciência de seu mecanismo intrínseco, assim como as crianças, se fartando no ambiente doméstico, não conhecem o custo da vida ao sacrifício dos pais. Muito antes da reunião que se efetua, o servidor já foi objeto de nossa atenção especial, para que os pensamentos grosseiros não lhe pesem no campo íntimo. Foi convenientemente ambientado e, ao sentar-se aqui, foi assistido por vários operadores de nosso plano. Antes de tudo, as células nervosas receberam novo coeficiente magnético, para que não haja perdas lamentáveis do tigroide (corpúsculos de Nissl),[2] necessário aos processos da inteligência.

---

[2] N.E.: Pequenos grânulos basófilos localizados no citoplasma das células nervosas, constituídos pelo retículo endoplasmático rugoso, estrutura celular responsável pela síntese de proteínas.

O sistema nervoso simpático, mormente o campo autônomo do coração, recebeu auxílios enérgicos, e o sistema nervoso central foi convenientemente atendido, para que não se comprometa a saúde do trabalhador de boa vontade. O vago foi defendido por nossa influenciação contra qualquer choque das vísceras. As glândulas suprarrenais[3] receberam acréscimo de energia, para que se verifique acelerada produção de adrenalina, de que precisamos para atender ao dispêndio eventual das reservas nervosas.

1.7 Nesse instante, vi que o médium parecia quase desencarnado. Suas expressões grosseiras, de carne, haviam desaparecido ao meu olhar, tamanha a intensidade da luz que o cercava, oriunda de seus centros perispirituais.

Após longo intervalo, Alexandre continuou:

— Sob nossa apreciação, não temos o arcabouço de cal, revestido de carboidratos e proteínas, mas outra expressão mais significativa do homem imortal, filho do Deus eterno. Repare, nesta anatomia nova, a glória de cada unidade minúscula do corpo. Cada célula é um motor elétrico que necessita de combustível para funcionar, viver e servir.

Despreocupado de meu assombro, o instrutor mudou de atitude e considerou:

— Interrompamos as observações. É necessário agir.

Acenou para um dos seis comunicantes. O mensageiro aproximou-se contente.

— Calixto — falou Alexandre, em tom grave —, temos seis amigos para o intercâmbio; todavia, as possibilidades são reduzidas. Escreverá apenas você. Tome seu lugar. Recorde sua missão consoladora e nada de particularismos pessoais. A oportunidade é limitadíssima e devemos considerar o interesse de todos.

---

[3] N.E.: Glândulas endócrinas localizadas acima de ambos os rins, responsáveis pela homeostase do organismo, isto é, pelo equilíbrio do meio interno. Secretam vários hormônios, entre os quais a aldosterona, a adrenalina e a noradrenalina.

Depois de cumprimentar-nos ligeiramente, Calixto postou-se ao lado do médium, que o recebeu com evidente sinal de alegria. Enlaçou-o com o braço esquerdo e, alçando a mão até o cérebro do rapaz, tocava-lhe o centro da memória com a ponta dos dedos, como a recolher o material de lembranças do companheiro. Pouco a pouco, vi que a luz mental do comunicante se misturava às irradiações do trabalhador encarnado. A zona motora do médium adquiriu outra cor e outra luminosidade. Alexandre aproximou-se da dupla em serviço e colocou a destra sobre o lobo frontal do colaborador humano, como a controlar as fibras inibidoras, evitando, quanto possível, as interferências do aparelho mediúnico. 1.8

Calixto mostra enorme alegria no semblante feliz de servo que se regozija com as bênçãos do trabalho e, dando sinais de profunda gratidão ao Senhor, começou a escrever, apossando-se do braço do companheiro e iniciando o serviço com as belas palavras:

— A paz de Jesus seja convosco!

2
A epífise

2.1 Enquanto o nosso companheiro se aproveitava da organização mediúnica, valia-me das forças magnéticas que o instrutor me fornecera, para fixar a máxima atenção no médium. Quanto mais lhe notava as singularidades do cérebro, mais admirava a luz crescente que a epífise deixava perceber. A glândula minúscula transformara-se em núcleo radiante e, em derredor, seus raios formavam um lótus de pétalas sublimes.

Examinei atentamente os demais encarnados. Em todos eles, a glândula apresentava notas de luminosidade, mas em nenhum brilhava como no intermediário em serviço.

Sobre o núcleo, semelhante agora à flor resplandecente, caíam luzes suaves, de Mais Alto, reconhecendo eu que ali se encontravam em jogo vibrações delicadíssimas, imperceptíveis para mim.

Estudara a função da epífise nos meus apagados serviços de médico terrestre. Segundo os orientadores clássicos, circunscreviam-se suas atribuições ao controle sexual no período infantil. Não passava de velador dos instintos até que as rodas da experiência sexual pudessem deslizar, com regularidade, pelos caminhos da vida humana. Depois, decrescia em força, relaxava-se, quase desaparecia, para que as glândulas genitais a sucedessem no campo da energia plena.

Minhas observações, ali, entretanto, contrastavam com as definições dos círculos oficiais. **2.2**

Como o recurso de quem ignora é esperar pelo conhecimento alheio, aguardei Alexandre para elucidar-me, findo o serviço ativo.

Passados alguns minutos, o generoso mentor acercava-se de mim.

Não esperou que me explicasse.

— Conheço-lhe a perplexidade — falou. — Também passei pela mesma surpresa, noutro tempo. A epífise é agora uma revelação para você.

— Sem dúvida — acrescentei.

— Não se trata de órgão morto, segundo velhas suposições — prosseguiu ele. — É a glândula da vida mental. Ela acorda no organismo do homem, na puberdade, as forças criadoras e, em seguida, continua a funcionar, como o mais avançado laboratório de elementos psíquicos da criatura terrestre. O neurologista comum não a conhece bem. O psiquiatra devassar-lhe-á, mais tarde, os segredos. Os psicólogos vulgares ignoram-na. Freud interpretou-lhe o desvio, quando exagerou a influenciação da "libido", no estudo da indisciplina congênita da Humanidade. No período do desenvolvimento infantil, fase de reajustamento desse centro importante do corpo perispiritual preexistente, a epífise parece constituir o freio às manifestações do sexo; entretanto, há que retificar observações.

Aos 14 anos, aproximadamente, de posição estacionária, quanto às suas atribuições essenciais, recomeça a funcionar no homem reencarnado. O que representava controle é fonte criadora e válvula de escapamento. A glândula pineal reajusta-se ao concerto orgânico e reabre seus mundos maravilhosos de sensações e impressões na esfera emocional. Entrega-se a criatura à recapitulação da sexualidade, examina o inventário de suas paixões vividas em outra época, que reaparecem sob fortes impulsos.

2.3 Achava-me profundamente surpreendido.

Findo o intervalo que impusera a exposição do ensinamento, Alexandre continuou:

— Ela preside aos fenômenos nervosos da emotividade, como órgão de elevada expressão no corpo etéreo. Desata, de certo modo, os laços divinos da Natureza, os quais ligam as existências umas às outras, na sequência de lutas, pelo aprimoramento da alma, e deixa entrever a grandeza das faculdades criadoras de que a criatura se acha investida.

— Deus meu! — exclamei — e as glândulas genitais, onde ficam?

O instrutor sorriu e esclareceu:

— São demasiadamente mecânicas, para guardarem os princípios sutis e quase imponderáveis da geração. Acham-se absolutamente controladas pelo potencial magnético de que a epífise é a fonte fundamental. As glândulas genitais segregam os hormônios do sexo, mas a glândula pineal, se me posso exprimir assim, segrega "hormônios psíquicos" ou "unidades-força" que vão atuar, de maneira positiva, nas energias geradoras. Os cromossomos da bolsa seminal não lhe escapam à influenciação absoluta e determinada.

Alexandre fez um gesto significativo e considerou:

— No entanto, não estamos examinando problemas de Embriologia. Limitemo-nos ao assunto inicial e analisemos a epífise como glândula da vida espiritual do homem.

Dentro de meu espanto, guardei rigoroso silêncio, faminto de instruções novas.

— Segregando delicadas energias psíquicas — prosseguiu 2.4
ele —, a glândula pineal conserva ascendência em todo o sistema endócrino. Ligada à mente, por princípios eletromagnéticos do campo vital, que a ciência comum ainda não pode identificar, comanda as forças subconscientes sob a determinação direta da vontade. As redes nervosas constituem-lhe os fios telegráficos para ordens imediatas a todos os departamentos celulares, e sob sua direção efetuam-se os suprimentos de energias psíquicas a todos os armazéns autônomos dos órgãos. Manancial criador dos mais importantes, suas atribuições são extensas e fundamentais. Na qualidade de controladora do mundo emotivo, sua posição na experiência sexual é básica e absoluta. De modo geral, todos nós, agora ou no pretérito, viciamos esse foco sagrado de forças criadoras, transformando-o em um ímã relaxado, entre as sensações inferiores de natureza animal. Quantas existências temos despendido na canalização de nossas possibilidades espirituais para os campos mais baixos do prazer materialista? Lamentavelmente divorciados da Lei do Uso, abraçamos os desregramentos emocionais, e daí, meu caro amigo, a nossa multimilenária viciação das energias geradoras, carregados de compromissos morais, com todos aqueles a quem ferimos com os nossos desvarios e irreflexões. Do lastimável menosprezo a esse potencial sagrado, decorrem os dolorosos fenômenos da hereditariedade fisiológica, que deveria constituir, invariavelmente, um quadro de aquisições abençoadas e puras. A perversão do nosso plano mental consciente, em qualquer sentido da evolução, determina a perversão de nosso psiquismo inconsciente, encarregado da execução dos desejos e ordenações mais íntimas, na esfera das operações automáticas. A vontade desequilibrada desregula o foco de nossas possibilidades criadoras. Daí procede a necessidade de regras morais para quem, de fato, se interesse pelas aquisições eternas nos domínios do Espírito. Renúncia, abnegação, continência sexual

e disciplina emotiva não representam meros preceitos de feição religiosa. São providências de teor científico, para enriquecimento efetivo da personalidade. Nunca fugiremos à lei, cujos artigos e parágrafos do supremo Legislador abrangem o Universo. Ninguém enganará a Natureza. Centros vitais desequilibrados obrigarão a alma à permanência nas situações de desequilíbrio. Não adianta alcançar a morte física, exibindo gestos e palavras convencionais, se o homem não cogitou do burilamento próprio. A Justiça que rege a vida eterna jamais se inclinou. É certo que os sentimentos profundos do extremo instante do Espírito encarnado cooperam decisivamente nas atividades de regeneração além do túmulo, mas não representam a realização precisa.

2.5   O instrutor falava em tom sublime, pelo menos para mim, que, pela primeira vez, ouvia comentários sobre consciência, virtude e santificação, dentro de conceitos estritamente lógicos e científicos no campo da razão.

Agora, aclaravam-se-me os raciocínios, de modo franco. Receber um corpo, nas concessões do reencarnacionismo, não é ganhar um barco para nova aventura, ao acaso das circunstâncias, mas significa responsabilidade definida nos serviços de aprendizagem, elevação ou reparação, nos esforços evolutivos ou redentores.

— Compreende, agora, as funções da epífise no crescimento mental do homem e no enriquecimento dos valores da alma? — indagou-me o orientador.

— Sim... — respondi sob forte impressão.

— Segregando "unidades-força" — continuou —, pode ser comparada a poderosa usina, que deve ser aproveitada e controlada, no serviço de iluminação, refinamento e benefício da personalidade, e não relaxada em gasto excessivo do suprimento psíquico, nas emoções de baixa classe. Refocilar-se no charco das sensações inferiores, à maneira dos suínos, é retê-la nas correntes tóxicas dos desvarios de natureza animal, e, na despesa excessiva de energias sutis, muito dificilmente consegue o homem levantar-se do mergulho terrível nas sombras, mergulho que se prolonga, além da morte corporal. Em vista disso, é indispensável cuidar atentamente da economia de forças, em todo serviço honesto de desenvolvimento das faculdades superiores. Os materialistas da razão pura, senhores de vastos patrimônios intelectuais, perceberam de longe semelhantes realidades e, no sentido de preservar a juventude, a plástica e a eugenia, fomentaram a prática do esporte, em todas as suas modalidades. Contra os perigos possíveis, na excessiva acumulação de forças nervosas, como são chamadas as secreções elétricas da epífise, aconselharam aos moços de todos os países o uso do remo, da bola, do salto, da barra, das corridas a pé. Desse modo, preservavam-se os valores orgânicos, legítimos e normais, para as funções da hereditariedade. A medida, embora satisfaça em parte, é, contudo, incompleta e defeituosa. Incontestavelmente, a ginástica e o exercício controlados são fatores valiosos de saúde; a competição esportiva honesta é fundamento precioso de socialização; no entanto, podem circunscrever-se a meras providências, em benefício dos ossos, e, por vezes, degeneram-se em elástico das paixões menos dignas. São muito raros ainda, na Terra, os que reconhecem a necessidade de preservação das energias psíquicas para engrandecimento do Espírito eterno. O homem vive esquecido de que Jesus ensinou a virtude como esporte da alma, e nem sempre se recorda de que, no problema do aprimoramento interior, não se trata de retificar a sombra da substância, e sim a substância em si mesma.

Ouvia-lhe as instruções, entre a emotividade e o assombro. **2.6**

— Entende, agora, como é importante renunciar? Percebe a grandeza da Lei de Elevação pelo sacrifício? A sangria estimula a produção de células vitais, na medula óssea; a poda oferece beleza, novidade e abundância nas árvores. O homem que pratica verdadeiramente o bem vive no seio de vibrações construtivas e santificantes da gratidão, da felicidade, da alegria. Não é fazer teoria de esperança. É princípio científico, sem cuja aplicação, na esfera comum, não se liberta a alma, descentralizada pela viciação nas zonas mais baixas da Natureza.

2.7 E porque observasse que as instruções lhe tomavam demasiado tempo, Alexandre concluiu:

— De acordo com as nossas observações, a função da epífise na vida mental é muito importante.

— Sim — considerei —, compreendo agora a substancialidade de sua influenciação no sexo e entendo igualmente a dolorosa e longa tragédia sexual da Humanidade. Percebo, nitidamente, o porquê dos dramas que se sucedem ininterruptos, as aflições que parecem nunca chegar ao fim, as ansiedades que esbarram no crime, o cipoal do sofrimento, envolvendo lares e corações...

— E o homem sempre disposto a viciar os centros sagrados de sua personalidade — concluiu Alexandre solenemente —, sempre inclinado a contrair novos débitos, mas dificilmente decidido a retificar ou pagar.

— Compreendo, compreendo...

E, asilando certas dúvidas, exclamei:

— Não seria então mais razoável...

O orientador cortou-me a palavra e esclareceu:

— Já sei o que deseja indagar.

E, sorrindo:

— Você pergunta se não seria mais interessante encerrar todas as experiências do sexo, sepultar as possibilidades do renascimento carnal. Semelhante indagação, no entanto, é improcedente. Ninguém deve agir contra a lei. O uso respeitável dos patrimônios da vida, a união enobrecedora, a aproximação digna constituem o programa de elevação. É, portanto, indispensável distinguir entre harmonia e desequilíbrio, evitando o estacionamento em desfiladeiros fatais.

Ditas estas palavras, Alexandre calou-se, como orientador criterioso que deixa ao discípulo o tempo necessário para digerir a lição. **2.8**

3
Desenvolvimento mediúnico

3.1 Os serviços particulares não proporcionavam ensejo a excursões dilatadas e frequentes, em companhia de Alexandre; entretanto, valia-me de todas as folgas nos trabalhos comuns.

Havia sempre o que aprender. E constituía enorme satisfação seguir o ativo missionário das atividades de comunicação.

— Hoje, à noite — disse-me o devotado amigo —, observará algumas demonstrações de desenvolvimento mediúnico.

Aguardei as instruções com interesse.

No instante indicado, compareci ao grupo.

Antes do ingresso dos companheiros encarnados, já era muito grande a movimentação. Número considerável de trabalhadores. Muito serviço de natureza espiritual.

Admirava as características dos socorros magnéticos, dispensados às entidades sofredoras, quando Alexandre acentuou:

— Por enquanto, nossos esforços são mais frutíferos ao círculo dos desencarnados infelizes. As atividades beneficentes da casa concentram-se neles, em maior porção, porque os encarnados, mesmo aqueles que já se interessam pela prática espiritista, muito raramente se dispõem, com sinceridade, ao aproveitamento real dos valores legítimos de nossa cooperação.

3.2

E, depois de longa pausa, prosseguiu:

— É muito lenta e difícil a transição, entre a animalidade grosseira e a Espiritualidade superior. Nesse sentido, há sempre, entre os homens, um oceano de palavras e algumas gotas de ação.

Nesse instante, os primeiros amigos do plano carnal deram entrada no recinto.

— Veremos hoje — exclamava um senhor de espessos bigodes —, veremos hoje se temos boa sorte.

— Não tenho vindo com assiduidade às experiências — comentou um rapaz —, porque vivo desanimado... Há quanto tempo mantenho o lápis na mão, sem resultado algum?

— É pena! — respondia outro senhor — a dificuldade desencoraja, de fato.

— Parece-me que nada merecemos, no setor do estímulo, por parte dos benfeitores invisíveis! — acrescentava uma senhora de boa idade — há quantos meses procuro em vão desenvolver-me? Em certos momentos, sinto vibrações espirituais intensas junto de mim, contudo, não passo das manifestações iniciais.

A palestra continuou interessante e pitoresca.

Decorridos alguns minutos, com a presença de outros pequenos grupos de experimentadores que chegavam solícitos, foi iniciada a sessão de desenvolvimento.

O diretor proferiu tocante prece, no que foi acompanhado por todos os presentes.

Dezoito pessoas mantinham-se em expectativa.

3.3   — Alguns — explicou Alexandre — pretendem a psicografia, outros tentam a mediunidade de incorporação. Infelizmente, porém, quase todos confundem poderes psíquicos com funções fisiológicas. Acreditam no mecanismo absoluto da realização e esperam o progresso eventual e problemático, esquecidos de que toda edificação da alma requer disciplina, educação, esforço e perseverança. Mediunidade construtiva é a língua de fogo do Espírito Santo, Luz Divina para a qual é preciso conservar o pavio do amor cristão, o azeite da boa vontade pura. Sem a preparação necessária, a excursão dos que provocam o ingresso no Reino Invisível é, quase sempre, uma viagem nos círculos de sombra. Alcançam grandes sensações e esbarram nas perplexidades dolorosas. Fazem descobertas surpreendentes e acabam nas ansiedades e dúvidas sem-fim. Ninguém pode trair a lei impunemente, e, para subir, Espírito algum dispensará o esforço de si mesmo, no aprimoramento íntimo...

Dirigindo-se, de maneira especial, para os circunstantes, o instrutor recomendou:

— Observemos.

Postara-se ao lado de um rapaz que esperava, de lápis em punho, mergulhado em fundo silêncio.

Ofereceu-me Alexandre o seu vigoroso auxílio magnético e contemplei-o com atenção. Os núcleos glandulares emitiam pálidas irradiações. A epífise, principalmente, semelhava-se a reduzida semente algo luminosa.

— Repare no aparelho genital — aconselhou-me o instrutor gravemente.

Fiquei estupefato. As glândulas geradoras emitiam fraquíssima luminosidade, que parecia abafada por aluviões de corpúsculos negros, a se caracterizarem por espantosa mobilidade. Começavam a movimentação sob a bexiga urinária e vibravam ao longo de todo o cordão espermático, formando colônias compactas, nas vesículas seminais, na próstata, nas massas mucosas uretrais, invadiam os canais seminíferos[4] e lutavam com as células sexuais, aniquilando-as. As mais vigorosas daquelas feras microscópicas situavam-se no epidídimo,[5] no qual absorviam, famélicas, os embriões delicados da vida orgânica. Estava assombrado. Que significava aquele acervo de pequeninos seres escuros? Pareciam imantados uns aos outros, na mesma faina de destruição. Seriam expressões mal conhecidas da sífilis?

Enunciando semelhante indagação íntima, explicou-me Alexandre, sem que eu lhe dirigisse a palavra falada:

— Não, André. Não temos sob os olhos o espiroqueta de Schaudinn,[6] nem qualquer nova forma suscetível de análise material por bacteriologistas humanos. São bacilos psíquicos da tortura sexual, produzidos pela sede febril de prazeres inferiores. O dicionário médico do mundo não os conhece e, na ausência de terminologia adequada aos seus conhecimentos, chamemos-lhes larvas, simplesmente. Têm sido cultivados por este companheiro, não só pela incontinência no domínio das emoções próprias, por meio de experiências sexuais variadas, senão também pelo contato com entidades grosseiras, que se afinam com as predileções dele, entidades que o visitam com frequência, à maneira de imperceptíveis vampiros. O pobrezinho ainda não pôde compreender que o corpo físico é apenas leve sombra do corpo periespiritual, não se capacitou de que a prudência, em matéria de sexo, é equilíbrio da vida e, recebendo as nossas advertências sobre a temperança, acredita ouvir remotas lições de aspecto dogmático, exclusivo, no exame da fé religiosa. A pretexto de aceitar o império da razão pura, na esfera da lógica, admite que o sexo nada tem que ver com a espiritualidade, como se esta não fosse a existência em si. Esquece-se

3.4

---

[4] N.E.: Pequenos canais localizados nos testículos, cujas células de suas paredes internas estão implicadas na formação dos espermatozoides.

[5] N.E.: Estrutura alongada, em forma de cordão, destinada a coletar, armazenar e transportar os espermatozoides produzidos pelos testículos.

[6] N.E.: O mesmo que *treponema pallidum*, bactéria espiralada responsável pela sífilis.

de que tudo é espírito, manifestação divina e energia eterna. O erro de nosso amigo é o de todos os religiosos que supõem a alma absolutamente separada do corpo físico, quando todas as manifestações psicofísicas se derivam da influenciação espiritual.

3.5 Novos mundos de pensamento raiavam-me no ser. Começava a sentir definições mais francas do que haviam sido terríveis incógnitas para mim, no capítulo da patogenia em geral. Não saíra do meu intraduzível espanto, quando o instrutor me chamou a atenção para um cavalheiro que tentava a psicografia.

— Observe este amigo — disse-me com autoridade —, não sente um odor característico?

Efetivamente, em derredor daquele rosto pálido, assinalava-se a existência de atmosfera menos agradável. Semelhava-se-lhe o corpo a um tonel de configuração caprichosa, de cujo interior escapavam certos vapores muito leves, mas incessantes. Via-se-lhe a dificuldade para sustentar o pensamento com relativa calma. Não tive qualquer dúvida. Deveria ele usar alcoólicos em quantidade regular.

Vali-me do ensejo para notar-lhe as singularidades orgânicas.

O aparelho gastrintestinal parecia totalmente ensopado em aguardente, porquanto essa substância invadia todos os escaninhos do estômago e, começando a fazer-se sentir nas paredes do esôfago, manifestava a sua influência até no bolo fecal. Espantava-me o fígado enorme. Pequeninas figuras horripilantes postavam-se vorazes, ao longo da veia porta,[7] lutando desesperadamente com os elementos sanguíneos mais novos. Toda a estrutura do órgão se mantinha alterada. Terrível ingurgitamento. Os lóbulos cilíndricos,[8] modificados, abrigavam células doentes e empobrecidas. O baço apresentava anomalias estranhas.

---

[7] N.E.: Grande tronco vascular que conduz ao fígado o sangue venoso proveniente das vísceras abdominais, ou seja, do tubo digestivo, do baço e do pâncreas.

[8] N.E.: Referem-se às estruturas do fígado onde se localizam os hepatócitos, células responsáveis pela secreção endócrina e exócrina daquele órgão.

— Os alcoólicos — esclareceu Alexandre com grave entonação — aniquilavam-no vagarosamente. Você está examinando as anormalidades menores. Este companheiro permanece completamente desviado em seus centros de equilíbrio vital. Todo o sistema endocrínico foi atingido pela atuação tóxica. Inutilmente trabalha a medula para melhorar os valores da circulação. Em vão, esforçam-se os centros genitais para ordenar as funções que lhes são peculiares, porque o álcool excessivo determina modificações deprimentes sobre a própria cromatina.[9] Debalde trabalham os rins na excreção dos elementos corrosivos, porque a ação perniciosa da substância em estudo anula diariamente grande número de néfrons. O pâncreas viciado não atende com exatidão ao serviço de desintegração dos alimentos. Larvas destruidoras exterminam as células hepáticas. Profundas alterações modificam-lhe as disposições do sistema nervoso vegetativo e, não fossem as glândulas sudoríparas, tornar-se-lhe-ia talvez impossível a continuação da vida física.

3.6

Não conseguia dissimular minha admiração. Alexandre indicava os pontos enfermiços e esclarecia os assuntos com sabedoria e simplicidade tão grandes que não pude ocultar o assombro que se apoderara de mim.

O instrutor colocou-me, em seguida, ao lado de uma dama simpática e idosa. Após examiná-la, atencioso, acrescentou:

— Repare nesta nossa irmã. É candidata ao desenvolvimento da mediunidade de incorporação.

Fraquíssima luz emanava de sua organização mental e, desde o primeiro instante, notara-lhe as deformações físicas. O estômago dilatara-se-lhe horrivelmente e os intestinos pareciam sofrer estranhas alterações. O fígado, consideravelmente

---

[9] N.E.: Substância basófila presente no núcleo de toda célula viva, constituída essencialmente de DNA, estrutura responsável pela transmissão das características genéticas dos seres vivos.

aumentado, demonstrava indefinível agitação. Desde o duodeno ao sigmoide,[10] notavam-se anomalias de vulto. Guardava a ideia de presenciar, não o trabalho de um aparelho digestivo usual, e sim de vasto alambique, cheio de pastas de carne e caldos gordurosos, cheirando a vinagre de condimentação ativa. Em grande zona do ventre superlotado de alimentação, viam-se muitos parasitos conhecidos, mas, além deles, divisava outros corpúsculos semelhantes a lesmas voracíssimas, que se agrupavam em grandes colônias, desde os músculos e as fibras do estômago até a válvula ileocecal.[11] Semelhantes parasitos atacavam os sucos nutritivos, com assombroso potencial de destruição.

3.7   Observando-me a estranheza, o orientador falou em meu socorro:

— Temos aqui uma pobre amiga desviada nos excessos de alimentação. Todas as suas glândulas e centros nervosos trabalham para atender as exigências do sistema digestivo. Descuidada de si mesma, caiu na glutonaria crassa, tornando-se presa de seres de baixa condição.

E porque me conservasse em silêncio, incapacitado de argumentar, ante ensinamentos tão novos, o instrutor considerou:

— Perante estes quadros, pode você avaliar a extensão das necessidades educativas na esfera da crosta. A mente encarnada engalanou-se com os valores intelectuais e fez o culto da razão pura, esquecendo-se de que a razão humana precisa de Luz Divina. O homem comum percebe muito pouco e sente muito menos. Ante a eclosão de conhecimentos novos, em face da onda regeneradora do Espiritualismo que banha as nações mais cultas da Terra, angustiada por longos sofrimentos coletivos, necessitamos acionar as melhores possibilidades de colaboração, para

---

[10] N.E.: Segmento do intestino grosso situado entre o cólon descendente e o reto.
[11] N.E.: Estrutura anatômica situada na transição entre a porção final do intestino delgado, chamada de íleo, e a parte inicial do intestino grosso, chamada de ceco.

que os companheiros terrestres valorizem as suas oportunidades benditas de serviço e redenção.

3.8 Compreendi que Alexandre se referia, veladamente, ao grande movimento espiritista, em virtude de nos encontrarmos nas tarefas de uma casa doutrinária, e não me enganava, porque o bondoso mentor continuou a dizer gravemente:

— O Espiritismo cristão é a revivescência do Evangelho de nosso Senhor Jesus Cristo, e a mediunidade constitui um de seus fundamentos vivos. A mediunidade, porém, não é exclusiva dos chamados "médiuns". Todas as criaturas a possuem, porquanto significa percepção espiritual, que deve ser incentivada em nós mesmos. Não bastará, entretanto, perceber. É imprescindível santificar essa faculdade, convertendo-a no ministério ativo do bem. A maioria dos candidatos ao desenvolvimento dessa natureza, contudo, não se dispõe aos serviços preliminares de limpeza do vaso receptivo. Dividem, inexoravelmente, a matéria e o espírito, localizando-os em campos opostos, quando nós, estudantes da Verdade, ainda não conseguimos identificar rigorosamente as fronteiras entre uma e outro, integrados na certeza de que toda a organização universal se baseia em vibrações puras. Inegavelmente, meu amigo — e sorriu —, não desejamos transformar o mundo em cemitério de tristeza e desolação. Atender a santificada missão do sexo, no seu plano respeitável, usar um aperitivo comum, fazer a boa refeição, de modo algum significa desvios espirituais; no entanto, os excessos representam desperdícios lamentáveis de força, os quais retêm a alma nos círculos inferiores. Ora, para os que se trancafiam nos cárceres de sombra, não é fácil desenvolver percepções avançadas. Não se pode cogitar de mediunidade construtiva, sem o equilíbrio construtivo dos aprendizes, na sublime ciência do bem viver.

— Oh! — exclamei — e por que motivo não dizer tudo isso aos nossos irmãos congregados aqui? Por que não adverti--los austeramente?

3.9 Alexandre sorriu benévolo, e acentuou:

— Não, André. Tenhamos calma. Estamos no serviço de evolução e adestramento. Nossos amigos não são rebeldes ou maus, em sentido voluntário. Estão espiritualmente desorientados e enfermos. Não podem transformar-se, de um momento para outro. Compete-nos, portanto, ajudá-los no caminho educativo.

O orientador deixou de sorrir e acrescentou:

— É verdade que sonham edificar maravilhosos castelos, sem base; alcançar imensas descobertas exteriores, sem estudarem a si próprios; mas, gradativamente, compreenderão que mediunidade elevada ou percepção edificante não constituem atividades mecânicas da personalidade, e sim conquistas do Espírito, para cuja consecução não se pode prescindir das iniciações dolorosas, dos trabalhos necessários, com a autoeducação sistemática e perseverante. Excetuando-se, porém, essas ilusões infantis, são bons companheiros de luta, aos quais estimamos carinhosamente, não só como nossos irmãos mais jovens, mas também por serem credores de reconhecimento pela cooperação que nos prestam, muitas vezes inconscientemente. Os tenros embriões vegetais de hoje serão as árvores robustas de amanhã. As tribos ignorantes de ontem constituem a Humanidade de agora. Por isso mesmo, todas as nossas reuniões são proveitosas, e, ainda que os seus passos sejam vacilantes na senda, tudo faremos por defendê-los contra as perigosas malhas do vampirismo.

4
Vampirismo

4.1 A sessão de desenvolvimento mediúnico, segundo deduzi da palestra entre os amigos encarnados, fora muito escassa em realizações para eles. Todavia, não se verificava o mesmo em nosso ambiente, no qual se podia ver enorme satisfação em todas as fisionomias, a começar por Alexandre, que se mostrava jubiloso.

Os trabalhos haviam tomado mais de duas horas e, com efeito, embora me conservasse retraído, ponderando os ensinamentos da noite, minúcia a minúcia, observei o esforço intenso despendido pelos servidores de nossa esfera. Muitos deles, em grande número, não somente assistiam os companheiros terrestres, senão também atendiam a longas filas de entidades sofredoras de nosso plano.

Alexandre, o instrutor devotado, movimentara-se de mil modos. E tocando a tecla que mais me impressionara, no círculo de observações do nobre concerto de serviços, acentuou satisfeito, se reaproximando de mim:

— Graças ao Senhor, tivemos uma noite feliz. Muito trabalho contra o vampirismo.

4.2

Oh! era o vampirismo a tese que me preocupava. Vira os mais estranhos bacilos de natureza psíquica, completamente desconhecidos na Microbiologia mais avançada. Não guardavam a forma esférica das cocáceas, nem o tipo de bastonete das bacteriáceas diversas. Entretanto, formavam também colônias densas e terríveis. Reconhecera-lhes o ataque aos elementos vitais do corpo físico, atuando com maior potencial destrutivo sobre as células mais delicadas.

Que significava aquele mundo novo? Que agentes seriam aqueles, caracterizados por indefinível e pernicioso poder? Estariam todos os homens sujeitos à sua influenciação?

Não me contive. Expus ao orientador, francamente, minhas dúvidas e temores.

Alexandre sorriu e considerou:

— Muito bem! Muito bem! você veio observar trabalhos de mediunidade e está procurando seu lugar de médico. É natural. Se estivesse especializado em outra profissão, teria identificado outros aspectos do assunto em análise.

E a encorajar-me, fraternalmente, acrescentou:

— Você demonstra boa preparação, diante da Medicina espiritual que lhe aguarda os estudos.

Depois de longa pausa, prosseguiu explicando:

— Sem nos referirmos aos morcegos sugadores, o vampiro, entre os homens, é o fantasma dos mortos, que se retira do sepulcro, alta noite, para alimentar-se do sangue dos vivos. Não sei quem é o autor de semelhante definição, mas, no fundo, não está errada. Apenas cumpre considerar que, entre nós, vampiro é toda entidade ociosa que se vale, indebitamente, das possibilidades alheias e, se tratando de vampiros que visitam os encarnados, é necessário reconhecer que eles atendem aos sinistros propósitos a qualquer hora, desde que encontrem guarida no estojo de carne dos homens.

4.3 Alexandre fez ligeiro intervalo na conversação, dando a entender que expusera a preliminar de mais sérios esclarecimentos, e continuou:

— Você não ignora que, no círculo das enfermidades terrestres, cada espécie de micróbio tem o seu ambiente preferido. O pneumococo aloja-se habitualmente nos pulmões; o bacilo de Eberth localiza-se nos intestinos, onde produz a febre tifoide; o bacilo de Klebs-Löffler situa-se nas mucosas, onde provoca a difteria. Em condições especiais do organismo, proliferam os bacilos de Hansen ou de Koch. Acredita você que semelhantes formações microscópicas se circunscrevem à carne transitória? Não sabe que o macrocosmo está repleto de surpresas em suas formas variadas? No campo infinitesimal, as revelações obedecem à mesma ordem surpreendente. André, meu amigo, as doenças psíquicas são muito mais deploráveis. A patogênese da alma está dividida em quadros dolorosos. A cólera, a intemperança, os desvarios do sexo, as viciações de vários matizes formam criações inferiores que afetam profundamente a vida íntima. Quase sempre o corpo doente assinala a mente enfermiça. A organização fisiológica, segundo conhecemos no campo das cogitações terrestres, não vai além do vaso de barro, dentro do molde preexistente do corpo espiritual. Atingido o molde em sua estrutura pelos golpes das vibrações inferiores, o vaso refletirá imediatamente.

Compreendi aonde o instrutor desejava chegar. Entretanto, as suas considerações relativas às novas expressões microbianas davam ensejo a certas indagações. Como encarar o problema das formações iniciais? Enquadrava-se a afecção psíquica no mesmo quadro sintomatológico que conhecera, até então, para as enfermidades orgânicas em geral? Haveria contágio de moléstias da alma? E seria razoável que assim fosse na esfera onde os fenômenos patológicos da carne não mais deveriam existir?

Afirmara Virchow que o corpo humano "é um país celular, em que cada célula é um cidadão, constituindo a doença um atrito dos cidadãos, provocado pela invasão de elementos externos". De fato, a criatura humana desde o berço deve lutar contra diversas flagelações climáticas, entre venenos e bactérias de variadas origens. Como explicar, agora, o quadro novo que me defrontava os escassos conhecimentos? **4.4**

Não sopitei a curiosidade. Recorrendo à admirável experiência de Alexandre, perguntei:

— Ouça, meu amigo. Como se verificam os processos mórbidos de ascendência psíquica? Não resulta a afecção do assédio de forças exteriores? Em nosso domínio, como explicar a questão? É a viciação da personalidade espiritual que produz as criações vampirísticas ou estas que avassalam a alma, impondo-lhe certas enfermidades? Nesta última hipótese, poderíamos considerar a possibilidade do contágio?

O orientador ouviu-me atencioso, e esclareceu:

— Primeiramente a semeadura, depois a colheita; e tanto as sementes de trigo como de escalracho, encontrando terra propícia, produzirão a seu modo e na mesma pauta de multiplicação. Nessa resposta da Natureza ao esforço do lavrador, temos simplesmente a lei. Você está observando o setor das larvas com justificável admiração. Não tenha dúvida. Nas moléstias da alma, como nas enfermidades do corpo físico, antes da afecção existe o ambiente. As ações produzem efeitos, os sentimentos geram criações, os pensamentos dão origem a formas e consequências de infinitas expressões. E, em virtude de cada Espírito representar um universo por si, cada um de nós é responsável pela emissão das forças que lançamos em circulação nas correntes da vida. A cólera, a desesperação, o ódio e o vício oferecem campo a perigosos germens psíquicos na esfera da alma. E, qual acontece no terreno das enfermidades do corpo, o contágio aqui é fato consumado, desde que a imprevidência ou a necessidade de luta estabeleçam ambiente propício, entre companheiros do mesmo nível. Naturalmente, no campo da matéria mais grosseira, essa lei funciona com violência, enquanto, entre nós, se desenvolve com as modificações naturais. Aliás, não pode ser de outro modo, mesmo porque você não ignora que muita gente cultiva a vocação para o abismo. Cada viciação particular da personalidade produz as formas sombrias que lhe são consequentes, e estas, como as plantas inferiores que se alastram no solo, por relaxamento do responsável, são extensivas às regiões próximas, onde não prevalece o espírito de vigilância e defesa.

4.5 Evidenciando extrema prudência no exame dos fatos e prevenindo-me contra qualquer concepção menos digna, no círculo de apreciações da Obra Divina, acrescentou:

— Sei que a sua perplexidade é enorme; no entanto, você não pode esquecer a nossa condição de velhos reincidentes no abuso da Lei. Desde o primeiro dia de razão na mente humana, a ideia de Deus criou princípios religiosos, sugerindo-nos as regras de bem viver. Contudo, à medida que se refinam conhecimentos intelectuais, parece que há menor respeito no homem para com as dádivas sagradas. Os pais terrestres, com raríssimas exceções, são as primeiras sentinelas viciadas, agindo em prejuízo dos filhinhos. Comumente, aos 20 anos, em virtude da inércia dos vigias do lar, a mulher é uma boneca e o homem, um manequim de futilidades doentias, muito mais interessados no serviço dos alfaiates que no esclarecimento dos professores; alcançando o monte do casamento, muitas vezes são pessoas excessivamente ignorantes ou demasiadamente desviadas. Cumpre, ainda, reconhecer que nós mesmos, em todo o curso das experiências terrestres, na maioria das ocasiões fomos campeões do endurecimento e da perversidade contra as nossas próprias forças vitais. Entre abusos do sexo e da alimentação, desde os anos mais tenros, nada mais fazíamos que desenvolver as tendências inferiores, cristalizando hábitos malignos. Seria, pois, de admirar tantas moléstias do corpo e degenerescências psíquicas? O plano superior jamais nega recursos aos necessitados de toda ordem e, valendo-se dos mínimos ensejos, auxilia os irmãos de Humanidade na restauração de seus patrimônios, seja cooperando com a Natureza, seja inspirando a descoberta de novas fontes medicamentosas e reparadoras. Por nossa vez, nos despojando dos fluidos mais grosseiros, por meio da morte física, à proporção que nos elevamos em compreensão e competência, transformamo-nos em auxiliares diretos das criaturas. Apesar disso, porém, o cipoal da ignorância é ainda muito espesso. E o vampirismo mantém considerável expressão, porque, se o Pai é sumamente misericordioso, é também infinitamente justo. Ninguém lhe confundirá os desígnios, e a morte do corpo quase sempre surpreende a alma em terrível condição parasitária. Desse modo, a promiscuidade entre os encarnados indiferentes à Lei Divina e os desencarnados que a ela têm sido indiferentes, é muito grande na crosta da Terra. Absolutamente sem preparo e tendo vivido muito mais de sensações animalizadas que de sentimentos e pensamentos puros, as criaturas humanas, além do túmulo, em muitíssimos casos, prosseguem imantadas aos ambientes domésticos que lhes alimentavam o campo emocional. Dolorosa ignorância prende-lhes os corações, repletos de particularismos, encarceradas no magnetismo terrestre, enganando a si próprias e fortificando suas antigas ilusões. Aos infelizes que caíram em semelhante condição de parasitismo, as larvas que você observou servem de alimento habitual.

— Deus meu! — exclamei sob forte espanto. **4.6**

Alexandre, porém, acrescentou:

Missionários da luz | Capítulo 4

4.7 — Semelhantes larvas são portadoras de vigoroso magnetismo animal.

Observando talvez que muitas e torturantes indagações se me entrechocavam no cérebro, o instrutor considerou:

— Naturalmente que a fauna microbiana, em análise, não será servida em pratos; bastará ao desencarnado agarrar-se aos companheiros de ignorância, ainda encarnados, qual erva daninha aos galhos das árvores, e sugar-lhes a substância vital.

Não conseguia dissimular o assombro que me dominava.

— Por que tamanha estranheza? — perguntou o cuidadoso orientador — e nós outros, quando nas esferas da carne? Nossas mesas não se mantinham à custa das vísceras dos touros e das aves? A pretexto de buscar recursos proteicos, exterminávamos frangos e carneiros, leitões e cabritos incontáveis. Sugávamos os tecidos musculares, roíamos os ossos. Não contentes em matar os pobres seres que nos pediam roteiros de progresso e valores educativos, para melhor atenderem a Obra do Pai, dilatávamos os requintes da exploração milenária e infligíamos a muitos deles determinadas moléstias para que nos servissem ao paladar, com a máxima eficiência. O suíno comum era localizado por nós, em regime de ceva, e o pobre animal, muita vez à custa de resíduos, devia criar para nosso uso certas reservas de gordura, até que se prostrasse, de todo, ao peso de banhas doentias e abundantes. Colocávamos gansos nas engordadeiras para que hipertrofiassem o fígado, de modo a obtermos pastas substanciosas destinadas a quitutes que ficaram famosos, despreocupados das faltas cometidas com a suposta vantagem de enriquecer os valores culinários. Em nada nos doía o quadro comovente das vacas-mães, em direção ao matadouro, para que nossas panelas transpirassem agradavelmente. Encarecíamos, com toda a responsabilidade da Ciência, a necessidade de proteínas e gorduras diversas, mas esquecíamos de que a nossa inteligência, tão fértil na descoberta de comodidade e conforto, teria recursos de encontrar novos elementos e meios de incentivar os suprimentos proteicos ao organismo, sem recorrer às indústrias da morte. Esquecíamo-nos de que o aumento dos laticínios, para enriquecimento da alimentação, constitui elevada tarefa, porque tempos virão, para a Humanidade terrestre, em que o estábulo, como o lar, será também sagrado.

— Contudo, meu amigo — propus-me a considerar —, a **4.8** ideia de que muita gente na Terra vive à mercê de vampiros invisíveis é francamente desagradável e inquietante. E a proteção das esferas mais altas? E o amparo das entidades angélicas, a amorosa defesa de nossos superiores?

— André, meu caro — falou Alexandre benevolente —, devemos afirmar a verdade, embora contra nós mesmos. Em todos os setores da Criação, Deus, nosso Pai, colocou os superiores e os inferiores para o trabalho de evolução, por meio da colaboração e do amor, da administração e da obediência. Atrever-nos-íamos a declarar, porventura, que fomos bons para os seres que nos eram inferiores? Não lhes devastávamos a vida, personificando diabólicas figuras em seus caminhos? Claro que não desejamos criar um princípio de falsa proteção aos irracionais, obrigados, como nós outros, a cooperar com a melhor parte de suas forças e possibilidades no engrandecimento e na harmonia da vida, nem sugerimos a perigosa conservação dos elementos reconhecidamente daninhos. Todavia, devemos esclarecer que, no capítulo da indiferença para com a sorte dos animais, da qual participamos no quadro das atividades humanas, nenhum de nós poderia, em sã consciência, atirar a primeira pedra. Os seres inferiores e necessitados do planeta não nos encaram como superiores generosos e inteligentes, mas como verdugos cruéis. Confiam na tempestade furiosa que perturba as forças da Natureza, mas fogem desesperados, à aproximação do homem de qualquer condição, excetuando-se os animais domésticos que, por confiar em nossas palavras e atitudes, aceitam o cutelo no matadouro, quase sempre com lágrimas de aflição, incapazes de discernir com o raciocínio embrionário onde começa a nossa perversidade e onde termina a nossa compreensão. Se não protegemos nem educamos aqueles que o Pai nos confiou, como germens frágeis de racionalidade nos pesados vasos do instinto; se abusamos largamente de sua incapacidade de defesa e conservação, como exigir o amparo de superiores benevolentes e sábios, cujas instruções mais simples são para nós difíceis de suportar, pela nossa lastimável condição de infratores da Lei de Auxílios Mútuos? Na qualidade de médico, você não pode ignorar que o embriologista, contemplando o feto humano em seus primeiros dias, a distância do veículo natural, não poderá afirmar, com certeza, se tem sob os olhos o gérmen de um homem ou de um cavalo. O médico legista encontra dificuldades para determinar se a mancha de sangue encontrada eventualmente provém de um homem, de um cão ou de um macaco. O animal possui igualmente o seu sistema endocrínico, suas reservas de hormônios, seus processos particulares de reprodução em cada espécie e, por isso mesmo, tem sido auxiliar precioso e fiel da Ciência na descoberta dos mais eficientes serviços de cura das moléstias humanas, colaborando ativamente na defesa da civilização. Entretanto...

4.9   Interrompera-se o instrutor e, considerando a gravidade do assunto, perguntei com emoção:

— Como solucionar tão dolorosos problemas?

— Os problemas são nossos — esclareceu o generoso amigo tranquilamente —, não nos cabe condenar a ninguém. Abandonando as faixas de nosso primitivismo, devemos acordar a própria consciência para a responsabilidade coletiva. A missão do superior é de amparar o inferior e educá-lo. E os nossos abusos para com a Natureza estão cristalizados em todos os países, há muitos séculos. Não podemos renovar os sistemas econômicos dos povos, de um momento para outro, nem substituir os hábitos arraigados e viciosos de alimentação imprópria, de maneira repentina. Refletem eles, igualmente, nossos erros multimilenários; mas, na qualidade de filhos endividados para com Deus e a Natureza, devemos prosseguir no trabalho educativo, acordando os companheiros encarnados, mais experientes e esclarecidos, para a nova era em que os homens cultivarão o solo da Terra por amor e utilizar-se-ão dos animais, com espírito de respeito, educação e entendimento.

Depois de ligeiro intervalo, o instrutor observou: **4.10**

— Semelhante realização é de importância essencial na vida humana, porque, sem amor para com os nossos inferiores, não podemos aguardar a proteção dos superiores; sem respeito para com os outros, não devemos esperar o respeito alheio. Se temos sido vampiros insaciáveis dos seres frágeis que nos cercam, entre as formas terrenas, abusando de nosso poder racional ante a fraqueza da inteligência deles, não é demais que, por força da animalidade que conserva desveladamente, venha a cair a maioria das criaturas em situações enfermiças pelo vampirismo das entidades que lhes são afins, na esfera invisível.

Os esclarecimentos de Alexandre, ministrados sem presunção e sem crítica, penetravam-me fundo. Algo de novo despertava-me o ser. Era o espírito de veneração por todas as coisas, o reconhecimento efetivo do paternal poder do Senhor do Universo.

O delicado orientador interrompeu-me o transporte de íntima adoração ao Pai, acentuando:

— Segundo observa, o legítimo desenvolvimento mediúnico é problema de ascensão espiritual dos candidatos às percepções sublimes. Entretanto, André, não importa que os nossos amigos, ansiosos pelos altos valores psíquicos, tenham vindo até aqui sem a devida preparação. Embora incipientes no assunto, lucraram muitíssimo, porque foram auxiliados contra o vampirismo venenoso e destruidor. Surpreendeu-se você com as larvas que lhes avassalam as energias espirituais; agora verá as entidades exploradoras que permanecem fora do recinto, esperando-lhes o regresso.

4.11 — Lá fora? — perguntei alarmado.

— Sim — respondeu Alexandre —, se os nossos irmãos conseguissem de fato estabelecer sobre si mesmos os desejáveis golpes de disciplina, muito ganhariam em força contra a influenciação dos infelizes que os seguem; lamentavelmente, no entanto, são raros os que mantêm a necessária resolução, no terreno da aplicação viva da luz que recebem. A maioria, rompido o nosso círculo magnético, organizado no curso de cada reunião, esquece as bênçãos recebidas e volta-se, novamente, para as mesmas condições deploráveis de horas antes, subjugada pelos vampiros renitentes e cruéis.

— Oh! que lições! — exclamei.

Notando que os nossos amigos encarnados se dispunham a sair, o instrutor convidou:

— Venha comigo à via pública e observe por si mesmo.

5
Influenciação

5.1 Notava, agora, a diferenciação do ambiente.

Para nós outros, os desencarnados, a atmosfera interior impregnava-se de elementos balsâmicos, regeneradores. Cá fora, porém, o ar pesava. Acentuara-se-me, sobremaneira, a hipersensibilidade, diante das emanações grosseiras da rua. As lâmpadas elétricas semelhavam-se a globos pequeninos, de luz muito pobre, isolados em sombra espessa.

Aspirando as novas correntes de ar, observava a diferença indefinível. O oxigênio parecia tocado de magnetismo menos agradável.

Compreendi, uma vez mais, a sublimidade da oração e do serviço da Espiritualidade superior, na intimidade das criaturas.

A prece, a meditação elevada, o pensamento edificante refundem a atmosfera, purificando-a.

O instrutor interrompeu-me as íntimas considerações, exclamando:

— A modificação, evidentemente, é inexprimível. Entre as vibrações harmoniosas da paisagem interior, iluminada pela oração, e a via pública, repleta de emanações inferiores, há diferenças singulares. O pensamento elevado santifica a atmosfera em torno e possui propriedades elétricas que o homem comum está longe de imaginar. A rua, no entanto, é avelhantado repositório de vibrações antagônicas, em meio de sombrios materiais psíquicos e perigosas bactérias de variada procedência, em vista de a maioria dos transeuntes lançar em circulação, incessantemente, não só as colônias imensas de micróbios diversos, mas também os maus pensamentos de toda ordem.

Enquanto ponderava o ensinamento ouvido, reparava que muitos agrupamentos de entidades infelizes e inquietas se postavam nas cercanias. Faziam-se ouvir, por conversações mais interessantes e pitorescas; todavia, desarrazoadas e impróprias, nas menores expressões.

5.2

Alexandre indicou-me pequeno grupo de desencarnados, que me pareceram em desequilíbrio profundo, e falou:

— Aqueles amigos constituem a coorte quase permanente dos nossos companheiros encarnados, que voltam agora ao ninho doméstico.

— Quê? — indaguei involuntariamente.

— Sim — acrescentou o orientador cuidadoso —, os infelizes não têm permissão para ingressar aqui, em sessões especializadas, como a desta noite. Nas reuniões dedicadas à assistência geral, podem comparecer. Hoje, entretanto, necessitávamos socorrer os amigos para que o vampirismo de que são vítimas seja atenuado em suas consequências prejudiciais.

Impressionou-me a excelência de orientação. Tudo, naqueles trabalhos, obedecia à ordem preestabelecida. Tudo estava calculado, programado, previsto.

— Agora — prosseguiu Alexandre, bem-humorado, —, repare na saída de nossos colaboradores terrestres. Observe a maneira pela qual voltam, instintivamente, aos braços das entidades ignorantes que os exploram.

5.3 Fiquei atento. Dispunham-se todos a deixar o recinto, tranquilamente.

À porta, junto de nós, começaram as despedidas entre eles:

— Graças a Deus! — exclamou uma senhora de maneiras delicadas — fizemos nossas preces em paz, com imenso proveito.

— Como me sinto melhor! — comentou uma das amigas mais idosas — a sessão foi um alívio. Trazia o espírito sobrecarregado de preocupações, mas, agora, sinto-me reconfortada, feliz. Acredito que me retiraram pesadas nuvens do coração. Ouvindo as orações e partilhando as tentativas de desenvolvimento para o serviço ao próximo, grande é o socorro que recebemos! Ah! como Jesus é generoso.

Um cavalheiro de porte distinto adiantou-se, observando:

— O Espiritismo é o nosso conforto. Os compromissos que temos são muito grandes, diante da verdade. E não é sem razão que o Senhor nos colocou nas mãos as lâmpadas sublimes da fé. Em torno de nossos passos, choram os sofredores, desviam-se os ignorantes no extenso caminho do mal. Dos Céus chegam até nós ferramentas de trabalho. É necessário servir, intensamente, transformando-nos em colaboradores fiéis da Revelação Nova!

— Exatamente! — concordou uma das interlocutoras, comovida com a exortação — temos grandes obrigações, não devemos perder tempo. A Doutrina confortadora dos Espíritos é o nosso tesouro de luz e consolação. Oh! meus amigos, como necessitamos trabalhar! Jesus chama-nos ao serviço, é imprescindível atender.

Reconhecendo os característicos de gratidão e louvor da palestra, expressei sincera admiração, exaltando a fidelidade dos cooperadores da Casa. Demonstravam-se fervorosos na fé, confiantes no futuro e interessados na extensão dos benefícios divinos, considerando as dores e necessidades dos semelhantes.

Vendo-me as expressões encomiásticas, Alexandre observou sorrindo: **5.4**

— Não se impressione. O problema não é de entusiasmo e, sim, de esforço persistente. Não podemos dispensar as soluções vagarosas. Raros amigos conseguem guardar uniformidade de emoção e idealismo nas edificações espirituais. Vai para nove anos, com algumas interrupções, que me encontro em concurso ativo nesta Casa e, mensalmente, vejo desfilar aqui as promessas novas e os votos de serviço. Ao primeiro embate com as necessidades reais do trabalho, reduzido número de companheiros permanece fiel à própria consciência. Nas horas calmas, grandes louvores. Nos momentos difíceis, disfarçadas deserções, a pretexto de incompreensão alheia. Sou forçado a dizer que, na maioria dos casos, nossos irmãos são prestativos e caridosos com o próximo, se tratando das necessidades materiais, mas quase sempre continuam sendo menos bons para si mesmos, por se esquecerem da aplicação da luz evangélica à vida prática. Prometem excessivamente com as palavras; todavia, operam pouco no campo dos sentimentos. Com exceções, irritam-se ao primeiro contato com a luta mais áspera, após reafirmarem os mais sadios propósitos de renovação e, comumente, voltando cada semana ao núcleo de preces, estão nas mesmas condições, requisitando conforto e auxílio exterior. Não é com facilidade que cumprem a promessa de cooperação com o Cristo, em si próprios, base fundamental da verdadeira iluminação.

Porque Alexandre silenciara, observei atenciosamente os circunstantes. Ainda se achavam todos eles, os encarnados, irradiando alegria e paz, colhidas na rápida convivência com os benfeitores invisíveis. Da fronte de cada um, emanavam raios de espiritualidade surpreendente.

Num gesto significativo, o instrutor esclareceu:

5.5   — Eles ainda se encontram sob as irradiações do banho de luz a que se submeteram por meio do serviço espiritual com a oração. Se conseguissem manter semelhante estado mental, pondo em prática as regras de perfeição que aprendem, comentam e ensinam, fácil lhes seria atingir positivamente o nível superior da vida; entretanto, André, como nós, que em outros tempos fomos inexperientes e frágeis, eles, agora, ainda o são também. Cada hábito menos digno, adquirido pela alma no curso incessante dos séculos, funciona qual entidade viva, no universo de sentimentos de cada um de nós, compelindo-nos às regiões perturbadas e oferecendo elementos de ligação com os infelizes que se encontram em nível inferior. Examine os nossos amigos encarnados com bastante atenção.

Contemplei-os com interesse. Trocavam gentilmente as últimas saudações da noite, demonstrando luminosa felicidade.

— Acompanhemos o grupo, no qual se encontra o nosso irmão mais fortemente atacado pelas inquietações do sexo — exclamou o orientador, proporcionando-me valiosa experiência.

O rapaz, em companhia de uma senhora idosa e de uma jovem, que logo percebi serem sua mãe e irmã, punha-se de regresso ao lar.

Movimentamo-nos, seguindo-os de perto.

Alguns metros, além do recinto, onde se reuniam os companheiros de luta, o ambiente geral da via pública tornava-se ainda mais pesado.

Três entidades de sombrio aspecto, absolutamente cegas para com a nossa presença, em vista do baixo padrão vibratório de suas percepções, acercaram-se do trio sob nossa observação.

Encostou-se uma delas à senhora idosa e, instantaneamente, reparei que a sua fronte se tornava opaca, estranhamente obscura. Seu semblante modificou-se. Desapareceu-lhe o júbilo irradiante, dando lugar aos sinais de preocupação forte. Transfigurara-se de maneira completa.

— Oh! meus filhos — exclamou a genitora, que parecia paciente e bondosa —, por que motivo somos tão diferentes no decurso do trabalho espiritual? Quisera possuir, ao retirar-me de nossas orações coletivas, o mesmo bom ânimo, a mesma paz íntima. Isso, porém, não acontece. Ao retomar o caminho da luta prática, sinto que a essência das preleções evangélicas persevera dentro de mim, mas de modo vago, sem aquela nitidez dos primeiros minutos. Esforço-me sinceramente por manter a continuação do mesmo estado de alma; entretanto, algo me falta, que não sei definir com precisão.

5.6

Nesse momento, as duas outras entidades, que ainda se mantinham distanciadas, agarraram-se comodamente aos braços do rapaz, que ofereceu aos meus olhos o mesmo fenômeno. Embaciou-se-lhe a claridade mental e duas rugas de aflição e desalento vincaram-lhe as faces, que perderam aquele halo de alegria luminosa e confiante. Foi então que ele respondeu, em voz pausada e triste:

— É verdade, mamãe. Enormes são as nossas imperfeições. Creia que a minha situação é pior. A senhora experimenta ansiedade, amargura, melancolia... É bem pouco para quem, como eu, se sente vítima dos maus pensamentos. Casei-me há menos de oito meses, e, não obstante o devotamento de minha esposa, tenho o coração, por vezes, repleto de tentações descabidas. Pergunto a mim mesmo a razão de tais ideias estranhas e, francamente, não posso responder. A invencível atração para os ambientes malignos confunde-me o espírito, que sinto inclinado ao bem e à retidão de proceder.

— Quem sabe, mano, está você sob a influência de entidades menos esclarecidas? — considerou a jovem, com boas maneiras.

— Sim — suspirou o rapaz —, por isso mesmo, venho tentando o desenvolvimento da mediunidade, a fim de localizar a causa de semelhante situação.

5.7   Nesse instante, o orientador murmurou desveladamente:

— Ajudemos este amigo por intermédio da conversação.

Sem perda de tempo, colocou a destra na fronte da menina, mantendo-a sob vigoroso influxo magnético e transmitindo-lhe suas ideias generosas. Reparei que aquela mão protetora, ao tocar os cabelos encaracolados da jovem, expedia luminosas chispas, somente perceptíveis ao meu olhar. A menina, a seu turno, pareceu mais nobre e mais digna em sua expressão quase infantil e respondeu firmemente:

— Neste caso, concordo em que o desenvolvimento mediúnico deve ser a última solução, porque, antes de enfrentar os inimigos, filhos da ignorância, deveríamos armar o coração com a luz do amor e da sabedoria. Se você descobrisse perseguidores invisíveis, em torno de suas atividades, como beneficiá-los cristãmente, sem a necessária preparação espiritual? A reação educativa contra o mal é sempre um dever nosso, mas antes de cogitar de um desenvolvimento psíquico, que seria talvez prematuro, deveremos procurar a elevação de nossas ideias e sentimentos. Não poderíamos contar com uma boa mediunidade sem a consolidação dos nossos bons propósitos; e para sermos úteis, nos reinos do Espírito, cabe-nos aprender, em primeiro lugar, a viver espiritualmente, embora estejamos ainda na carne.

A resposta, que constituíra para mim valiosa surpresa, não provocou maior interesse em ambos os interlocutores, quase neutralizados pela atuação dos vampiros habituais.

Mãe e filho deixavam perceber profunda contrariedade, em face das definições ouvidas. A palavra da menina, cheia de verdadeira luz, desconcertava-os.

— Não tem você bastante idade, minha filha — exclamou, contrafeita, a velha genitora —, não pode, pois, opinar neste assunto.

E como boa cultivadora de sofrimentos antigos, acentuou:

— Quando você atravessar os caminhos que meus pés já **5.8** cruzaram, quando vierem as desilusões sem esperança, então observará como é difícil manter a paz e a luz no coração!

— E se algum dia — falou o rapaz melancólico — experimentar as lutas que já conheço, verá que tenho motivos de queixa contra a sorte e que não me sobram outros recursos senão permanecer no círculo das indecisões que me assaltam. Faço quanto posso por desvencilhar-me das ideias sombrias e vivo a combater inesperadas tentações; no entanto, sinto-me longe da libertação espiritual necessária. Não me falta vontade, mas...

Alexandre, que havia retirado a destra de sobre a fronte da jovem, informou, atendendo-me à perplexidade:

— O amigo que se uniu à nossa irmã foi seu marido terrestre, homem que não desenvolveu as possibilidades espirituais e que viveu em tremendo egoísmo doméstico. Quanto aos dois infelizes, que se apegam tão fortemente ao rapaz, são dois companheiros, ignorantes e perturbados, que ele adquiriu em contato com o meretrício.

Diante do meu espanto, o instrutor prosseguiu, explicando:

— O ex-esposo não concebeu o matrimônio senão como união corporal para atender conveniências vulgares da experiência humana e, em vista de haver passado o tempo de aprendizado terreno sem ideais enobrecedores, interessado em fruir todas as gratificações dos sentidos, não se sente com bastante força para abandonar o círculo doméstico, em que a companheira, por sua vez, somente agora, depois da desencarnação dele, começa a preocupar-se com os problemas concernentes à vida espiritual. Quanto ao rapaz, de leviandade em leviandade, criou fortes laços com certas entidades ainda atoladas no pântano de sensações do meretrício, das quais se destacam, por mais perseverantes, as duas criaturas que ora se lhe agarram, quase que integralmente sintonizadas com o seu campo de magnetismo pessoal. O pobrezinho não se apercebeu dos perigos que o defrontavam, e tornou-se a presa inconsciente de afeiçoados que lhe são invisíveis, tão fracos e viciados quanto ele próprio.

5.9 — E não haverá recurso para libertá-los? — indaguei emocionado.

O orientador sorriu paternalmente e considerou:

— Quem, porém, deverá romper as algemas, senão eles mesmos? Nunca lhes faltou o auxílio exterior de nossa amizade permanente; no entanto, eles próprios alimentam-se uns aos outros, no terreno das sensações sutis, absolutamente imponderáveis para os que lhes não possam sondar o mecanismo íntimo. É inegável que procuram, agora, os elementos de libertação. Aproximam-se da fonte de esclarecimento elevado, sentem-se cansados da situação e experimentam, efetivamente, o desejo de vida nova; contudo, esse desejo é mais dos lábios que do coração, por constituir aspiração muito vaga, quase nula. Se, de fato, cultivassem a resolução positiva, transformariam suas forças pessoais, tornando-as determinantes, no domínio da ação regeneradora. Esperam, porém, por milagres inadmissíveis e renunciam às energias próprias, únicas alavancas da realização.

— Todavia, não poderíamos provocar a retirada dos vampiros inconscientes? — perguntei.

— Os interessados — explicou Alexandre, a sorrir — forçariam, por sua vez, a volta deles. Já se fez a tentativa que você lembrou, no propósito de beneficiá-los, de modo indireto, mas a nossa irmã se declarou demasiadamente saudosa do companheiro e o nosso amigo afirmou, intimamente, sentir-se menos homem, levando humildade à conta de covardia e tomando o desapego aos impulsos inferiores por tédio destruidor. Tanto expediram reclamações mentais que as suas atividades interiores constituíram verdadeiras invocações, e, em vista do vigoroso magnetismo do desejo constantemente alimentado, agregaram-se-lhes, de novo, os companheiros infelizes.

— No entanto, vivem assim imantados uns aos outros, em todos os lugares? — indaguei.

5.10

— Quase sempre. Satisfazem-se, mutuamente, na permuta contínua das emoções e impressões mais íntimas.

Preocupado em fazer algum bem, ponderei:

— Quem sabe poderíamos conduzir estas entidades ao devido fortalecimento? Não será razoável doutriná-las, incentivando-as ao equilíbrio e ao respeito próprio?

— Semelhante recurso — falou Alexandre complacente — não foi esquecido. Essa providência vem sendo efetuada com a perseverança e o método precisos. Todavia, tratando-se de um caso em que os encarnados se converteram em poderosos ímãs de atração, a medida exige tempo e tolerância fraternal. Temos grande número de trabalhadores, consagrados a esse mister, em nosso plano, e aguardamos que a semeadura de ensinamentos dê seus frutos. De qualquer modo, esteja convicto de que toda a assistência tem sido prestada aos amigos sob nossa observação. Se ainda não avançaram, todos eles, no terreno da Espiritualidade elevada, isto só se verifica em razão da fraqueza e da ignorância a que vivem voluntariamente escravizados. Colhem o que semeiam.

Nesse instante, fixamos novamente a atenção na palestra que se desdobrava:

— Faço o que posso — repetia o rapaz, em desalento —; entretanto, não consigo obter a tranquilidade interior.

— Ocorre comigo o mesmo fato — observava a genitora, em tom triste. — Minhas únicas melhoras se verificam por ocasião de nossas preces coletivas. Em seguida, as piores emoções me assaltam o espírito. Vivo sem paz, sem apoio. Oh! meus filhos, é cruel rolar assim, pelo mundo, como náufrago sem orientação!

5.11 — Compreendo-a, mamãe — tornou o filho, como que satisfeito por alimentar as impressões nocivas que lhe ocupavam a mente —, compreendo-a, porque as tentações me transformam a vida num cipoal de sombras espessas. Não sei mais que fazer para resistir aos pensamentos amargos. Ai de nós, se o Espiritismo não houvesse chegado aos nossos destinos como sagrada fonte de sublimes consolações!

Nesse momento, Alexandre colocou novamente a destra sobre a fronte da jovem, que lhe traduziu o pensamento, em tom de respeito e carinho:

— Concordo em que o Espiritismo é nosso manancial de consolo, mas não posso esquecer que temos na Doutrina a bendita escola de preparação. Se permanecermos arraigados às exigências de conforto, talvez venhamos a olvidar as obrigações do trabalho. Creio que os instrutores da verdade espiritual desejam, antes de tudo, a nossa renovação íntima, para a vida superior. Se apenas buscarmos consolação, sem adquirir fortaleza, não passaremos de crianças espirituais. Se procurarmos a companhia de orientadores benevolentes, tão só para o gozo de vantagens pessoais, onde estará o aprendizado? Acaso não permanecemos, aqui na Terra, em lição? Teríamos recebido o corpo, ao renascer, apenas para repousar? É incrível que os nossos amigos da esfera superior nos venham suprimir a possibilidade de caminhar por nós mesmos, usando os próprios pés. Naturalmente, não nos querem os benfeitores do Além para eternos necessitados da Casa de Deus, e sim para companheiros dos gloriosos serviços do bem, tão generosos, fortes, sábios e felizes quanto eles já o são.

E modificando a inflexão de voz, desejosa de demonstrar a ternura filial que lhe vibrava na alma, acentuou:

— Mamãe sabe como lhe quero bem, mas alguma coisa, no fundo da consciência, não me permite comentar as nossas necessidades senão assim, ajustando-me aos elevados ensinamentos que a Doutrina nos gravou no coração. Não posso compreender Cristianismo sem a nossa integração prática nos exemplos do Cristo.

5.12 Em virtude de o instrutor haver interrompido a operação magnética e porque me encontrasse perplexo ante a facilidade com que a menina lhe recebia os pensamentos, quando observara tanta complexidade nos serviços de psicografia, expus ao orientador amigo as indagações que me assaltavam o espírito.

Sem titubear, Alexandre explicou:

— Aqui, André, observa você o trabalho simples da transmissão mental e não pode esquecer que o intercâmbio do pensamento é movimento livre no Universo. Desencarnados e encarnados, em todos os setores de atividade terrestre, vivem na mais ampla permuta de ideias. Cada mente é um verdadeiro mundo de emissão e recepção e cada qual atrai os que se lhe assemelham. Os tristes agradam aos tristes, os ignorantes se reúnem, os criminosos comungam na mesma esfera, os bons estabelecem laços recíprocos de trabalho e realização. Aqui temos o fenômeno intuitivo, que, com maior ou menor intensidade, é comum a todas as criaturas, não só no plano construtivo, mas também no círculo de expressões menos elevadas. Temos, sob nossos olhos, uma velha irmã e seu filho maior, completamente ambientados na exploração inferior de amigos desencarnados, presas de ignorância e enfermidade, estabelecendo perfeito comércio de vibrações inferiores. Falam sob a determinação direta dos vampiros infelizes, transformados em hóspedes efetivos do continente de suas possibilidades físico-psíquicas. Permanece também sob nossa análise uma jovem que, presentemente, atingiu 16 anos de nova existência terrestre. Suas disposições, contudo, são bastante diversas. Ela consegue receber nossos pensamentos e traduzi-los em linguagem edificante. Não está propriamente em serviço técnico da mediunidade, mas no abençoado trabalho de espiritualização.

5.13   E indicando a mocinha, cercada de maravilhoso halo de luz, acrescentou:

— Conserva, ainda, o seu vaso orgânico na mesma pureza com que o recebeu dos benfeitores que lhe prepararam a presente reencarnação. Ainda não foi conduzida ao plano de emoções mais fortes, e as suas possibilidades de recepção, no domínio intuitivo, conservam-se claras e maleáveis. Suas células ainda se encontram absolutamente livres de influências tóxicas; seus órgãos vocais, por enquanto, não foram viciados pela maledicência, pela revolta, pela hipocrisia; seus centros de sensibilidade não sofreram desvios, até agora; seu sistema nervoso goza de harmonia invejável, e o seu coração, envolvido em bons sentimentos, comunga com a beleza das verdades eternas, pela crença sincera e consoladora. E, além disso, não tendo débitos muito graves do pretérito, condição que a isenta do contato com as entidades perversas que se movimentam na sombra, pode refletir com exatidão os nossos pensamentos mais íntimos. Vivendo muito mais pelo espírito, nas atuais condições em que se encontra, basta a permuta magnética para que nos traduza as ideias essenciais.

— Isto significa — perguntei — que esta jovem é bastante pura e que continuará com semelhantes facilidades, em toda a existência?

Alexandre sorriu e observou:

— Não tanto. Ela ainda conserva os benefícios que trouxe do plano espiritual e as cartas da felicidade ainda permanecem em suas mãos para extrair as melhores vantagens no jogo da vida, mas dependerá dela o ganhar ou perder, futuramente. A consciência é livre.

— Então — continuei perguntando —, não seria difícil prepararem-se todas as criaturas para receberem a influenciação superior?

— De modo algum — esclareceu ele. — Todas as almas **5.14** retas, dentro do espírito de serviço e de equilíbrio, podem comungar perfeitamente com os mensageiros divinos e receber-lhes os programas de trabalho e iluminação, independentemente da técnica do mediunismo que, presentemente, se desenvolve no mundo. Não há privilegiados na Criação. Existem, sim, os trabalhadores fiéis, compensados com justiça, seja onde for.

Fortemente emocionado com as observações ouvidas, senti que o meu pensamento se perdia num mar de novas e abençoadas ilações.

6
A oração

6.1 Após separar-se da genitora e da irmã, dispôs-se o rapaz a tomar o caminho da residência que lhe era própria.

Seguimo-lo de perto. Doía-me identificar-lhe a posição de vítima, cercado pelas duas formas escuras.

As observações referentes à Microbiologia psíquica impressionavam-me fortemente.

Conhecia, de perto, as alterações circulatórias, determinando a embolia,[12] o infarto, a gangrena. Tratara, noutro tempo, inúmeros casos de infecção, através de artrites e miosites,[13] úlceras gástricas e abscessos miliares.[14] Examinara, atenciosamente, no campo médico, as manifestações do câncer, dos tumores malignos, em complicados processos patológicos. Vira múltiplas

---

[12] N.E.: Oclusão súbita de um vaso sanguíneo, geralmente uma artéria, pela migração de um coágulo que se desprende do seu local de origem e se fixa no local da obstrução, impedindo o fluxo de sangue abaixo desse ponto.

[13] N.E.: Inflamação do tecido muscular de um ou vários músculos.

[14] N.E.: Presença difusa de finas lesões nodulares, semelhantes a um grão de milho miúdo, que podem invadir todos os órgãos, especialmente os pulmões e as pleuras (tuberculose miliar).

expressões microbianas, no tratamento da lepra, da sífilis, da tuberculose. Muitas vezes, na qualidade de defensor da vida, permanecera longos dias em duelo com a morte, sentindo a inutilidade de minha técnica profissional no ataque aos vírus estranhos que apressavam a destruição orgânica, zombando-me dos esforços. Na qualidade de médico, entretanto, na maioria dos casos, quando podia contar ainda com a prodigiosa intervenção da Natureza, mantinha a presunção de conhecer variadas normas de combate, em diversas direções. No diagnóstico da difteria, não vacilava na aplicação do soro de Roux e conhecia o valor da operação de traqueotomia no crupe[15] declarado. Nas congestões, não me esqueceria de intensificar a circulação. Nos eczemas, lembraria, sem dúvida, os banhos de amido, as pomadas à base de bismuto e a medicação arsenical e sulfurosa. Positivando o edema, recordaria a veratrina o calomelano, a cafeína e a teobromina, depois de analisar, detalhadamente, os sintomas. No câncer, praticaria a intervenção cirúrgica, se os raios X não demonstrassem a eficiência precisa. Para todos os sintomas, saberia utilizar regimens e dietas, aplicações diversas, isolamentos e intervenções, mas... e ali?

6.2 À nossa frente, caminhava um enfermo diverso. Sua diagnose era diferente. Escapava ao meu conhecimento dos sintomas e aos meus antigos métodos de curar. No entanto, era paciente em condições muito graves. Viam-se-lhe os parasitos escuros. Observava-se-lhe a desesperação íntima, em face do assédio incessante. Não haveria remédio para ele? Estaria abandonado e era mais infeliz que os doentes do mundo? Que fazer para aliviar-lhe as dores terríveis, a se manifestarem à maneira de angustiosas e permanentes inquietações? Já havia atendido a entidades perturbadas e sofredoras, balsamizando-lhes padecimentos atrozes. Não ignorava os esforços constantes de nossa colônia espiritual, a

---

[15] N.E.: Laringite complicada por dispneia e asfixia, causada pelo bacilo diftérico. Por dificultar ou impedir a penetração de ar na traqueia, pode levar à morte por sufocação.

fim de atenuar sofrimentos dos desencarnados de ordem inferior, mas, ali, em virtude da contribuição magnética de Alexandre, o grande e generoso instrutor que me seguia, observava um companheiro encarnado, presa de singulares viciações. Por quais fatores ministrar o socorro indispensável?

6.3 E, naturalmente, novas reflexões ocorriam-me céleres. Semelhantes expressões microbianas acompanhariam os desencarnados? Atacariam a alma fora da carne? Quando me debatia em amarguras inexprimíveis, nas zonas inferiores, certo havia sido vítima das mesmas influenciações cruéis. Todavia, onde o remédio salutar? Onde o alívio para tamanhas angústias?

Revelando paternal interesse, Alexandre veio em meu socorro, esclarecendo:

— Estas interrogações íntimas, André, são portadoras de grande bem para o seu coração. Começa a observar as manifestações do vampirismo, as quais não se circunscrevem ao ambiente dos encarnados. Quase que a totalidade de sofrimentos nas zonas inferiores, deve a ela sua dolorosa origem. Criaturas desviadas da verdade e do bem, nos longos caminhos evolutivos, reúnem-se umas às outras, para a continuidade das permutas magnéticas de baixa classe. Os criminosos de vários matizes, os fracos da vontade, os aleijados do caráter, os doentes voluntários, os teimosos e recalcitrantes de todas as situações e de todos os tempos integram comunidades de sofredores e penitentes do mesmo padrão, arrastando-se, pesadamente, nas regiões invisíveis ao olhar humano. Todos eles segregam forças detestáveis e criam formas horripilantes, porque toda matéria mental está revestida de força plasmadora e exteriorizante.

— Porém — objetei —, sinto que o campo médico é muito maior, depois da morte do corpo.

— Sem dúvida — redarguiu meu interlocutor sereno —, quando compreendermos a extensão dos ascendentes morais em todos os acontecimentos da vida.

— Entretanto — considerei —, horrorizam-me as novas descobertas na região microbiana. Que fazer contra o vampirismo? como lutar com as forças mentais degradantes? No mundo, temos a clínica especializada, a técnica cirúrgica, os antídotos de vários sistemas curativos; mas e aqui?

6.4

Alexandre sorriu pensativo, e falou, depois de pausa mais longa:

— Conforme verificamos, André, o tratamento remoto nos templos, a ascendência da fé nos processos de Medicina, nos séculos passados, e a concepção de que as entidades diabólicas provocam as mais estranhas enfermidades no homem, não são integralmente destituídas de razão. Indubitavelmente, entre os Espíritos encarnados, as expressões mentais dependem do equilíbrio do corpo, assim como a boa e perfeita música depende do instrumento fiel. Todavia, a ciência médica atingirá culminâncias sublimes quando verificar no corpo transitório a sombra da alma eterna. Cada célula física é instrumento de determinada vibração mental. Todos somos herdeiros do Pai que cria, conserva, aperfeiçoa, transforma ou destrói e, diariamente, com o nosso potencial gerador de energias latentes, estamos criando, renovando, aprimorando ou destruindo alguma coisa. Justifico a surpresa de seus raciocínios ante a paisagem nova que se desdobra à sua vista. A luta do aperfeiçoamento é vastíssima. Quanto ao combate sistemático ao vampirismo, nas múltiplas moléstias da alma, aqui também, no plano de nossas atividades, não faltam processos saneadores e curativos de natureza exterior; no entanto, examinando o assunto na essência, somos compelidos a reconhecer que cada filho de Deus deve ser o médico de si mesmo e, até a plena aceitação desta verdade com as aplicações de seus princípios, a criatura estará sujeita a incessantes desequilíbrios.

Entendendo-me a estranheza, Alexandre indicou o rapaz que se dispunha a penetrar o reduto doméstico, depois de pequeno percurso a pé, e falou:

6.5 — Há diversos processos de medicação espiritual contra o vampirismo, os quais poderemos desenvolver em direções diversas; mas, para fornecer a você uma demonstração prática, visitemos o lar de nosso amigo. Conhecerá o mais poderoso antídoto.

Curioso, observei que as entidades infelizes mostravam-se, agora, terrivelmente contrafeitas. Alguma coisa impedia-lhes acompanhar a vítima ao interior.

— Naturalmente — acentuou meu generoso companheiro —, você já sabe que a prece traça fronteiras vibratórias.

Sim, já observara experiências dessa ordem.

— Aqui — prosseguiu ele — reside uma irmã que tem a felicidade de cultivar a oração fervorosa e reta.

Entramos. E, enquanto o amigo encarnado se preparava a recolher, Alexandre explicava-me o motivo da sublime paz reinante entre as paredes humildes.

— O lar — disse — não é somente a moradia dos corpos, mas, acima de tudo, a residência das almas. O santuário doméstico, que encontre criaturas amantes da oração e dos sentimentos elevados, converte-se em campo sublime das mais belas florações e colheitas espirituais. Nosso amigo não se equilibrou ainda nas bases legítimas da vida, depois de extremas vacilações e levianas experiências da primeira mocidade; no entanto, sua companheira, mulher jovem e cristã, garante-lhe a casa tranquila, com a sua presença, pela abundante e permanente emissão de forças purificadoras e luminosas, de que o seu Espírito se nutre.

Achava-me eminentemente surpreendido. De fato, a tranquilidade interior era grande e confortadora. Em cada ângulo das paredes e em cada objeto isolado havia vibrações de paz inalterável.

O rapaz, agora, penetrava o aposento modesto, naturalmente disposto ao descanso noturno.

Alexandre tomou-me a destra, paternalmente, encaminhou-se até a porta, que se fechara sem estrépito, e bateu, de leve, como se estivéssemos ante um santuário que não devíamos penetrar sem religioso respeito.

Uma senhora muito jovem, em quem percebi imediatamente a esposa de nosso companheiro, desligada do corpo físico, em momentos de sono, veio atender e saudou o instrutor afetuosamente. Após cumprimentar-me, graças à apresentação de Alexandre, exclamou jovial: **6.6**

— Agradeço a Deus a possibilidade de orarmos juntos. Entrem. Desejo transformar nossa casa no templo vivo de nosso Senhor.

Ingressamos no aposento íntimo e, de minha parte, mal continha a surpresa da situação.

Nesse mesmo instante, punha-se o rapaz entre os lençóis, com evidente cuidado para não despertar a esposa adormecida.

Contemplei o quadro formoso e santificante. Rodeava-se o leito de intensa luminosidade. Observei os fios tenuíssimos de energia magnética, ligando a alma de nossa nobre amiga à sua forma física, placidamente recostada.

— Desculpem-me — disse bondosa, fixando o olhar no instrutor —, preciso atender agora aos meus deveres imediatos.

— Esteja à vontade, Cecília — falou o orientador com a ternura de um pai que abençoa —, passamos aqui tão só para visitá-la.

Cecília beijou-lhe as mãos e rogou:

— Não se esqueça de deixar-nos os seus benefícios.

Alexandre sorriu em silêncio e, por alguns minutos, manteve-se em meditação mais profunda.

E enquanto ele se mantinha insulado em si mesmo, eu observava a delicada cena: a esposa, desligada do corpo, sentou-se à cabeceira e, no mesmo instante, o rapaz como se estivesse ajeitando os travesseiros descansou a cabeça em seu regaço espiritual. Cecília, acariciando-lhe a cabeleira com as mãos, elevava os olhos ao Alto, revelando-se em fervorosa prece. Luzes sublimes cercavam-na toda e eu podia sintonizar com as suas expressões mais íntimas, ouvindo-lhe a rogativa pela iluminação do companheiro a quem parecia amar infinitamente. Comovido com a beleza de suas súplicas, reparei com assombro que o coração se lhe transformava num foco ardente de luz, do qual saíam inúmeras partículas resplandecentes, projetando-se sobre o corpo e sobre a alma do esposo com a celeridade de minúsculos raios.

Os corpúsculos radiosos penetravam-lhe o organismo em todas as direções e, muito particularmente, na zona do sexo, na qual identificara tão grandes anomalias psíquicas, concentravam-se em massa, destruindo as pequenas formas escuras e horripilantes do vampirismo devorador. Os elementos mortíferos, no entanto, não permaneciam inativos. Lutavam desesperados com os agentes da luz. O rapaz, como se houvera atingido um oásis, perdera a expressão de angustioso cansaço. Demonstrava-se calmo e, gradativamente, cada vez mais forte e feliz, no momento em curso. Restaurado em suas energias essenciais, enlaçou devagarinho a esposa amorosa que se conservava maternalmente ao seu lado e adormeceu jubiloso.

6.7 A cena íntima era maravilhosamente bela aos meus olhos.

Dispunha-me a pedir explicações, quando o instrutor me chamou delicadamente, encaminhando-me ao exterior.

Fora do quarto, falou-me paternalmente:

— Já observou quanto devia. Agora, poderá extrair as próprias ilações.

— Sim — retruquei —; estou assombrado com o que vi; no entanto, estimaria ouvi-lo em considerações esclarecedoras.

— Não tenha dúvida — prosseguiu o orientador -, a oração é o mais eficiente antídoto do vampirismo. A prece não é movimento mecânico de lábios, nem disco de fácil repetição no aparelho da mente. É vibração, energia, poder. A criatura que ora, mobilizando as próprias forças, realiza trabalhos de inexprimível significação. Semelhante estado psíquico descortina forças ignoradas, revela a nossa origem divina e coloca-nos em contato com as fontes superiores. Dentro dessa realização, o Espírito, em qualquer forma, pode emitir raios de espantoso poder.

Após breve intervalo, Alexandre considerou, imprimindo mais força ao ensinamento: **6.8**

— E você não pode ignorar que as próprias formas inferiores da Terra se alimentam quase que integralmente de raios. Descem sobre a fronte humana, em cada minuto, bilhões de raios cósmicos, oriundos de estrelas e planetas amplamente distanciados da Terra, sem nos referirmos aos raios solares, caloríficos e luminosos, que a ciência terrestre mal começa a conhecer. Os raios gama, provenientes do rádium que se desintegra incessantemente no solo, e os de várias expressões emitidos pela água e pelos metais, alcançam os habitantes da Terra pelos pés, determinando consideráveis influenciações. E, em sentido horizontal, experimenta o homem a atuação dos raios magnéticos exteriorizados pelos vegetais, pelos irracionais e pelos próprios semelhantes.

A admiração impusera-me silêncio, mas o orientador prosseguiu, após ligeiro intervalo:

— E as emanações de natureza psíquica que envolvem a Humanidade, provenientes das colônias de seres desencarnados que rodeiam a Terra? Em cada segundo, André, cada um de nós recebe trilhões de raios de vária ordem e emitimos forças que nos são peculiares e que vão atuar no plano da vida, por vezes em regiões muitíssimo afastadas de nós. Nesse círculo de permuta incessante, os raios divinos, expedidos pela oração santificadora, convertem-se em fatores adiantados de cooperação eficiente e definitiva na cura do corpo, na renovação da alma e iluminação da consciência. Toda prece elevada é manancial de magnetismo criador e vivificante, e toda criatura que cultiva a oração, com o devido equilíbrio do sentimento, transforma-se, gradativamente, em foco irradiante de energias da Divindade.

6.9 As elucidações do instrutor calaram-me profundamente no ser. Desejando, contudo, certificar-me quanto a outro pormenor da sublime experiência, interroguei:

— Bastará, porém, o recurso da esposa para que o nosso doente restaure o equilíbrio psíquico?

Alexandre sorriu e respondeu:

— O socorro de Cecília é valioso para o companheiro, mas o potencial de emissão divina pertence a ela, como fruto incorruptível dos seus esforços individuais. Significa para ele o "acréscimo de misericórdia" que deverá anexar, em definitivo, ao patrimônio de sua personalidade, por meio do trabalho próprio. Receber o auxílio do bem não quer dizer que o beneficiado seja bom. Nosso amigo precisa devotar-se, com fervor, ao aproveitamento das bênçãos que recebe, porque, inegavelmente, toda cooperação exterior pode ser interrompida e cada filho de Deus é herdeiro de possibilidades sublimes e deve funcionar como médico vigilante de si mesmo.

7
Socorro espiritual

7.1 — Precisa voltar mais cedo aos serviços? — indagou Alexandre, assim que tornávamos à via pública.

— Posso dispor de mais tempo — respondi.

Meu interesse era enorme na continuidade das instruções. Alexandre possuía vastíssimas experiências médicas. Minhas aquisições nesse terreno, em comparação com as dele, representavam conhecimentos pálidos.

— Tenho ainda hoje uma assembleia de esclarecimentos a irmãos encarnados — continuou o orientador — e, se você puder comparecer, teremos satisfação.

— Como não? Estou aprendendo e não devo perder a oportunidade.

Saímos.

As entidades perturbadas mantinham-se à porta, dando a ideia de alguém à espera de brecha para entrar.

Porque Alexandre prosseguia na palestra edificante, seguíamos, quase passo a passo, como quando na crosta.

Estávamos nos primeiros minutos da madrugada. Os transeuntes desencarnados eram numerosíssimos. A maioria, de natureza inferior, trajava roupa escura, mas, de espaço a espaço, éramos defrontados por grupos luminosos que passavam céleres, em serviços cuja importância se adivinhava. 7.2

— Há sempre quefazeres urgentes, no auxílio oportuno aos nossos irmãos da crosta — comentou o instrutor com afabilidade e doçura — e, na maior parte das vezes, é mais eficiente o nosso concurso à noite, quando os raios solares diretos não desintegram certos recursos de nossa cooperação...

Não havia terminado, quando se acercou de nós, inesperadamente, uma velhinha simpática.

— Justina, minha irmã, que o Senhor a abençoe! — saudou-a o orientador gentil.

A entidade amiga, que demonstrava muita inquietude no olhar, respondeu com afetuoso respeito e explicou-se:

— Alexandre, tenho necessidade de seu auxílio urgente e vim ao seu encontro. Desculpe-me.

E, antes que o instrutor pudesse sondar-lhe verbalmente a aflição, a interlocutora prosseguiu:

— Meu filho Antônio encontra-se em estado gravíssimo...

Agora era Alexandre que a interrompia:

— Adivinho o que se passa. Quando o visitei, no mês findo, notei-lhe as perturbações circulatórias.

— Sim, sim — continuou a mãe aflita. — Antônio vive no círculo de pensamentos muito desregrados, apesar do bom coração. E hoje trouxe para o leito de repouso tantas preocupações descabidas, tanta angústia desnecessária, que as suas criações mentais se transformaram em verdadeiras torturas. Embalde auxiliei-o com os meus humildes recursos; infelizmente, é tão grande o seu desequilíbrio interior, que toda a minha colaboração resultou inútil, permanecendo-lhe o cérebro sob a ameaça de um derramamento mortífero.

7.3   E, sentindo a gravidade do minuto, acrescentou triste:

— Ó Alexandre, bem sei que devemos subordinar nossos desejos aos desígnios de Deus. Entretanto, meu filho necessita de mais alguns dias na Terra. Creio que, em dois meses, conseguirei dele, indiretamente, a solução de todos os problemas que lhe afetam a paz da família. Sua autoridade pode auxiliar-nos! Seu coração edificado em Cristo permanece em condições de fazer-nos semelhante bem!...

Reconhecendo a urgência do assunto, exclamou o orientador:

— A caminho! não temos um segundo a perder!

Daí a poucos instantes, penetramos na residência confortável. A velhinha aflita conduziu-nos a uma alcova espaçosa, onde o filho, chefe da casa, repousava metido em alvos lençóis, dando-me a impressão característica de um moribundo.

Antônio parecia próximo dos 70 anos e exibia todos os sinais do arteriosclerótico[16] adiantado.

O quadro era agora profundamente educativo para mim, que entrara num círculo valioso de observações novas.

Identificava perfeitamente o estado pré-agônico, em todas as suas expressões físico-espirituais. A alma confusa, inconsciente, movimentava-se com dificuldade, quase que totalmente exteriorizada, junto do corpo imóvel, a respirar dificilmente.

Enquanto Alexandre se inclinava paternalmente sobre ele, observei que estávamos diante de uma trombose perigosíssima, por localizar-se numa das artérias que irrigam o córtex motor do cérebro. A apoplexia[17] não se fizera esperar. Mais alguns instantes e a vítima estaria desencarnada.

---

[16] N.E.: Termo genérico para espessamento e endurecimento da parede das artérias, caracterizado pelo depósito de gordura, cálcio e outros elementos em suas paredes internas, reduzindo seu calibre e provocando um déficit sanguíneo nos tecidos irrigados por elas, predispondo à trombose e à isquemia, sobretudo do coração e do cérebro.

[17] N.E.: Parada brusca e completa das funções cerebrais, causada por uma hemorragia cerebral, uma embolia ou uma trombose arterial. Caracteriza-se por uma perda súbita da consciência, com persistência da circulação e da respiração.

Alexandre, que centralizara todas as atenções no enfermo, **7.4** tocou-lhe o cérebro perispiritual e falou com autoridade serena:

— Antônio, mantenha-se vigilante! Nosso auxílio pede a sua cooperação!

O moribundo, desligado parcialmente do corpo, abriu os olhos fora do invólucro de carne, dando a entender vagas noções de consciência, e o instrutor prosseguiu:

— Você foi acidentado pelos próprios pensamentos em conflito injustificável. Suas preocupações excessivas criaram-lhe elementos de desorganização cerebral. Intensifique o desejo de retomar as células físicas, enquanto nos preparemos a fim de ajudá-lo. Este momento é decisivo para as suas necessidades.

O interpelado não respondeu, mas observei que Antônio compreendera a advertência, no imo das forças da consciência, colocando-se em boa posição para colaborar em favor de si mesmo.

Em seguida, o orientador iniciou complicadas operações magnéticas, no corpo inanimado, ministrando energias novas à espinha dorsal. Decorridos alguns instantes, colocou a destra ao longo do fígado e, mais tarde, demorando-a no cérebro físico, bem à altura da zona motora, chamou-me e disse:

— André, mantenha-se em prece, cooperando conosco. Convocarei alguns irmãos em serviço, nesta noite, para auxiliar-nos.

E acentuou, após meditar por alguns segundos:

— O grupo do irmão Francisco não pode estar longe.

Dito isto, Alexandre assumiu atitude de profunda concentração de pensamento.

Não passou mais de um minuto e pequena expedição de oito entidades, quatro companheiros e quatro irmãs, penetrou o recinto doméstico, em religioso silêncio.

Saudamo-nos todos, ligeiramente, e o instrutor dirigiu-se, atencioso, à entidade que guardava atribuições de chefia.

7.5 — Francisco, precisamos aqui das emanações de algum dos nossos amigos encarnados, cujo veículo material esteja agora em repouso equilibrado.

E ao passo que o novo irmão observava, cuidadoso, o agonizante, Alexandre acrescentava:

— Conforme observa, estamos diante de um caso gravíssimo. É preciso muito critério na escolha do doador de fluidos.

O dirigente dos socorristas pensou um momento e obtemperou:

— Temos um companheiro que nos atenderá razoavelmente. Trata-se de Afonso. Enquanto irei buscá-lo, nosso grupo auxiliará sua ação curativa, emitindo forças de colaboração magnética, por meio da prece.

Francisco ausentou-se imediatamente.

Nesse instante, a velhinha aproximou-se do instrutor e falou respeitosa:

— Se há necessidade de fluidos de irmãos encarnados, quem sabe poderíamos empregar o concurso de minhas netas que repousam nos aposentos próximos?

— Não — respondeu Alexandre delicadamente —, não atenderiam às exigências em curso. Precisamos de alguém suficientemente equilibrado no campo mental.

A mãe inquieta afastou-se, enxugando os olhos.

Atendendo a sinal afetuoso do orientador, aproximei-me, observando o doente de mais perto, mantendo-me embora na íntima atitude de oração.

— Antônio é viúvo há vinte anos — explicou Alexandre — e está nas vésperas de vir ter conosco, no plano espiritual. Nosso amigo, porém, necessita de mais alguns dias na esfera da crosta para deixar alguns problemas sérios devidamente solucionados. O Senhor nos concederá a satisfação de colaborar no reerguimento provisório de suas forças.

E fosse porque me detinha a observar o grupo de entidades **7.6** que oravam silenciosas, ou em razão de pretender beneficiar-me com novos ensinamentos, o instrutor esclareceu:

— Temos aqui o grupo do irmão Francisco. Trata-se de uma das inumeráveis turmas de serviço que nos prestam cooperação. Muitos companheiros consagram-se aos trabalhos dessa natureza, mormente à noite, quando as nossas atividades de auxílio podem ser mais intensas.

Verdadeiro mundo de interrogações assomava-me ao cérebro, a fim de solucionar as questões do momento; contudo, compreendendo a gravidade dos minutos, em face da tarefa para a qual fôramos chamados, resolvi silenciar.

Não decorreu muito tempo e Francisco voltava seguido de alguém. Tratava-se do companheiro encarnado a que Alexandre se referira.

Não houve oportunidade para saudações. O orientador, tomando-lhe a destra, conduziu-o imediatamente à cabeceira do moribundo, dizendo-lhe com autoridade afetuosa:

— Afonso, não temos um segundo a perder. Coloque ambas as mãos na fronte do enfermo e conserve-se em oração.

O interpelado não pestanejou. Dando-me a impressão de um veterano em semelhantes serviços de assistência, parecia sumamente despreocupado de todos nós, fixando-se tão somente na obrigação a cumprir.

Foi então que vi Alexandre funcionar como verdadeiro magnetizador. Recordando meus antigos trabalhos médicos nos casos extremos de transfusão de sangue, via-lhe perfeitamente o esforço de transferir vigorosos fluidos de Afonso para o organismo de Antônio, já moribundo.

Na qualidade de discípulo, acentuando minhas faculdades de análise, junto de preciosa lição, observei que o semblante do enfermo transformava-se gradualmente. À medida que o instrutor movimentava as mãos sobre o cérebro de Antônio, este revelava sinais crescentes de melhoras. Verificava, sob forte assombro, que a sua forma periespiritual reunia-se devagarinho à forma física, integrando-se, harmoniosamente, uma com a outra, como se estivessem, de novo, em processo de reajustamento, célula por célula.

7.7   Depois de um quarto de hora, segundo meu cálculo de tempo, estava finda a laboriosa intervenção magnética e Alexandre, chamando a velhinha, acentuou:

— Justina, o coágulo acaba de ser reabsorvido e conseguimos socorrer a artéria com os nossos recursos, mas Antônio terá, no máximo, cinco meses a mais de permanência na Terra. Se você pleiteou o auxílio de agora para ajudá-lo a resolver negócios urgentes, não perca as oportunidades, porque os reparos deste instante não perdurarão por mais de 150 dias. E não se esqueça de preveni-lo, pelos processos intuitivos ao nosso alcance, quanto ao cuidado que deverá manter consigo mesmo no terreno das preocupações excessivas, mormente à noite, quando ocorrem os fenômenos desastrosos mais sérios de circulação, em vista da invigilância de muitas pessoas que se valem das horas sagradas do repouso físico para a criação de fantasmas cruéis, no campo vivo do pensamento. Se o nosso amigo despreocupar-se da autocorrigenda, talvez desencarne antes dos cinco meses. Toda a cautela é indispensável.

A genitora agradeceu comovida, em lágrimas de contentamento.

Alexandre recomendou ao "socorrista" encarnado que retirasse as mãos de sobre a fronte do enfermo e vi, então, o inesperado. O doente grave, reintegrado nas funções orgânicas, com a harmonia possível, abriu os olhos físicos, como se estivesse profundamente embriagado, e começou a gritar estentoricamente:

— Socorro! Socorro!... Acudam-me por amor de Deus! Eu morro, eu morro!...

Algumas jovens acorreram espantadas e trêmulas, em rou- **7.8** pas brancas, percebendo-se que as filhas carinhosas e sensíveis vinham atender ao pai ansioso.

— Papai! Papai! — exclamavam lacrimosas — Que foi isto?

— Estou morrendo! — clamava o enfermo em voz pungente — chamem o médico... Depressa!

— Mas que sente, papai? — perguntou uma delas, em pranto convulso.

— Sinto-me morrer, tenho a cabeça tonta, incapaz de raciocinar...

Grande era a azáfama dos encarnados que passavam por nós em bulha indescritível, atropelando-se uns aos outros, sem o mais leve traço de consciência a respeito da nossa presença ali.

Alexandre solicitou ao irmão Francisco fornecesse instruções a Afonso para que este regressasse ao lar e, depois da providência, dispôs-se a retirar e disse-me sorrindo, diante da estranheza que a atitude alarmante das moças me causava:

— Geralmente, quando os nossos amigos encarnados gritam, chorosos, por socorro, nosso serviço de assistência já se encontra completo. Partamos.

O doente, semilúcido, prosseguia inquieto, enquanto o telefone tilintava, cooperando para a imediata visita do médico.

A velhinha despediu-se de nós, comovedoramente, permanecendo junto do enfermo, velando, devotada e humilde.

Na via pública, pedi ao instrutor me pusesse em contato mais íntimo com o irmão Francisco, que nos acompanhava solícito.

Alexandre, afável como sempre, atendeu-me aos desejos.

— Nossa pequena expedição — esclareceu o chefe do agrupamento, depois de trocar comigo palavras muito cordiais — é uma das inumeráveis turmas de socorro que colaboram nos círculos da crosta. Somos milhares de servidores, nessas condições, ligados a diversas regiões espirituais mais elevadas.

7.9 — Seu núcleo — perguntei — procede de nossa colônia?

— Sim. E temos nossas atividades entrelaçadas com as tarefas de vários instrutores de Nosso Lar.[18]

— E há tarefas especializadas para cada grupo dessa natureza?

— Perfeitamente. O nosso, por exemplo — acentuou Francisco gentil —, destina-se ao reconforto de doentes graves e agonizantes. De modo geral, as condições de luta para os enfermos são mais difíceis à noite. Os raios solares, nas horas diurnas, destroem grande parte das criações mentais inferiores dos doentes em estado melindroso, não acontecendo o mesmo à noite, quando o magnetismo lunar favorece as criações de qualquer espécie, boas ou más. Em vista disso, o nosso esforço há de ser vigilante. Quase ninguém no círculo de nossos irmãos encarnados conhece a extensão de nossas tarefas de socorro. Permanecem eles num campo de vibrações muito diferentes das nossas e não podem apreender ou discriminar nosso auxílio. Isso, porém, não importa. Outros benfeitores, muito mais elevados que aqueles dos quais podemos guardar conhecimento direto, velam por nós e inspiram-nos, devotadamente, no campo das obrigações comuns, sem que vejamos a sua forma de expressão nos trabalhos referentes aos divinos desígnios.

E talvez porque eu sorrisse, admirando-lhe o ideal de renúncia serena e santificante, o interlocutor também sorriu e acrescentou:

— Sim, meu amigo, reclamar compreensão e resultados de criaturas e situações, ainda incapacitadas para no-los dar, constitui exigência mais cruel que a solicitação de recompensas imediatas.

Era bem a verdade convincente. Mantinha-se o irmão Francisco dentro da lógica mais elevada. Os que auxiliam alguém, interessados no reconhecimento ou na compensação,

---

[18] Colônia de que trata o primeiro livro de André Luiz, com esse mesmo nome — *Nosso lar* —, obra publicada pela FEB.

quase sempre permanecem de olhos cerrados para o concurso divino e invisível que de Mais Alto recebem. Exigem que outros lhes identifiquem a posição de benfeitores, mas nunca se recordam de que amigos sábios e desvelados lhes oferecem a melhor cooperação de planos superiores, sem deles reclamarem a mínima nota de gratidão pessoal.

7.10 — São muitos os irmãos afins — continuou o meu interlocutor, interrompendo-me as reflexões íntimas — que se reúnem, depois da morte do corpo, em tarefas de amparo fraternal, quando já alcançaram os primeiros degraus da escada de purificação. Do que me é possível ajuizar, semelhantes trabalhos são dos mais eficientes e dignos, em favor dos homens. Raramente os companheiros encarnados, quando em excelentes condições de saúde física, podem compreender as aflições dos enfermos em posição desesperadora ou dos moribundos prestes a partir. Nós outros, porém, no quadro de realidades mais fortes, sabemos que, muitas vezes, é possível efetuar realizações deveras sublimes, de natureza espiritual, em poucos dias, nessas circunstâncias, depois de largos anos de atividades inúteis. No leito da morte, as criaturas são mais humanas e mais dóceis. Dir-se-ia que a moléstia intransigente enfraquece os instintos mais baixos, atenua as labaredas mais vivas das paixões inferiores, desanimaliza a alma, abrindo-lhe, em torno, interstícios abençoados por onde penetra infinita luz. E a dor vai derrubando as pesadas muralhas da indiferença, do egoísmo cristalizado e do amor-próprio excessivo. Então, é possível o grande entendimento. Lições admiráveis felicitam a criatura que, palidamente embora, percebe a grandeza da herança divina. Acentua-se-lhe o heroísmo e gravam-se-lhe no coração, para sempre, mensagens vivas de amor e sabedoria. Na noite espessa da agonia, começa a brilhar a aurora da vida eterna. E aos seus clarões indistintos, nossos princípios são facilmente aceitos, a sensibilidade demonstra características sublimes e a luz imortal lança fontes de infinito poder nos recessos do espírito.

7.11 O interlocutor fez longa pausa e rematou:

— Desse modo, conseguimos efetuar um serviço de assistência eficaz, carreando novos valores no campo da fraternidade e do bem legítimo. Nunca observou a paciência inesperada de doentes graves, a calma de certos enfermos incuráveis e a suprema conformação da maioria dos moribundos? Muitas vezes, semelhantes edificações, incompreensíveis para os encarnados que os cercam, constituem o fruto do esforço de nossos grupos itinerantes de socorro.

Francisco enunciara sublimes verdades. De fato, a serenidade dos enfermos em condição desesperadora e a resignação inexplicável dos agonizantes, absolutamente distanciados da fé religiosa, não poderiam guardar outra origem. A bondade divina é infinita e, em todos os lugares, há sempre generosas manifestações da Providência paternal de Deus, confortando os tristes, acalmando os desesperados, socorrendo os ignorantes e abençoando os infelizes.

8
No plano dos sonhos

8.1 Após alguns minutos de conversação encantadora, o irmão Francisco acercou-se do orientador, indagando sobre os objetivos da reunião da noite.

— Sim — esclareceu Alexandre afável —, teremos algum trabalho de esclarecimento geral a amigos nossos, relativamente a problemas de mediunidade e psiquismo, sem minúcias particulares.

— Se nos permite — tornou o interlocutor —, estimaria trazer alguns companheiros que colaboram frequentemente conosco. Seria para nós grande satisfação vê-los aproveitando os minutos de sono físico.

— Sem dúvida. Destina-se o serviço de hoje à preparação de cooperadores nossos, ainda encarnados na crosta. Estaremos à sua disposição e receberemos seus auxiliares com alegria.

Francisco agradeceu sensibilizado e perguntou:

— Poderemos providenciar?

— Imediatamente — explicou o instrutor sem hesitação. — Conduza os amigos ao sítio de seu conhecimento.

Afastou-se o grupo de "socorristas", deixando-me verda- 8.2
deiro mundo de pensamentos novos.

Segundo informações anteriores, Alexandre dirigiria, naquela noite, pequena assembleia de estudiosos e, assim que nos vimos a sós, explicou-me solícito:

— Nosso núcleo de estudantes terrestres já possui certa expressão numérica; no entanto, faltam-lhe determinadas qualidades essenciais para funcionar com pleno proveito. Em vista disso, é imprescindível dotar os companheiros de conhecimentos mais construtivos.

E, como julgasse útil fornecer-me informações pessoais destinadas à minha própria elucidação, acrescentou gentilmente:

— Atendendo às injunções dessa ordem, estabeleci um curso de esclarecimento metódico para melhorar a situação. Nem todos sabem valer-se das horas de sono físico, para o incentivo de semelhantes aquisições, mas se alguns lavradores mais corajosos não se dispuserem a cultivar algumas sementes, a fim de iniciar-se mais tarde a cultura intensiva, jamais a comunidade ruralista alcançará a lavoura farta.

E, sorridente, acentuou:

— Contamos, em nosso centro de estudos, com número superior a trezentos associados; no entanto, apenas 32 conseguem romper as teias inferiores das mais baixas sensações fisiológicas, para assimilarem nossas lições. E noites se verificam em que mesmo alguns desses quebram os compromissos assumidos, atendendo a seduções comuns, reduzindo-se ainda mais a frequência geral. Em compensação, de vez em quando há o comparecimento fortuito de outros companheiros, como ocorre nesta noite, em face da lembrança do irmão Francisco, que nos trará alguns amigos.

— E os irmãos que comparecem — indaguei curioso — conservam a recordação integral dos serviços partilhados, de estudos levados a efeito e observações ouvidas?

8.3   Alexandre pensou um momento e considerou:

— Mais tarde, a experiência mostrará a você como é reduzida a capacidade sensorial. O homem eterno guarda a lembrança completa e conservará consigo todos os ensinamentos, intensificando-os e valorizando-os, de acordo com o estado evolutivo que lhe é próprio. O homem físico, entretanto, escravo de limitações necessárias, não pode ir tão longe. O cérebro de carne, pelas injunções da luta a que o Espírito foi chamado a viver, é aparelho de potencial reduzido, dependendo muito da iluminação de seu detentor, no que se refere à fixação de determinadas bênçãos divinas. Desse modo, André, o arquivo de semelhantes reminiscências, no livro temporário das células cerebrais, é muito diferente nos discípulos entre si, variando de alma para alma. Entretanto, cabe-me acrescentar que, na memória de todos os irmãos de boa vontade, permanecerá, de qualquer modo, o benefício, ainda mesmo que eles, no período de vigília, não consigam positivar a origem. As aulas, no teor daquela a que você assistirá nesta noite, são mensageiras de inexprimíveis utilidades práticas. Despertando, na crosta, depois delas, os aprendizes experimentam alívio, repouso e esperança, a par da aquisição de novos valores educativos. É certo que não podem reviver os pormenores, mas guardarão a essência, sentindo-se revigorados, de inexplicável maneira para eles, não só a retomar a luta diária no corpo físico, mas também a beneficiar o próximo e combater, com êxito, as próprias imperfeições. Seus pensamentos tornam-se mais claros, os sentimentos mais elevados e as preces mais respeitosas e produtivas, enriquecendo-se-lhes as observações e trabalhos de cada dia.

— É lastimável — disse eu, valendo-me de pausa mais longa — que todos os membros do grupo não possam frequentar, em massa, as instruções dessa natureza. Seria de extraordinária significação o ato de se congregarem mais de trezentas pessoas para os mesmos fins santificantes, recebendo, em conjunto, sublimes bênçãos de iluminação.

— Sem dúvida — redarguiu o orientador, no otimismo de sempre. — No entanto, não podemos violentar ninguém. Toda elevação representa uma subida e toda subida pede esforço de ascensão. Se os nossos amigos não se aproveitam da força que lhes é peculiar, se menosprezam os seus próprios direitos divinos, por olvidarem e, por vezes, detestarem os sagrados deveres que o Pai lhes confiou, como operar por eles, se constitui lei primordial da vida a realização divina e eterna para cada um de nós?

8.4

A observação era profunda e indiscutível.

A esse tempo, defrontáramos vasto edifício que impressionava pelas linhas modestas, embora transbordantes de luz.

— Vamos agora ao trabalho! — convocou Alexandre resoluto.

— Mas — objetei por minha vez — não se efetuarão as aulas, na sede do agrupamento onde se processam os serviços a seu cargo?

— Se o trabalho — respondeu ele atencioso — fosse puramente consagrado às entidades libertas do corpo material, poderíamos desenvolver os nossos esforços, ali mesmo, com o maior êxito, mas, no presente caso, devemos atender a irmãos ainda encarnados, que vêm até nós em condições especialíssimas, e precisamos aproveitar os recursos magnéticos dos amigos que ainda se encontram igualmente em luta na Terra.

E chegados diante da porta de entrada, onde se movimentava grande número de companheiros de nosso plano, o instrutor explicou:

— Temos aqui uma nobre instituição espiritista, a serviço dos necessitados, dos tristes, dos sofredores. O sagrado espírito de família evangélica permanece vivo nesta Casa de amor cristão que o Espiritismo ergueu, por intermédio de uma venerável missionária do Cristo. Nossos trabalhos se desdobrarão aqui com mais eficiência, relativamente aos fins a que se destinam.

8.5 — Como é interessante — acentuei — o fato de necessitarmos dos ambientes domésticos para instruções aos companheiros encarnados!

— Sim — comentou Alexandre, com elevada sabedoria —, você não pode esquecer que grandes ensinamentos do próprio Mestre foram ministrados no seio da família. A primeira instituição visível do Cristianismo foi o lar pobre de Simão Pedro, em Cafarnaum. Uma das primeiras manifestações de nosso Senhor, diante do povo, foi a multiplicação das alegrias familiares, numa festa de núpcias, em pleno aconchego do lar. Muitas vezes, visitou Jesus as casas residenciais de pecadores confessos, acendendo novas luzes nos corações. A última reunião com os discípulos verificou-se no cenáculo doméstico. O primeiro núcleo de serviço cristão em Jerusalém foi ainda a moradia simples de Pedro, então transformado em baluarte inexpugnável da nova fé. Inegavelmente, todo templo de pedra, dignamente superintendido, funciona qual farol no seio das sombras, indicando os caminhos retos aos navegantes do mundo, mas não podemos esquecer que o movimento vital das ideias e realizações baseia-se na igreja viva do espírito, no coração do povo de Deus. Sem adesão do sentimento popular, na esfera da crença vivida no âmago de cada um, qualquer manifestação religiosa reduz-se a mero culto externo. Por isso mesmo, André, no futuro da Humanidade, os templos materiais do Cristianismo estarão transformados em igrejas-escolas, igrejas-orfanatos, igrejas-hospitais, onde não somente o sacerdote da fé veicule a palavra de interpretação; mas onde a criança encontre arrimo e esclarecimento; o jovem, a preparação necessária para as realizações dignas do caráter e do sentimento; o doente, o remédio salutar; o ignorante, a luz; o velho, o amparo e a esperança. O Espiritismo evangélico é também o grande restaurador das antigas igrejas apostólicas, amorosas e trabalhadoras. Seus intérpretes fiéis serão auxiliares preciosos na transformação dos parlamentos teológicos em academias de espiritualidade, das catedrais de pedra em lares acolhedores de Jesus.

8.6 Daria tudo o que estivesse ao meu alcance para continuar ouvindo as encantadoras elucidações do orientador, mas, nesse instante, transpúnhamos o limiar.

Verifiquei que faltavam apenas cinco minutos para duas horas da madrugada.

Pelo grande número de entidades que vieram céleres ao nosso encontro, percebi que havia enorme interesse a respeito da palestra instrutiva da noite. Não se achavam presentes apenas os aprendizes ligados ao esforço de Alexandre, em sentido direto, mas também outros amigos, trazidos até ali por afeiçoados do plano espiritual.

Acercou-se de nós, com mais intimidade, pequeno grupo de companheiros, destacando-se um deles que conversou com Alexandre, de maneira mais significativa.

— Ainda não chegaram todos? — indagou o instrutor, com interesse afetivo, após trocarem as primeiras impressões.

Percebi claramente que se referia aos irmãos encarnados que deveriam comparecer, na cota de frequência do grupo de que era ele um dos diretores espirituais.

— Faltam-nos apenas dois companheiros — elucidou o interpelado. — Até o momento, Vieira e Marcondes ainda não chegaram.

— Urge iniciar os trabalhos — exclamou Alexandre, sem afetação —, devemos terminar a tarefa às quatro horas no máximo.

E, mostrando singular interesse de amigo, acrescentou:

— Quem sabe se foram vítimas de algum acidente? Convém positivar.

8.7 No espírito de calma decisão que lhe é característico, recomendou ao auxiliar que lhe prestava informações:

— Sertório, enquanto vou ultimar algumas providências para as instruções da noite, observa o que se passa.

Respeitoso, o subordinado interrogou:

— Caso estejam os nossos irmãos sob a influência de entidades criminosas, como devo proceder?

— Deixá-los-á, então, onde estiverem — replicou o instrutor resoluto —; o momento não comporta grandes conversações com os que se prendem, deliberadamente, ao plano inferior. Findo o trabalho, você mesmo providenciará os recursos que se façam necessários.

Dispunha-se o mensageiro a partir, quando o orientador, percebendo-me o ardente interesse em acompanhá-lo, acrescentou:

— Se deseja, André, poderá seguir, colaborando com o emissário em serviço. Sertório terá prazer em sua companhia.

Agradeci extremamente satisfeito e abracei o auxiliar de Alexandre, que me sorriu acolhedoramente.

Saímos.

Era indispensável atender o mandado com presteza; todavia, satisfazendo-me a curiosidade, Sertório explicou generoso:

— Quando encarnados, na crosta, não temos bastante consciência dos serviços realizados durante o sono físico; contudo, esses trabalhos são inexprimíveis e imensos. Se todos os homens prezassem seriamente o valor da preparação espiritual, diante de semelhante gênero de tarefa, certo efetuariam as conquistas mais brilhantes, nos domínios psíquicos, ainda mesmo quando ligados aos envoltórios inferiores. Infelizmente, porém, a maioria se vale, inconscientemente, do repouso noturno para sair à caça de emoções frívolas ou menos dignas. Relaxam-se as defesas próprias, e certos impulsos, longamente sopitados durante a vigília, extravasam em todas as direções, por falta de educação espiritual, verdadeiramente sentida e vivida.

Interessado em esclarecimentos completos, indaguei: **8.8**

— Entretanto, isso ocorre com aprendizes de cursos avançados do Espiritualismo? Poderiam ser vítimas desses enganos alunos de um instrutor da ordem de Alexandre?

— Como não? — tornou Sertório fraternalmente. — Com referência a essa probabilidade, não tenha qualquer dúvida. Quantos pregam a Verdade, sem aderirem intimamente a ela? Quantos repetem fórmulas de esperança e paz, desesperando e perseguindo no fundo do coração? Há sempre muitos "chamados" em todos os setores de construção e aprimoramento do mundo! Os "escolhidos", contudo, são sempre poucos.

Completando o pensamento, como a escoimá-lo de qualquer falsa noção de particularismos na Obra Divina, Sertório acrescentou:

— E precisamos reajustar nossas definições sobre os "escolhidos". Os companheiros assim classificados não são especialmente favorecidos pela graça divina, que é sempre a mesma fonte de bênçãos para todos. Sabemos que a "escolha", em qualquer trabalho construtivo, não exclui a "qualidade", e se o homem não oferece qualidade superior para o serviço divino, em hipótese alguma deve esperar a distinção da escolha. Infere-se, pois, que Deus chama todos os filhos à cooperação em sua obra augusta, mas somente os devotados, persistentes, operosos e fiéis constroem qualidades eternas que os tornam dignos de grandes tarefas. E, reconhecendo-se que as qualidades são frutos de construções nossas, nunca poderemos esquecer que a escolha divina começará pelo esforço de cada um.

A tese do companheiro era assaz interessante e educativa, mas havíamos atingido pequeno edifício, em frente do qual Sertório se deteve e falou:

8.9   – É a residência de Vieira. Vejamos o que se passa.

Acompanhei-o em silêncio.

Em poucos instantes, encontrávamo-nos dentro de quarto confortável, onde dormia um homem idoso, fazendo ruído singular. Via-se-lhe, perfeitamente, o corpo perispirítico unido à forma física, embora parcialmente desligados entre si. Ao seu lado, permanecia uma entidade singular, trajando vestes absolutamente negras. Notei que o companheiro adormecido permanecia sob impressões de doloroso pavor. Gritos agudos escapavam-lhe da garganta. Sufocava-se angustiadamente, enquanto a entidade escura fazia gestos que eu não conseguia compreender.

Sertório acercou-se de mim e observou:

– Vieira está sofrendo um pesadelo cruel.

E indicando a entidade estranha:

– Creio que ele terá atraído até aqui o visitante que o espanta.

Com efeito, muito delicadamente, o meu interlocutor começou a dialogar com a entidade de luto:

– O amigo é parente do companheiro que dorme?

– Não, não. Somos velhos conhecidos.

E, muito impaciente, acentuou:

– Hoje, à noite, Vieira me chamou com as suas reiteradas lembranças e acusou-me de faltas que não cometi, conversando levianamente com a família. Isso, como é natural, desgostou-me. Não bastará o que tenho sofrido, depois da morte? Ainda precisarei ouvir falsos testemunhos de amigos maledicentes? Não poderia esperar dele semelhante procedimento, em virtude das relações afetivas que nos uniam as famílias, desde alguns anos. Vieira foi sempre pessoa de minha confiança. Em razão da surpresa, deliberei esperá-lo nos momentos de sono, a fim de prestar-lhe os necessários esclarecimentos.

O estranho visitante, todavia, fez uma pausa, sorriu irônico, e continuou:

8.10 — Entretanto, desde o momento em que me pus a explicar-lhe a situação do passado, informando-o quanto aos verdadeiros móveis de minhas iniciativas e resoluções na vida carnal, para que não prossiga caluniando-me o nome, embora sem intenção, Vieira fez este rosto de pavor que estão vendo e parece não desejar ouvir as minhas verdades.

Interessado nas lições novas, aproximei-me do amigo, cujo corpo descansava em posição horizontal, e senti-lhe o suor frio ensopando os lençóis. Não revelava compreender convenientemente o auxílio que lhe era trazido, fixando-nos com estranheza e ansiedade, intensificando, ainda mais, os gemidos gritantes que lhe escapavam da boca.

Sentindo a silenciosa reprovação de Sertório, o habitante das zonas inferiores dirigiu-lhe a palavra de modo especial:

— O senhor admite que devamos ouvir impassíveis os remoques da leviandade? Não será passível de censura e punição o amigo infiel que se vale das imposições da morte para caluniar e deprimir? Se Vieira se sentiu no direito de acusar-me, desconhecendo certas particularidades dos problemas de minha vida privada, não é justo que me tolere os esclarecimentos até o fim? Não sabe ele, acaso, que os mortos continuam vivos? Ignorará, porventura, que a memória de cada companheiro deve ser sagrada? Ora essa! Eu mesmo já lhe ouvi, em minha nova condição de desencarnado, longas dissertações referentes ao respeito que devemos uns aos outros... Não considera, pois, que tenho motivos justos para exigir um legítimo entendimento?!...

O interpelado esboçou um gesto de complacência e observou:

— Talvez esteja com a razão, meu caro. Entretanto, creio deva desculpar seu amigo! Como exigir dos outros conduta rigorosamente correta, se ainda não somos criaturas irrepreensíveis? Tenha calma, sejamos caridosos uns para com os outros!...

8.11   E, enquanto a entidade se pôs a meditar nas palavras ouvidas, Sertório falou-me em tom discreto:
— Vieira não poderá comparecer esta noite aos trabalhos.

Não pude reprimir a má impressão que a cena me causava e, talvez porque eu fizesse um olhar suplicante, advogando a causa do pobre irmão, quase a desencarnar-se de medo, o auxiliar de Alexandre prosseguiu:

— Retirar violentamente a visita, cuja presença ele próprio propiciou, não é tarefa compatível com as minhas possibilidades do momento. No entanto, podemos socorrê-lo, acordando-o.

E, sem pestanejar, sacudiu o adormecido, energicamente, gritando-lhe o nome com força.

Vieira despertou confuso, estremunhando, sob enorme fadiga, e ouvi-o exclamar, palidíssimo:

— Graças a Deus, acordei! que pesadelo terrível!... Será crível que eu tenha lutado com o fantasma do velho Barbosa? Não! não posso acreditar!...

Não nos viu, nem identificou a presença da entidade enlutada, que ali permaneceu até não sei quando. E, ao retirarmo-nos, ainda lhe notei as interrogações íntimas, indagando de si mesmo sobre o que teria ingerido ao jantar, tentando justificar o susto cruel com pretextos de origem fisiológica. Longe de auscultar a própria consciência, com respeito à maledicência e à leviandade, procurava materializar a lição no próprio estômago, buscando furtar-se à realidade.

Sertório, porém, não me proporcionou ensejo a maiores reflexões. Convocando-me ao dever imediato, acrescentou:

— Visitemos o Marcondes. Não temos tempo a perder.

Daí a dois minutos, penetrávamos outro apartamento privado; todavia, o quadro agora era muito mais triste e constrangedor.

Marcondes estava, de fato, ali mesmo, parcialmente desligado do corpo físico, que descansava com bonita aparência, sob as colchas rendadas. Não se encontrava ele sob impressões de pavor, como acontecia ao primeiro visitado; entretanto, revelava a posição de relaxamento, característica dos viciados do ópio. Ao seu lado, três entidades femininas de galhofeira expressão permaneciam em atitude menos edificante.

8.12 Vendo-nos, de súbito, o dono do apartamento surpreendeu-se, de maneira indisfarçável, mormente fixando Sertório, que era de seu mais antigo conhecimento. Levantou-se envergonhado, e ensaiou algumas explicações com dificuldade:

— Meu amigo — começou a dizer, dirigindo-se ao auxiliar de Alexandre —, já sei que vem procurar-me... não sei como esclarecer o que ocorre...

Não pôde, contudo, prosseguir e mergulhou a cabeça nas mãos, como se desejasse esconder-se de si mesmo.

A essa altura da cena constrangedora, verifiquei, então, sem vislumbres de dúvida, que as entidades visitantes eram da pior espécie, de quantas conhecia eu nas regiões das sombras.

Irritadas talvez com o recuo do companheiro, que se revelava triste e humilhado, prorromperam em grande algazarra, acercando-se mais intensamente de nós, sem o mínimo respeito.

— Impossível que nos arrebatem, Marcondes! — disse uma delas enfaticamente. — Afinal de contas, vim de muito longe para perder meu tempo assim, sem mais nem menos!

— Ele mesmo nos chamou para a noite de hoje — exclamou a segunda atrevidamente —, e não se afastará de modo algum.

Sertório ouvia com serenidade, evidenciando íntima compaixão.

A terceira entidade, que parecia reter instintos inferiores mais completos, aproximou-se de nós com terrível expressão de sarcasmo e falou, dando-me a entender que aquela não era a primeira vez que Sertório procurava o sítio para os mesmos fins e nas mesmas circunstâncias:

8.13   — Os senhores não passam de intrusos. Marcondes é fraco, deixando-se impressionar pela presença de ambos. Nós, todavia, faremos a reação. Não conseguirão arrancar-nos o predileto.

E gargalhando irônica, acentuava:

— Também temos um curso de prazer. Marcondes não se afastará.

Contrariamente aos meus impulsos, Sertório não demonstrava a mínima atenção. As palavras e expressões daquela criatura, porém, irritavam-me. Ao meu lado, o auxiliar de Alexandre mantinha-se extremamente bondoso. A própria vítima permanecia humilde e triste. Por que semelhantes insultos? Ia responder alguma coisa, no sentido de esclarecer o caso em termos precisos, quando Sertório me deteve:

— André, contenha-se! Um minuto de conversação atenciosa com as tentações provocadoras do plano inferior pode induzir-nos a perder um século.

Em seguida, com invejável tranquilidade, dirigiu-se ao interessado, perguntando, sem espírito de censura:

— Marcondes, que contas darei hoje de você, meu amigo?

O interpelado respondeu lacrimoso e humilhado:

— Ó Sertório, como é difícil manter o coração nos caminhos retos! Perdoe-me... Não sei como isso aconteceu... Não posso explicar-me!

Sertório, porém, parecia pouco disposto a cultivar lamentações e, mostrando-se muito interessado em aproveitar o tempo, interrompeu-o:

— Sim, Marcondes. Cada qual escolhe as companhias que prefere. Futuramente você compreenderá que somos seus amigos leais e que lhe desejamos todo o bem.

Despejaram as mulheres nova série de frases ridicularizadoras. Marcondes começou, de novo, a lastimar-se, mas o mensageiro de Alexandre, sem hesitar, tomou-me a destra e regressamos à via pública.

— Voltemos imediatamente — disse ele decidido.   8.14

— E em que ficamos? — indaguei — não vai acordá-lo?

— Não. Não podemos agir aqui do mesmo modo. Marcondes deve demorar-se em tal situação, para que amanhã a lembrança desagradável seja mais duradoura, fortificando-lhe a repugnância pelo mal.

— Que fazer, então? — perguntei espantado.

— Diremos ao nosso orientador o que ocorre — redarguiu Sertório calmamente. — É o que nos cabe levar a efeito.

E, sintetizando longas considerações que poderia expender relativamente ao assunto, frisou:

— Por agora, André, chama-nos o dever mais alto, no campo de nossa jornada para Deus. Entretanto, quando terminarem as instruções da noite, voltarei a ver o que é possível efetuar em favor de nossos pobres amigos. No momento, não devemos perder os minutos. As preleções de Alexandre não se destinam somente ao preparo dos nossos irmãos que ainda se ligam aos envoltórios de carne, na superfície da crosta; são igualmente valiosas para nós outros, que necessitamos enriquecer possibilidades para socorrer, com êxito, os companheiros encarnados.

— Sim, concordo — respondi. — No entanto, a situação de Vieira e Marcondes sensibiliza-me profundamente.

Sertório, porém, cortou-me a palavra, rematando, seguro de si mesmo:

— Conserve seu sentimento, que é sagrado; não se arrisque, porém, a sentimentalismo doentio. Esteja tranquilo quanto à assistência, que não lhes faltará no momento oportuno; não se esqueça, porém, de que, se eles mesmos algemaram o coração em semelhantes cárceres, é natural que adquiram alguma experiência proveitosa à custa do próprio desapontamento.

9
Mediunidade e fenômeno

9.1 Era considerável o número de amigos encarnados, provisoriamente libertos do corpo físico pelo sono, que se congregavam no vasto salão. Em primeiro lugar, junto da mesa diretora, onde Alexandre assumiu a chefia, instalaram-se os alunos diretos e permanentes do generoso e sábio instrutor. Distribuíam-se os demais em turmas sucessivas de segundo plano.

Calculei a assistência de companheiros nessas condições em pouco mais de cem pessoas, aproximadamente, exceção dos desencarnados que acorriam até ali em mais vasta expressão. Além do grupo do irmão Francisco, que trouxera os tutelados, outras associações da mesma natureza compareciam com os seus pupilos, interessados em novas instruções.

Observei, porém, uma particularidade: somente os aprendizes comprometidos com Alexandre podiam relacionar suas dúvidas, pedidos e indagações, não em sentido verbal, mas por consultas que eram previamente transmitidas a ele, antes de iniciar a dissertação.

Atendendo-me a curiosidade, Sertório, que se mantinha a **9.2** meu lado, explicou atencioso:

— Há muitas escolas deste gênero para os encarnados que se dispõem a aproveitar os momentos de sono físico. É natural que aos discípulos permanentes, desse ou daquele setor, caiba o direito de interrogar. Como vemos, não há particularismo. Trata-se de uma questão de ordem dos serviços, mesmo porque os aprendizes de comparecimento eventual terão direitos outros, por sua vez, nos núcleos a que pertencem.

Satisfeito pelo esclarecimento, indaguei:

— Qual o tema da noite? Há programa preestabelecido?

— Há sempre plano organizado para o trabalho — respondeu. — Contudo, os temas são improvisados por Alexandre, depois de receber as indagações e consultas dos frequentadores habituais. O orientador examina, atentamente, as questões suscitadas pela maioria e fornece instruções de modo a satisfazer igualmente aos assuntos com minoria de interessados.

— E poderá informar quanto ao tema provocado pela maioria dos aprendizes, nesta noite?

— Creio que se refere à mediunidade e ao fenômeno, em geral.

Em seguida, o companheiro, por especial gentileza, convidou-me a integrar, na assembleia, a equipe dos auxiliares do devotado instrutor que tomara a tribuna, iniciando os serviços educativos.

Mais do que em outras ocasiões, realçava-se-lhe a figura veneranda e imponente. Irradiando a luz que lhe era própria, Alexandre dominava a reunião de trabalhadores e estudantes, não pelo magnetismo absorvente dos oradores apaixonados, mas pela bondade simples e pela superioridade sem afetação.

Todas as atenções centralizadas nele, começou a explanação com uma rogativa ao Senhor, suplicando-lhe o dom de compreender o auditório e de ser por ele compreendido. Era tocante e nova para mim semelhante oração, inteiramente espiritual e sem o mínimo laivo de personalismo. Todavia, quanto mais procurava impessoalizar-se, afirmando-se mero instrumento da vontade divina, mais destacado se tornava o orientador aos meus olhos, como verdadeiro expoente de sabedoria, humildade, prudência, fidelidade, confiança e luz.

9.3 Finda a oração comovedora, começou a falar, dirigindo-se aos ouvintes com palavras firmes e diretas:

— Irmãos, prosseguindo em nossos trabalhos, comentaremos hoje vossos pedidos de orientação mediúnica, em face das dificuldades que se vos apresentam na luta de cada dia e que classificais como impedimentos de natureza psíquico-fisiológica. Desejais realizações generosas nos domínios da revelação superior, sonhais conquistas gloriosas e realizações sublimes; entretanto, há que corrigir vossas atitudes mentais diante da vida humana. Como intentar construções sem bases legítimas, atingir os fins sem atender aos princípios? Não se reduz a fé a simples amontoado de promessas brilhantes, e o conjunto de ansiedades angustiosas que vos possui os corações, de modo algum, poderia significar a realização espiritual propriamente dita. A edificação do reino interior com a Luz Divina reclama trabalho persistente e sereno. Não será tão somente ao preço de palavras que erguereis os templos da fé viva. Como acontece a comezinhos serviços de natureza terrestre, é imprescindível a escolha de material, esforços de aquisição, planos deliberados previamente, aplicação necessária, experimentação de solidez, demonstrações de equilíbrio, firmeza de linhas, harmonia de conjunto e primores de acabamento.

Alexandre fez ligeira pausa, fixou atentamente a assembleia, como se estivesse a transmitir-lhe ondas vigorosas de magnetismo criador, e prosseguiu:

– Reúnem-se aqui muitos irmãos que pretendem desenvolver as percepções mediúnicas; entretanto, aguardam simples expressões fenomênicas, supondo erroneamente que as forças espirituais permanecem circunscritas a puro mecanismo de forças cegas e fatais, sem qualquer ascendente de preparação, disciplina e construtividade. Requerem a clarividência, a clariaudiência, o serviço completo de intercâmbio com os planos mais elevados; no entanto, terão aprendido a ver, a ouvir e, sobretudo, a servir, na esfera de trabalho cotidiano? Terão dominado todos os impulsos inferiores, para se colocarem no rumo das regiões superiores? Poderá o feto caminhar e falar no plano físico? Deveríamos conferir à criança de 5 anos direitos cabíveis ao adulto de meio século? Se as leis humanas, ainda transitórias e imperfeitas, traçam linhas de controle aos incapazes, estariam as Leis Divinas, imutáveis e eternas, à mercê dos desordenados desejos da criatura? Ó meus amigos, sem dúvida, há muitos gêneros e processos mediúnicos em função no mundo das formas em que viveis! Urge, porém, estimar o trabalho antes do repouso, aceitar o dever sem exigências, desenvolver as tarefas aparentemente pequeninas, antes de vos inquietardes pelas grandes obras, e colocar os desígnios do Senhor acima de todas as preocupações individuais! Urge fugir da apropriação indébita no comércio com as forças invisíveis, furtar-se ao encantamento temporário e à obsessão sutil e perversa! Coletivamente, não somos duas raças antagônicas ou dois grandes exércitos, rigorosamente separados através das linhas da vida e da morte, e sim a grande e infinita comunidade dos vivos, tão somente diferenciados uns dos outros pelos impositivos da vibração, mas quase sempre unidos para a mesma tarefa de redenção final! Não julgueis que a morte da forma santifique o ser que a habitou! Se o raio de sol não se contamina ao contato do pântano, também o doente rebelde é o mesmo enfermo se apenas troca de residência. O corpo físico representa apenas o vaso em uso, durante algum tempo, e o vaso quebrado não significa redenção ou elevação do seu temporário

9.4

9.5 possuidor. Recorremos a semelhante imagem para dizer-vos que o habitante da esfera, atualmente invisível aos vossos olhos, é um irmão nem sempre superior a vós outros, nos círculos evolutivos. Desencarnação não expressa santificação. Os companheiros que vos antecedem no plano espiritual não permanecem reunidos em aprendizagem muito diferente. Os elétrons e fótons que vos constituem a vestimenta física integram, igualmente, os nossos veículos de manifestação, em outras características vibratórias. É necessário, portanto, atentardes para as vossas possibilidades interiores, para as maravilhas de vossa divindade potencial.

Em vossos desejos insopitáveis de intercâmbio com o Invisível, naturalmente anelais a aproximação da sociedade celeste. Esperais a revelação da Verdade Divina, a par de elementos insofismáveis de certeza tranquila; entretanto, para isso, é indispensável organizar e desenvolver vossos valores celestes, como criaturas celestiais que verdadeiramente sois. Todo um exército de trabalhadores do Cristo funciona em cada núcleo de vossas atividades relativas à espiritualização, convocando-vos ao sentimento iluminado, à virtude ativa, ao departamento superior da vida íntima; todavia, é ainda muito forte a vossa tendência de materializar todas as expressões do espírito, esquecidos de espiritualizar a matéria. Solicitais a luz, quase sempre perseverando nas sombras; reclamais felicidade, semeando sofrimentos; pedis amor, incentivando a separação; buscais a fé, duvidando até de vós mesmos.

A possibilidade de comerciar emoções com as esferas invisíveis que vos rodeiam não representa, de modo algum, a realização espiritual imprescindível à edificação divina de cada um de nós, porque o problema da glória mediúnica não consiste em ser instrumento de determinadas Inteligências, mas em ser instrumento fiel da Divindade. Para que a alma encarnada efetue semelhante conquista, é indispensável desenvolva os seus próprios princípios divinos. A bolota é o carvalho potencial. O punhado de sementes minúsculas é o trigal de amanhã. O germe insignificante será, em breves dias, a ave poderosa cortando amplidões.

Alexandre estava cada vez mais empolgante e belo. Do alto, jorravam-lhe sobre a fronte fios irisados de brilhante luz.

9.6

— Mediunidade — prosseguiu ele, arrebatando-nos os corações — constitui "meio de comunicação", e o próprio Jesus nos afirma: "Eu sou a porta... Se alguém entrar por mim, será salvo e entrará, sairá e achará pastagens!" Por que audácia incompreensível imaginais a realização sublime sem vos afeiçoardes ao Espírito de Verdade, que é o próprio Senhor? Ouvi-me, irmãos meus!... Se vos dispondes ao serviço divino, não há outro caminho senão Ele, que detém a infinita luz da verdade e a fonte inesgotável da vida! Não existe outra porta para a mediunidade celeste, para o acesso ao equilíbrio divino que anelais no recôndito santuário do coração! Somente por meio dele, vivendo-lhe as sublimes lições, alcançareis a sagrada liberdade de entrar nos domínios da Espiritualidade e deles sair, conquistando o pão eterno que vos saciará a fome para sempre. Sem o Cristo, a mediunidade é simples "meio de comunicação" e nada mais, mera possibilidade de informação, como tantas outras, da qual poderão assenhorear-se também os interessados em perturbações, multiplicando presas infelizes. Lembrai-vos, contudo, de que a Lei Divina jamais endossou o cativeiro e nunca sancionou a escravidão! Esquecestes a palavra divina que pronunciou: "vós sois deuses"?

Ao enunciar esta última frase, o orientador assumira atitude muito diversa. Pareceu-me que em pleno tórax acendera-se-lhe sublime luz, levemente anilada, luz que nos enviava, a todos, raios de inexprimível alegria. Seus cabelos semelhavam-se agora a fios de sol de safirina expressão. O olhar tornara-se-lhe mais sublime e profundo. E muitos de nós, desencarnados e encarnados, choramos de agradecimento e júbilo, tocados de inexplicável emoção.

9.7 Após ligeiro intervalo, continuou o amoroso e sábio instrutor:
— Ó meus amigos, a persistência na condição de animalidade vos perturba! Sois a coroa espiritual da face da Terra, pela razão com que fostes galardoados pelo Senhor do Universo. O facho esplendoroso do raciocínio clareia o santuário de vossas consciências, o sublime vos convida ao mais-além, irmãos mais velhos vos convocam ao convívio do Pai; no entanto, buscais demorar voluntariamente na fauna da irracionalidade primitiva. No campo vibratório da mente humana, sente-se ainda o veneno das víboras ingratas, o instinto dos lobos famulentos, as ciladas das raposas, o impulso sanguinário dos tigres vorazes, a vaidade e o orgulho dos leões. Não acrediteis que semelhantes atributos sejam característicos do corpo mortal simplesmente. São qualidades que o Espírito conserva em si, olvidando os patrimônios divinos. Ora, a morte física surpreende as criaturas na atitude que cultivaram. Modificam-se os planos de vibração, mas a essência espiritual é sempre a mesma. Daí o emaranhado de manifestações inferiores nas esferas mediúnicas de vossas atividades. Em muitas ocasiões, em vez de cultivardes as qualidades positivas de realização com Jesus, permaneceis no fomento de interesses mesquinhos da concorrência humana aos centros passageiros de pura sensação. Tomados de enormes equívocos, nos círculos do desenvolvimento medianímico, acreditais seja possível vencer o domínio pesado das vibrações grosseiras, cristalizadas pela viciação de muitos séculos, tão somente à força de movimentação mecânica das células materiais. Sem qualquer preparação, intentais a travessia das fronteiras vibratórias, invocando as potências invisíveis de qualquer natureza, para o adestramento de forças psíquicas, qual homem leviano que exigisse orientadores, ao acaso, em plena multidão, esquecido de que nem todos os transeuntes da via

pública permanecem em condições de beneficiar, orientar e ensinar. Se as máquinas mais simples da Terra pedem o curso preparatório do operário, para que o setor da produção não desmereça em qualidade e quantidade, como esperais que a mediunidade sublime se reduza a serviços automáticos, a puras manifestações de mecanismo fisiológico, indene de educação e responsabilidade? Sempre será possível abrir meios de comunicação entre vós outros e os planos que vos são invisíveis, mas não esqueçais que as afinidades são leis fatais de reunião e integração nos reinos infinitos do Espírito! Sem os valores da preparação, encontrareis irremediavelmente a companhia dos que fogem aos processos educativos do Senhor; e sem as bênçãos da responsabilidade encontrareis logicamente os irresponsáveis. Objetareis que o fenômeno é indispensável no campo experimental das conquistas científicas, que o inabitual deve ser convocado a favorecer novas convicções; entretanto, somos dos primeiros a reconhecer que os vossos caminhos na crosta se desdobram entre fenômenos maravilhosos. Já resolvestes, acaso, o mistério da integração do hidrogênio e do oxigênio na gota d'água? Explicastes todo o segredo da respiração dos vegetais? Por que disposições da Natureza vigeja a cicuta que mata, ao lado do trigo que alimenta? Que dizeis da haste espinhosa da Terra oferecendo a flor, como graciosa taça de perfume celeste? Solucionastes todos os problemas biológicos das formas físicas que povoam o planeta, nas diversas espécies? Qual é a vossa definição do raio de sol? Vistes, alguma vez, o eixo imaginário que sustenta o equilíbrio do mundo? Se semelhantes fenômenos, de caráter permanente na crosta, não despertam as almas adormecidas, fornecendo-lhes a legítima concepção da existência de Deus, como esperais destruir a rebeldia milenária dos homens, exigindo espetáculos prematuros de manifestações da Espiritualidade superior? Não, meus amigos! urge abandonar os setores de ruído externo para iniciardes o desenvolvimento

9.8

9.9 interior das faculdades divinas! A paixão do fenômeno pode ser tão viciosa e destruidora para a alma, como a do álcool que embriaga e aniquila os centros da vida física! Vosso jogo de hipóteses, na maioria das circunstâncias, não passa de dança macabra dos raciocínios, fugindo às realidades universais e adiando, indefinidamente, a edificação real do espírito! Concordamos convosco em que a experimentação é necessária; que a pesquisa intelectual é o ponto de partida dos grandes empreendimentos evolutivos; que a curiosidade respeitável é mãe da ciência realizadora; que todo e qualquer processo de conhecimento exige campo de observação e trabalho, como é imprescindível o material didático, nas escolas mais simples. Entretanto, urge reconhecer que os elementos de aprendizagem não devem ser convertidos pelo aluno em meras expressões de brinquedo ou entretenimento. Além disso, ainda que os aprendizes se esclareçam, relativamente às lições, é forçoso observar que a informação não é tudo, porquanto o esclarecimento educativo é apenas parte do aprendizado. Que dizer dos discípulos que estudam sempre, sem jamais aprenderem no terreno das aplicações legítimas? Que dizer dos companheiros, portadores de luzes verbais para os outros, que nunca se iluminam a si mesmos? Catalogar valores não significa vivê-los. Ensinar o caminho a viajores não demonstra conhecimento direto e pessoal da jornada. Há excelentes estatísticos que nunca visitaram as fontes originais de seus recursos informativos, e eminentes geógrafos que raramente saem do lar. Referimo-nos a semelhantes imagens para fazer-vos sentir que, se é possível manter atitudes dessa ordem, no campo limitado da curta existência na crosta, não se pode fazer o mesmo no Reino Infinito da vida espiritual, em cujos círculos viveis desde agora, apesar da vossa condição de criaturas ligadas aos veículos inferiores. Mediunidade não é disposição da carne transitória, e sim expressão do Espírito imortal. Naturalmente, o intercâmbio aprimorado, entre os dois planos, requer sadias condições do vaso sagrado de possibilidades fisiológicas que o Senhor vos confiou para santificação; todavia, o corpo é instrumento elevado nas mãos do artista, que deve ser divino. Se aspirais ao desenvolvimento superior, abandonai os planos inferiores. Se pretendeis o intercâmbio com os sábios, crescei no conhecimento, valorizai as experiências, intensificai as luzes do raciocínio! Se aguardais a companhia sublime dos santos, santificai-vos na luta de cada dia, porque as entidades angélicas não se mantêm insuladas nos júbilos celestes e trabalham também pelo aperfeiçoamento do mundo, esperando a vossa angelização! Se desejais a presença dos bons, tornai-vos bondosos por vossa vez! Sem afabilidade e doçura, sem compreensão fraternal e sem atitudes edificantes, não podereis entender os Espíritos afáveis e amigos, elevados e construtivos. Se não seria razoável encontrar Platão ensinando Filosofia avançada a tribos selvagens e primitivas, nem Francisco de Assis operando com salteadores, não será admissível a integração dos Espíritos esclarecidos e santificados com as almas rigorosamente agarradas às manifestações mais baixas e grosseiras da existência carnal. Em vossas atividades espiritualistas, lembrai-vos de que não vos encontrais perante uma doutrina sectária de homens em trânsito no planeta! Permaneceis num movimento divino e mundial de libertação das consciências, numa revelação sublime da vida eterna e de valores imortais para todas as criaturas de boa vontade! Acolhendo essa convicção, não vos detenhais na atitude exclusiva e presunçosa dos que supõem haver encontrado na mediunidade tão somente um sexto sentido! O valor mediúnico não é dom de privilegiados, é qualidade comum a todos os homens demandando a boa vontade sincera no terreno da elevação. Por agora, é inegável que necessitamos das grandes tarefas estimuladoras, em que determinados companheiros encarnados são convocados aos grandes testemunhos nesse setor do esclarecimento coletivo, na disseminação da fé

9.10

positiva e edificante; mas o futuro nos revelará que o serviço dessa natureza pertence a todas as criaturas, porque todos nós somos Espíritos imortais. Não alimenteis qualquer dúvida! Não permitais que o padrão vibratório das forças físicas vos apague a luz gloriosa da divina certeza deste momento, porque todos nós, amados amigos, nos encontramos diante da própria Espiritualidade sem-fim, renovando energias viciadas de séculos consecutivos, a caminho de transformações que mal poderíeis imaginar, nos círculos de vosso presente evolutivo! Elevemo-nos, pois, no espírito do Senhor, que nos convidou ao banquete da luz, desde hoje! Levantemo-nos para o porvir, não no sentido de menosprezar a Terra, mas no propósito de aperfeiçoar as nossas qualidades individuais, para sermos verdadeiramente úteis às suas realizações que hão de vir! Entreamemo-nos intensamente, realizando os preceitos evangélicos e edifiquemo-nos, cada dia, erguendo-nos para a redenção final.

9.11 E, concluindo a formosa dissertação da noite, Alexandre rematou, depois de longa pausa, apelando sentidamente:

— Unamo-nos todos no compromisso sagrado de cooperação legítima com Jesus!

Se o braço humano modifica a estrutura geográfica do planeta, rasgando caminhos novos, construindo cidades magníficas e proporcionando fisionomia diferente ao curso das águas da Terra, intensifiquemos nosso esforço espiritual, renovando as disposições milenárias do pensamento animalizado do mundo, construindo estradas sólidas para a fraternidade legítima, concretizando as obras de elevação dos sentimentos e dos raciocínios das criaturas e formando bases cristãs que santifiquem o curso das relações entre os homens!

Não provoqueis o desenvolvimento prematuro de vossas faculdades psíquicas! Ver sem compreender ou ouvir sem discernir pode ocasionar desastres vultosos ao coração. Buscai, acima de tudo, progredir na virtude e aprimorar sentimentos. Acentuai o próprio equilíbrio e o Senhor vos abrirá a porta dos novos conhecimentos!

9.12 Se o desejo de transformar o próximo atormentar-vos a alma, lembrai-vos de que há mil modos de auxiliar sem impor, e que somente depois do fruto amadurecido há provisão de sementes com que atender às necessidades de outros núcleos da semeadura!

Desligai-vos do excessivo verbalismo sem obras! Não vos falo aqui tão somente das obras do bem, exteriorizadas no plano físico, mas, muito particularmente, das construções silenciosas da renúncia, do trabalho de cada dia no entendimento de Jesus Cristo, da paciência, da esperança, do perdão, que se efetuam portas adentro da alma, no grande país de nossas experiências interiores!

Em todos os labores terrestres, transformai-vos na vontade de nosso Pai! E em vossos serviços de fé, não intenteis fazer baixar até vós os Espíritos Superiores, mas aprendei a subir até eles, conscientes de que os caminhos de intercâmbio são os mesmos para todos e mais vale elevar o coração para receber o infinito bem, que exigir o sacrifício dos benfeitores!...

Jamais quebreis o fio de luz que nos liga, individualmente, ao Espírito Divino! Não permitais que o egoísmo e a vaidade, os apetites inferiores e as tiranias do "eu" vos empanem a faculdade de refletir a Divina Luz. Recordai que em nossa capacidade de servir, e em nossas posições de trabalho, estamos para Deus como as pedras preciosas da Terra estão para o Sol criador — quanto mais nobre a pureza da pedra, mais possibilidades apresenta para refletir o brilho solar!

Colocai as expressões fenomênicas de vossos trabalhos em segundo plano, lembrando sempre de que o Espírito é tudo!

9.13   Nesse instante, Alexandre silenciou, mantendo-se, então, em muda rogativa. Admirado, comovido, notei que o generoso instrutor se transfigurava, ali, aos nossos olhos. Pela primeira vez, depois de meu retorno ao novo plano, observava acontecimento tão singular. Suas vestes tornaram-se de neve radiosa, sua fronte emitia intensa luz e de suas mãos estendidas evolavam-se raios brilhantes que, caindo sobre nós, pareciam infundir-nos estranho encantamento. Profunda emoção dominou-me o íntimo e quase todos nós, sem definir a causa daquelas divinas vibrações, chorávamos de alegria, contendo o peito opresso de júbilo inesperado.

Depois de alguns momentos de êxtase sublime, vi que Sertório compreendera a minha perplexidade. É verdade que, por várias vezes, eu presenciara a oração de entidades elevadas, oração que se fazia acompanhar sempre dos mais belos fenômenos de luz, mas nunca observara, dantes, semelhante transfiguração!

Tocando-me o braço, de leve, o companheiro acentuou:

— Todas as potências de natureza superior congregaram-se em torno de Alexandre, neste momento, transformando-o em intermediário de dádivas para nós. É por isso que ele irradia e resplandece com tamanha intensidade.

Compreendi a beleza da cena e a sublimidade da lição.

Decorridos alguns segundos, o grande orientador, retomando o seu aspecto habitual, elevava uma prece de reconhecimento ao Senhor e encerrava alegremente a divina reunião.

10
Materialização

10.1 Em virtude do meu interesse, no estudo dos fenômenos de materialização, não hesitei em solicitar o prestigioso concurso de Alexandre, que se colocou gentilmente ao lado de meus desejos.

— Nosso grupo — informou atencioso — não realiza trabalhos dessa espécie, mas não teremos dificuldade em recorrer a outros amigos. Temos companheiros devotados cooperando em núcleos de atividades dessa natureza.

E porque revelasse minha profunda curiosidade científica, o orientador prosseguiu:

— Trata-se de serviço de elevada responsabilidade, porquanto, além de exigir todas as possibilidades do aparelho mediúnico, há que movimentar todos os elementos de colaboração dos companheiros encarnados, presentes às reuniões destinadas a esses fins. Se houvesse perfeita compreensão geral, respeito aos dons da vida, e se pudéssemos contar com valores morais espontâneos e legitimamente consolidados no espírito coletivo, essas manifestações seriam as mais naturais possíveis, sem qualquer prejuízo para o médium e assistentes. Acontece, porém, que são muito raros os companheiros encarnados dispostos às condições espirituais que semelhantes trabalhos exigem. Por isso mesmo, na incerteza de colaboração eficiente, as sessões de materialização efetuam-se com grandes riscos para a organização mediúnica e requisitam número dilatado de cooperadores do nosso plano.

— Compreendo — intervim, valendo-me de pequena pausa do generoso instrutor. — Muitas vezes, quando envolvidos na carne, não sabemos conduzir a pesquisa intelectual!... **10.2**

— Certíssimo! — exclamou o meu interlocutor benevolente. — Se a indagação científica estivesse acompanhada de seguros valores do sentimento, do caráter, da consciência, outras seriam as realizações em vista da luz de espiritualidade acesa para o caminho, mas quase sempre somos assediados pela exigência repleta de pretensões e daí os fracassos inevitáveis.

O orientador amigo continuou a série de esclarecimentos morais, belos e edificantes, e esperei, ansioso, o instante de observar esses serviços prodigiosos dos trabalhadores espirituais, os quais se realizam com grande surpresa para os estudiosos da crosta.

Alexandre, delicado como sempre, obsequiou-me com todas as providências necessárias. Amigos atenciosos incumbiram-se de atender-me à curiosidade sadia e fui notificado de todas as medidas levadas a efeito.

Na noite aprazada, Alexandre, que me proporcionava a satisfação de seguir-me de perto, conduziu-me à casa residencial, onde teria lugar uma assembleia diferente.

A reunião seria iniciada às 21 horas, mas, com antecedência de cinquenta minutos, estávamos ambos, ali, na sala íntima, acolhedora e confortável, onde grande número de servidores do nosso plano iam e vinham.

10.3   Os trabalhos eram superintendidos pelo irmão Calimério, entidade superior à condição hierárquica de Alexandre, que, recebido carinhosamente por ele, assim se externou, depois de apresentar-me:

— Venho até aqui no propósito de atender ao aprendizado do companheiro. André desejava inteirar-se quanto aos serviços de materialização e tomei a liberdade de apresentá-lo; entretanto, não nos encontramos aqui como simples observadores. Se possível, trabalharemos também.

— Alexandre — replicou Calimério muito gentil, evidenciando extrema delicadeza de trato —, a tarefa é de todos nós. Proporcione ao nosso novo amigo todos os valores de que possamos dispor e desculpem-me se não posso assisti-los pessoalmente. A supervisão dos trabalhos da noite permanece a meu cargo; todavia, estejam à vontade.

E, fixando em mim os olhos muito lúcidos, acentuou:

— Observar para realizar é serviço divino.

Demandamos, respeitosos, o interior doméstico. Admiradíssimo, notei a enorme diferenciação do ambiente. Não havia, ali, como em outras reuniões a que assistira, a grande comunidade de sofredores às portas. A residência particular, onde se efetuariam os trabalhos, chegava a ser isolada por extenso cordão de trabalhadores de nosso plano, num círculo de 20 metros em derredor.

Percebendo-me a estranheza, Alexandre explicou:

— Aqui é indispensável o máximo cuidado para que os princípios mentais de origem inferior não afetem a saúde física dos colaboradores encarnados, nem a pureza do material indispensável aos processos fenomênicos. Em vista disso, torna-se imprescindível insular o núcleo de nossas atividades, defendendo-o contra o acesso de entidades menos dignas, por meio de fronteiras vibratórias.

Observando a extensão dos cuidados postos em prática, **10.4** perguntei:

— Se é preciso tamanho zelo, no que se refere ao nosso campo de serviço, não se fará a mesma exigência aos companheiros encarnados, com a função de assistentes?

Alexandre sorriu, compreendendo a sutileza de minha interrogação, e respondeu:

— Todo o perigo desses trabalhos está na ausência de preparo dos nossos amigos da crosta, os quais, na maioria das vezes, alegando impositivos científicos, se furtam a comezinhos princípios de elevação moral. Quando não se verifica o devido cuidado por parte deles, o fracasso pode assumir características terríveis, porque os irmãos que estabelecem as fronteiras vibratórias, no exterior do recinto, não podem impedir a entrada das entidades inferiores, absolutamente integradas com as suas vítimas terrenas. Há obsidiados que se sentem tão bem na companhia dos perseguidores, que imitam as mães terrestres agarradas aos filhos pequeninos, penetrando recintos consagrados a certos serviços, com que não se compadece ainda o espírito infantil. Quando os amigos menos avisados ingressam na tarefa em tais condições, as ameaças são verdadeiramente inquietantes.

— Então, aqui — considerei —, não devem entrar as vítimas do vampirismo...

— A rigor, não deveriam entrar — falou o instrutor, sorrindo —, mesmo porque há outros centros onde podem ser socorridas; mas, algumas vezes, a caridade fraternal aconselha a tolerância, mesmo em ambientes como este.

E, após ligeira pausa, acentuou:

— Por isso mesmo, as reuniões para serviços de materialização aparecem raramente; a homogeneidade, aqui, deve ser muito mais intensa. Consagra-se a maioria de nossas atividades ao esforço da caridade cristã. Neste ambiente, porém, limita-se o trabalho a certas demonstrações da sabedoria espiritual. Os homens, contudo, em sentido geral, não sabem, por enquanto, compreender a essência divina de tais demonstrações e, quase sempre, acorrem a elas com o raciocínio acima do sentimento. Pelas inquietudes da investigação, perdem, muitas vezes, os valores da cooperação, e os resultados são negativos. No dia, porém, em que conseguirem trazer o coração iluminado, receberão alegrias iguais àquela que desceu sobre os discípulos de Jesus, quando, de portas cerradas, em sublime comunhão de amor e fé, receberam a visita do Mestre, perfeitamente materializado, depois da ressurreição, em casa humilde de Jerusalém, de conformidade com a narrativa dos Evangelhos.

10.5   Em virtude de haver Alexandre entrado em silêncio, por alguns instantes, intensifiquei as minhas observações.

Surpreendido, notei o esforço de vinte entidades de nobre hierarquia que movimentavam o ar ambiente. Em seus gestos rítmicos, semelhavam-se a sacerdotes antigos que estivessem executando operações magnéticas de santificação interior do recinto.

Atendendo-me ao espírito de pesquisa, Alexandre esclareceu:

— Não se trata de hierofantes em gestos convencionais. Temos ali esclarecidos cooperadores do serviço, que preparam o ambiente, levando a efeito a ionização da atmosfera, combinando recursos para efeitos elétricos e magnéticos. Nos trabalhos deste teor, reclamam-se processos acelerados de materialização e desmaterialização da energia. As entidades manifestantes, no campo visual de nossos amigos encarnados, quase sempre são criaturas eminentemente ligadas à crosta e aos seus planos de sensações, mas os organizadores legítimos da tarefa em curso são verdadeiros e competentes orientadores dos planos espirituais, com grandes somas de conhecimento e responsabilidade.

Não decorreram muitos instantes, e alguns trabalhadores **10.6** de nossa esfera compareceram, trazendo pequenos aparelhos que me pareceram instrumentos reduzidos, de grande potencial elétrico, em virtude dos raios que movimentaram em todas as direções.

Minha curiosidade não tinha limites.

— Estes amigos — explicou o meu generoso instrutor — estão encarregados de operar a condensação do oxigênio em toda a casa. O ambiente para a materialização de entidade do plano invisível aos olhos dos homens requer elevado teor de ozônio e, além disso, é indispensável semelhante operação, a fim de que todas as larvas e expressões microscópicas de atividade inferior sejam exterminadas. A relativa ozonização da paisagem interior é necessária como trabalho bactericida.

E, depois de um gesto significativo, acrescentou:

— O ectoplasma, ou força nervosa, que será abundantemente extraído do médium, não pode sofrer, sem prejuízos fatais, a intromissão de certos elementos microbianos.

Logo após, reparei, surpreendido, o trabalho de várias entidades que chegavam do exterior, trazendo extenso material luminoso.

— São recursos da Natureza — informou-me o instrutor solícito — que os operários de nosso plano recolhem para o serviço. Trata-se de elementos das plantas e das águas, naturalmente invisíveis aos olhos dos homens, estruturados para reduzido número de vibrações.

— E serão aproveitados nos trabalhos da noite? — perguntei.

— Sim — esclareceu Alexandre paciente —, serão mobilizados pela ação dos orientadores.

Nesse instante, pessoas familiarizadas com a reunião penetraram a sala, tomando os lugares que lhes eram habituais.

Estabeleceu-se, entre os encarnados, ligeira conversação, na qual se comentavam os trabalhos levados a efeito anteriormente.

10.7   Não se passaram muitos minutos, e a jovem médium, afável e simpática, deu entrada no recinto, acompanhada por diversas entidades, dentre as quais se destacava um amigo de elevada condição, que parecia chefiar o grupo de servidores. Esse exercia considerável controle sobre a moça, que a ele se ligava por tênues fios de natureza magnética.

Sentindo-me a insopitável curiosidade, o orientador esclareceu:

— O controlador mediúnico é o irmão Alencar, que também foi médico na Terra. Calimério é o dirigente legítimo, encarregado da supervisão dos trabalhos, em nosso círculo.

Como notasse minha estranheza, Alexandre reiterou:

— Alencar é orientador do aparelho mediúnico para as atividades de materialização propriamente ditas. Aproximemo-nos dele.

Muito sensibilizado, recebi a saudação do novo amigo, que nos acolheu afetuosamente:

— Ser-nos-á muito útil a presença de ambos — disse-nos, fixando meu instrutor, em particular —, porquanto necessitamos de colaboradores para o auxílio magnético ao organismo mediúnico.

— Estamos à sua disposição — acentuou Alexandre satisfeito —, tomaremos lugar entre os seus assistentes.

Alencar agradeceu num gesto expressivo de sincero contentamento.

Entre os colaboradores figurava uma criatura muito querida ao meu orientador. Tratava-se de Verônica, que havia sido exímia enfermeira na crosta, e que me colocou à vontade, conversando amavelmente.

— Irmão Alexandre — disse ela, depois de rápidos momentos de palestra carinhosa —, iniciemos o auxílio magnético. Precisamos incentivar os processos digestivos para que o aparelho mediúnico funcione sem obstáculos.

Não tive ensejo para interpelações verbais. Alexandre, porém, endereçou-me significativo olhar, convidando-me a incentivar observações.

Ele, Verônica e mais três assistentes diretos de Alencar colocaram as mãos, em forma de coroa, sobre a fronte da jovem, e vi que as suas energias reunidas formavam vigoroso fluxo magnético que foi projetado sobre o estômago e o fígado da médium, órgãos esses que acusaram, imediatamente, novo ritmo de vibrações. Concentraram-se as forças emitidas, gradualmente, sobre o plexo solar,[19] espalhando-se por todo o sistema nervoso vegetativo e, com espanto, observei que se acelerava o processo químico da digestão. As glândulas do estômago começaram a segregar pepsina e ácido clorídrico, em maior quantidade, transformando rapidamente o bolo alimentar. Admirado, reconheci a elevada produção de enzimas digestivas e vi que o pâncreas trabalhava ativamente, lançando grandes porções de tripsina, na parte inicial dos intestinos, que figuravam grande hospedaria de bacilos acidificantes. Valendo-me da oportunidade, analisei o fígado, que parecia sofrer especial influenciação, notando-lhe a condição de órgão intermediário, não somente com funções definidas na produção da bile, mas também exercendo importante papel nos fenômenos nutritivos, relacionado com a vida dos glóbulos do sangue. As células hepáticas esforçavam-se apressadas, armazenando recursos da nutrição ao longo das veias interlobulares, que se assemelhavam a pequeninos canais de luz.

Em poucos minutos, o estômago permanecia inteiramente livre.

— Agora — exclamou Verônica serviçal — preparemos o sistema nervoso para as saídas da força.

---

[19] N.E.: Trata-se de um plexo nervoso importante, também chamado de plexo celíaco, localizado no interior do abdome e pertencente ao sistema neurovegetativo (autônomo). Funcionaria como receptor e emissor de energias vitais.

10.9 Reparei na diferenciação dos fluxos magnéticos, diante da nova operação posta em prática. Separaram-se os assistentes de algum modo e, enquanto Alexandre projetava a energia que lhe era peculiar sobre a região do cérebro, Verônica e os companheiros lançavam os recursos que lhes eram próprios sobre todo o sistema nervoso central, encarregando-se cada um de determinada zona dos nervos cervicais, dorsais, lombares e sacros.

As forças projetadas sobre a organização mediúnica efetuavam limpeza eficiente e enérgica, porquanto via, espantado, os resíduos escuros que lhes eram arrancados dos centros vitais.

Sob o fluxo luminoso da destra de Alexandre, o cérebro da jovem alcançava brilho singular, como se fora espelho cristalino. Todas as glândulas mais importantes resplandeciam, à maneira de núcleos vigorosos, excitados por elementos sublimes. Debaixo da chuva de raios espirituais em que se encontrava, a médium deixava perceber o trabalho divino de que era objeto, na intimidade de todas as células orgânicas, que pareciam restaurar o equilíbrio elétrico.

Terminada a tarefa, Alexandre acercou-se de mim, observando, ante a minha indisfarçável curiosidade:

— O aparelho mediúnico foi submetido a operações magnéticas destinadas a socorrer-lhe o organismo nos processos de nutrição, circulação, metabolismo e ações protoplásmicas, a fim de que o seu equilíbrio fisiológico seja mantido acima de qualquer surpresa desagradável.

Prosseguindo o exame dos trabalhos em curso, reparei que Verônica alçava, agora, a destra sobre a cabeça da jovem, demorando-a no centro da sensibilidade.

— Nossa irmã Verônica — explicou o meu amável orientador — está aplicando passes magnéticos como serviço de introdução ao desdobramento necessário.

Nesse momento, porém, algo aconteceu de estranho no círculo de nossas atividades espirituais. Percebeu-se grande choque de vibrações no recinto. Dois servidores aproximaram-se de Alencar e um deles explicou espantadiço:

— O senhor P... aproxima-se, porém, em condições indesejáveis...

— Que aconteceu? — indagou o controlador, seguro de si.

— Bebeu alcoólicos em abundância e precisamos providenciar-lhe o insulamento.

O controlador esboçou um gesto de contrariedade e murmurou, encaminhando-se para a porta de entrada:

— É muito grave! Neutralizemos a sua influenciação, sem perda de tempo.

Alexandre convidou-me a observar o caso de mais perto. Em vista da estupefação que me tomava de assalto, esclareceu:

— Nestes fenômenos, André, os fatores morais constituem elemento decisivo de organização. Não estamos diante de mecanismos de menor esforço, e sim ante manifestações sagradas da vida, em que não se pode prescindir dos elementos superiores e da sintonia vibratória.

Nesse instante, o senhor P... transpunha a porta.

Bem-posto, evidenciando excelentes disposições, não parecia ameaçar o equilíbrio geral, mesmo porque não revelava, exteriormente, qualquer traço de embriaguez.

Satisfazendo, porém, as determinações de Alencar, diversos operários dos serviços cercaram-no à pressa, como enfermeiros a se encarregarem de doente grave.

Incapaz de guardar minha própria impressão, indaguei:

— Que ocorre, afinal? Esse homem parece calmo e normal.

— Sim — elucidou Alexandre benevolente —, parecer não é tudo. A respiração dele, em semelhante estado, emite venenos. Em outro núcleo poderia ser tratado caridosamente, mas aqui, atendendo-se à função especializada do recinto, os princípios etílicos que exterioriza pelas narinas, boca e poros são eminentemente prejudiciais ao nosso trabalho. Como vemos, há necessidade de preparação moral para qualquer trato. A viciação, em qualquer sentido, antes de tudo, deprime o viciado, mas perturba igualmente os outros.

10.11 Recordei a função do álcool no organismo humano, mas bastou que a lembrança me aflorasse, de leve, para que o instrutor me esclarecesse, imediatamente:

— Você compreende que as doses mínimas de álcool intensificam o processo digestivo e favorecem a diurese,[20] mas o excesso é tóxico destruidor. As emanações de álcool de cana, ingerido pelo nosso irmão, em doses altas, são altamente nocivas aos delicados elementos de formação plástica que serão agora conferidos ao nosso esforço, além de constituírem sério perigo às forças exteriorizadas do aparelho mediúnico.

De fato, pouco a pouco se sentia, embora vagamente, o cheiro característico de fermentação alcoólica.

Reparei que o Sr. P... foi cercado pelas entidades operantes e neutralizado pela influenciação delas, à maneira do detrito anulado por abelhas laboriosas, em plena atividade na colmeia.

Prosseguiram os serviços normalmente.

Entre os votos de êxito dos companheiros encarnados semiconfiantes, a médium foi conduzida a pequeno gabinete improvisado, fazendo-se, em seguida, ligeira oração. Via-se, no entanto, que, como acontecia em outras reuniões, os amigos terrestres emitiam solicitações silenciosas, entrando as vibrações mentais em conflito ativo, desservindo em vez de auxiliar no trabalho da noite, o qual requisitava a mais elevada percentagem de harmonia. À claridade fraca e suave da luz vermelha que substi-

---

[20] N.E.: Excreção de urina.

tuíra a forte lâmpada comum, notavam-se as emissões luminosas do pensamento dos amigos encarnados. Francamente, não havia na pequena comunidade o espírito de entendimento divino do serviço em curso. Ninguém ponderava a expressão do fato para a Humanidade terrena, sequiosa de revelação celeste. Via-se que a reunião era profundamente dominada pelo "eu". Enquanto uns exteriorizavam exigências, outros determinavam as criaturas desencarnadas que deveriam comparecer nos fenômenos de materialização. Procurei, contudo, coibir minhas impressões de desagrado, porque todos os trabalhadores de grande elevação, no recinto, portavam-se calmamente, tratando os companheiros carnais com desvelado carinho, quais sábios em face de crianças queridas ao coração.

10.12 Diversos servidores espirituais começaram a combinar as radiações magnéticas dos companheiros terrenos, a fim de constituírem material de cooperação, enquanto Calimério, projetando seu sublime potencial de energias sobre a médium, operou-lhe o desdobramento que durou alguns minutos. Verônica e outras amigas amparavam a jovem, parcialmente libertada dos veículos físicos, mas algo confusa e inquieta ao lado do corpo, já mergulhado em profundo transe.

Em seguida notei que, sob a ação do nobre orientador da tarefa, se exteriorizava a força nervosa, à maneira de um fluxo abundante de neblina espessa e leitosa.

Notando a perturbação vibratória do ambiente, em vista da atitude desaconselhável dos companheiros encarnados, disse Calimério ao controlador mediúnico:

— Alencar, é necessário extinguir o conflito de vibrações. Nossos amigos ignoram ainda como auxiliar-nos, harmonicamente, por intermédio das emissões mentais. É mais razoável se abstenham da concentração por agora. Diga-lhes que cantem ou façam música de outra natureza. Procure distrair-lhes a atenção deseducada.

0.13 Alencar, porém, que se encontrava sob preocupações fortes, diante das múltiplas obrigações que deveria desempenhar no momento, pediu a colaboração de Alexandre, que se colocou à disposição dele, imediatamente:

— André — falou o meu orientador, em tom grave —, improvisemos a garganta ectoplásmica. Não podemos perder tempo.

E, identificando-me a inexperiência, acrescentou:

— Não precisa inquietar-se. Bastará ajudar-me na mentalização das minúcias anatômicas do aparelho vocal.

Estava aturdido, mas o instrutor considerou:

— A força nervosa do médium é matéria plástica e profundamente sensível às nossas criações mentais.

Logo após, Alexandre tomou pequena quantidade daqueles eflúvios leitosos, que se exteriorizavam particularmente pela boca, narinas e ouvidos no aparelho mediúnico e, como se guardasse nas mãos reduzida quantidade de gesso fluido, começou a manipulá-lo, dando-me a impressão de estar completamente alheio ao ambiente, pensando, com absoluto domínio de si mesmo, sobre a criação do momento.

Aos poucos, vi formar-se, sob meus olhos atônitos, um delicado aparelho de fonação. No íntimo do esqueleto cartilaginoso, esculturado com perfeição na matéria ectoplásmica, organizavam-se os fios tenuíssimos das cordas vocais, elásticas e completas na fenda glótica[21] e, em seguida, Alexandre experimentava emitir alguns sons, movimentando as cartilagens aritenoides.[22]

Formara-se, ao influxo mental e sob a ação técnica de meu orientador, uma garganta irrepreensível.

---

[21] N.E.: Relacionada ao aparelho vocal situado na laringe.
[22] N.E.: Pequenas cartilagens em forma de pirâmide localizadas na laringe.

Com assombro, verifiquei que por meio do pequeno aparelho improvisado e com a cooperação dos sons de vozes humanas, guardados na sala, nossa voz era integralmente percebida por todos os encarnados presentes. Parecendo-me satisfeito com o êxito de seu trabalho, Alexandre falou pela garganta artificial, como quem utilizava um instrumento vocal humano:

— Meus amigos, a paz de Jesus seja convosco! Ajudem-nos, cantando! Façam música e evitem a concentração!...

Fez-se música no ambiente e vi que o irmão Alencar, depois de ligar-se profundamente à organização mediúnica, tomava forma, ali mesmo, ao lado da médium, sustentada por Calimério e assistida por numerosos trabalhadores.

Aos poucos, valendo-se da força nervosa exteriorizada e de vários materiais fluídicos, extraídos no interior da casa, aliados a recursos da Natureza, Alencar surgiu aos olhos dos encarnados, perfeitamente materializado.

Surpreendido, reconheci que a médium era o centro de todos os trabalhos. Cordões tenuíssimos ligavam-na à forma do controlador e, quando tocávamos levemente a organização mediúnica, o amigo corporificado demonstrava evidentes sinais de preocupação, o mesmo acontecendo à jovem médium em relação a Alencar. Os gestos incontidos de entusiasmo dos assistentes, que tentavam cumprimentar diretamente o mensageiro materializado, repercutiam desagradavelmente no organismo da intermediária.

O irmão Alencar entreteve pequena palestra, diante dos companheiros terrestres extasiados. Não eram, todavia, as palavras trocadas entre ele e os assistentes que me impressionavam o coração, e sim a beleza do fato, a realidade da materialização, dando ensejo a dilatadas esperanças no futuro humano, quanto à fé religiosa, à filosofia confortadora da imortalidade e à ciência enobrecida, a serviço da razão iluminada.

0.15   Alexandre aproximou-se de mim e considerou:

— Repare na grandeza do acontecimento. O médium desempenha o papel de entidade maternal, enquanto Alencar, sob a influência positiva de Calimério, permanece em temporária filiação ao organismo mediúnico. Todas as formas que se materializarem serão "filhas provisórias" da força plástica da intermediária. O amigo que conversa com os encarnados é Alencar, mas os seus envoltórios do momento são nascidos das energias passivas da médium e das energias ativas de Calimério, o mais elevado diretor desta reunião. Se forçarmos o médium em nosso plano, feriremos Alencar em processo de materialização; se os companheiros terrenos violentarem o mensageiro, repentinamente corporificado, esfacelarão a médium, acarretando consequências funestas e imprevisíveis.

Perplexo, ante o fenômeno, indaguei:

— Mas esta força nervosa é apenas propriedade de alguns privilegiados na Terra?

— Não — replicou Alexandre —, todos os homens a possuem com maior ou menor intensidade; entretanto, é preciso compreender que não nos encontramos, ainda, no tempo de generalizar as realizações. Você sabe que este domínio exige santificação. O homem não abusará no setor do progresso espiritual, como vem fazendo nas linhas de evolução material, em que se transformam prodigiosas dádivas divinas em forças de destruição e miséria. Meu amigo: neste campo de realizações sublimes, a que nos sentimos ligados, a ignorância, a vaidade e a má-fé permanecem incapacitadas por si próprias, traçando fronteiras de limitação para si mesmas.

Impressionado com as maravilhas sob meus olhos, notei que, ao apelo de Alencar e com o concurso generoso de Calimério, materializaram-se mãos e flores, à maneira de mensagens afetuosas para os assistentes da reunião.

Reinava grande alegria entre todos, com exceção do Sr. P..., que revelava intraduzível mal-estar, sob o controle direto de vários trabalhadores espirituais que lhe neutralizavam a nociva influência.

Depois de maravilhosos minutos de serviço e júbilo, com significativas demonstrações de agradecimento a Deus, terminaram os trabalhos da noite, cooperando todos nós para que a médium fosse perfeitamente reintegrada no seu patrimônio psicofísico.

Meu coração transbordava de contentamento e esperança; todavia, era forçoso confessar que, para tamanhas manifestações de serviço e tão sublimes bênçãos, era muito reduzido o entendimento dos encarnados. Semelhavam-se a crianças afoitas, mais interessadas no espetáculo inédito que desejosas de consagração ao serviço divino. Francamente, estava desapontado. Tantos emissários celestes a se esforçarem por meia dúzia de pessoas que pareciam distantes do propósito de servir à causa da verdade e do bem?!

Expus minha opinião ao devotado instrutor, mas Alexandre respondeu tranquilo:

— E Jesus? Considera você que Ele tenha trabalhado somente para os galileus que o não compreendiam? Julga que tenha ensinado tão só no templo de Jerusalém? Não, meu amigo: convença-se de que todos os nossos atos, no bem ou no mal, estão sendo praticados para a Humanidade inteira. Por agora, os nossos companheiros terrestres não nos entendem, nem cresceram devidamente para a completa consagração a Jesus, mas a semeadura é viva e produzirá a seu tempo. Nada se perde.

E, sorrindo, rematou, depois de longa pausa:

— É verdade que você, no mundo, foi médico sempre interessado em ver o resultado de seu trabalho, mas não se esqueça do esforço silencioso dos semeadores do campo e recorde que as sementes depositadas nos sarcófagos egípcios, há alguns milhares de anos, estão começando a produzir maravilhosamente no solo da Terra.

11
Intercessão

11.1   Certa noite, finda a dissertação que Alexandre consagrava aos companheiros terrenos, meu orientador foi procurado por duas senhoras, que foram conduzidas, em condições especialíssimas, àquele curso adiantado de esclarecimentos, porquanto eram criaturas que ainda se encontravam presas aos veículos de carne e que procuravam o instrutor, temporariamente desligadas do corpo, por influência do sono.

A mais velha, evidentemente Espírito mais elevado, pelas expressões de luz de que se via rodeada, parecia muito conhecida e estimada de Alexandre, que a recebeu com indisfarçáveis demonstrações de carinho. A outra, porém, envolvida em um círculo escuro, trazia o semblante lacrimoso e angustiado.

— Ó meu amigo! — exclamou a entidade mais simpática, dirigindo-se ao benévolo orientador, depois das primeiras saudações — trago-lhe minha prima Ester, que perdeu o esposo em dolorosas circunstâncias.

E enquanto a senhora indicada enxugava os olhos, em **11.2** silêncio, acabrunhadíssima, a outra continuava:

— Alexandre, conheço a elevação e a urgência de seus serviços; entretanto, ouso pedir sua ajuda para os nossos pesares terrestres! Se houver absurdo em nossa rogativa, desculpe-nos com o seu coração clarividente e bondoso! Somos mulheres humanas! Perdoe-nos, pois, se batemos à sua porta de benfeitor, para atender a problemas tristes!...

— Etelvina, minha amiga — falou o instrutor, com entonação de ternura —, em toda parte, a dor sincera é digna de amparo. Se há sofrimentos na carne, existem eles também aqui, onde nos encontramos sem os despojos grosseiros e, em todos os lugares, devemos estar prontos à cooperação legítima. Diga, portanto, o que desejam e ponham-se à vontade!

Ambas as senhoras demonstraram-se aliviadas e passaram a conversar calmamente.

Etelvina, satisfeita, apresentou então a companheira que começou a relatar seu doloroso romance. Casara-se, fazia doze anos, com o segundo noivo que o destino lhe reservara, esclarecendo que o primeiro, ao qual amara muito, suicidara-se em circunstâncias misteriosas. A princípio, preocupara-se intensamente com a atitude de Noé, o primeiro noivo, bem-amado de seu coração; todavia, o devotamento de Raul, o esposo que o Céu lhe enviara, conseguira desfazer-lhe as mágoas do passado, edificando-lhe a ventura conjugal, com amoroso entendimento. Haviam recebido três filhinhos da Providência Divina e viviam em harmonia completa. Raul, conquanto melancólico, era dedicado e fiel. Quantas vezes desejara ela balsamizar-lhe, em vão, as chagas recônditas! O companheiro, todavia, nunca se lhe revelara plenamente! Apesar disso, a existência corria-lhe venturosa e calma, no santuário da mútua compreensão. Não obstante, porém, viverem para o desempenho das sagradas obrigações domésticas, apareceram inimigos ocultos que lhes haviam subtraído a felicidade. Raul fora assassinado inexplicavelmente. Amigos anônimos recolheram-lhe o cadáver na via pública, trazendo-lhe à casa a terrível surpresa. Tinha ele o coração varado por um tiro de revólver, que, embora encontrado junto do corpo exangue, não lhe pertencia. Que mistério envolveria o hediondo crime? Diversos populares e policiais acreditavam tratar-se de suicídio, tanto assim que todas as diligências da justiça criminal se encontravam interrompidas; entretanto, em sua convicção de mulher, admitia o assassínio. Que motivos conduziriam um homem probo e trabalhador ao suicídio sem causa? Por que se mataria Raul, quando tudo lhes era favorável, relativamente ao futuro? Inegavelmente, seus recursos financeiros não eram extensos, mas sabiam equilibrar, com decência, a despesa doméstica e a receita comum. Não, não. O companheiro, a seu parecer, teria partido da crosta por imposição de tenebroso crime. Todavia, em sua generosidade feminina, Ester, em lágrimas, não desejava positivar a culpabilidade de ninguém, não desejava vingar-se, e sim acalmar o coração em desalento. Seria possível, por intermédio de Alexandre, sonhar com o companheiro, no sentido de obter-lhe as notícias diretas e fazer-lhe sentir o carinhoso interesse do lar? Em vista dos filhos pequenos e de dois velhos tios que estavam dependentes de seus préstimos, a angustiada viúva encontrava-se em péssimas condições financeiras, na viuvez inesperada; todavia, acrescentava em pranto, estava disposta a trabalhar e consagrar-se aos filhinhos, recomeçando a vida, mas, antes disso, desejava algum conforto para o coração, anelava inteirar-se do ocorrido e conhecer a situação do esposo, para conformar-se.

11.3   E, no fim da longa e sentida exposição, rematava lacrimosa, dirigindo-se ao meu orientador:

— Por piedade, generoso amigo! Nada me podeis dizer? Que terá sido feito de Raul? Quem o teria assassinado? E por quê?

A viúva sofredora parecia alucinada de dor e internava- **11.4**
-se por meio das mais descabidas indagações; Alexandre, porém, longe de se desgostar com as perguntas intempestivas, assumira atitude paternal e, carinhosamente, tomou as mãos da interlocutora, respondendo-lhe:

— Tenha calma e coragem, minha amiga! Neste momento, não é fácil esclarecê-la. É imperioso sindicar, com cuidado, a fim de solucionar o problema com critério devido. Volte, pois, ao lar e descanse a mente oprimida... Ansiedades existem que não se curam à força de raciocínios do mundo. É indispensável conhecer o refúgio da oração, confiando-as ao supremo Pai. Ampare-se à fé sincera, confie na Providência e veremos o que é possível fazer no setor da informação e do socorro fraterno. Examinaremos o assunto com atenção!

Ambas as senhoras teceram ainda alguns comentários dolorosos, a respeito do acontecimento, e despediram-se, mais tarde, com palavras de gratidão e conforto.

A sós comigo e sentindo, talvez, a minha necessidade de preparação e conhecimento, o orientador explicou:

— Nossos amigos encarnados muitas vezes acreditam que somos meros adivinhos e, pelo simples fato de nos conservarmos fora da carne, admitem que já sejamos senhores de sublimes dons divinatórios, esquecidos de que o esforço próprio, com o trabalho legítimo, é uma lei para todos os planos evolutivos.

Todavia, sorrindo paternalmente, acrescentou:

— Entretanto, é forçoso considerar que nós outros, quando na crosta, em face das mesmas circunstâncias, não procederíamos de outra forma.

No dia imediato, porque podia eu dispor de mais tempo, convidou-me Alexandre a acompanhá-lo até a residência de Ester. Tomaria o lar da interessada como ponto de partida para as averiguações que desejava levar a efeito.

11.5 — Como? — ponderei — Não seria mais prático invocar diretamente o esposo desencarnado, por meio de nossos poderes mentais? Raul poderia, desse modo, ser ouvido sem dificuldade, observando-se posteriormente o que se poderia fazer em favor da viúva.

O instrutor, todavia, sem desprezar minha ideia, considerou:

— Sem dúvida, esse é o método mais fácil e, em muitos casos, devemos mobilizar semelhantes recursos; entretanto, André, o serviço intercessório, para ser completo, exige alguma coisa de nós mesmos. Concedendo à nossa irmã Ester algo de nosso tempo e de nossas possibilidades, seremos credores de mais justos conhecimentos, respeito à situação geral, enriquecendo, simultaneamente, os nossos valores de cooperação. Quem dá o bem é o primeiro beneficiado, quem acende uma luz é o que se ilumina em primeiro lugar.

Como quem não desejava dilatar a conversação, Alexandre silenciou, pondo-nos ambos a caminho, compreendendo eu, mais uma vez, que, como na Terra, o serviço de colaboração fraternal no plano dos Espíritos reclama esforço, tolerância e diligência.

A casa da pobre viúva localizava-se em rua modesta e, embora relativamente confortável, parecia habitada por muitas entidades de condição inferior, o que observei sem dificuldade, pelo movimento de entradas e saídas, antes mesmo de nossa penetração no ambiente doméstico. Entramos sem que os desencarnados infelizes nos identificassem a presença, em virtude do baixo padrão vibratório que lhes caracterizava as percepções. O quadro, porém, era doloroso de ver-se. A família, constituída da viúva, três filhos e um casal de velhos, permanecia à mesa de refeições, no almoço muito simples. Entretanto, um fato, até então inédito para mim, feriu-me a observação: seis entidades envolvidas em círculos escuros acompanhavam-nos ao repasto, como se estivessem tomando alimentos por absorção.

— Ó meu Deus! — exclamei aturdido, dirigindo-me ao **11.6** instrutor. — Será crível? Desencarnados à mesa?

Alexandre replicou tranquilo:

— Meu amigo, os quadros de viciação mental, ignorância e sofrimento nos lares sem equilíbrio religioso são muito grandes. Onde não existe organização espiritual, não há defesas da paz de espírito. Isso é intuitivo para todos os que estimem o reto pensamento.

Após ligeira pausa em que fixava, compadecido, a paisagem interior, prosseguiu:

— Os que desencarnam em condições de excessivo apego aos que deixaram na crosta, neles encontrando as mesmas algemas, quase sempre se mantêm ligados à casa, às situações domésticas e aos fluidos vitais da família. Alimentam-se com a parentela e dormem nos mesmos aposentos onde se desligaram do corpo físico.

— Mas chegam a se alimentar, de fato, utilizando os mesmos acepipes de outro tempo? — indaguei espantado, ao ver a satisfação das entidades congregadas ali, absorvendo gostosamente as emanações dos pratos fumegantes.

Alexandre sorriu e acrescentou:

— Tanta admiração, somente por vê-los tomando alimentos pelas narinas? E nós outros? Desconhece você, porventura, que o próprio homem encarnado recebe mais de setenta por cento da alimentação comum por meio de princípios atmosféricos, captados pelos condutos respiratórios? Você não ignora também que as substâncias cozidas ao fogo sofrem profunda desintegração. Ora, os nossos irmãos, viciados nas sensações fisiológicas, encontram nos elementos desintegrados o mesmo sabor que experimentavam quando em uso do envoltório carnal.

— No entanto — ponderei —, parece desagradável tomar refeições, obrigando-nos à companhia inevitável de desconhecidos e mormente desconhecidos da espécie que temos sob os olhos.

11.7 — Você, porém, não pode esquecer — aduziu o orientador — que não se trata de gente anônima. Estamos vendo familiares diversos, que os próprios encarnados retêm com as suas pesadas vibrações de apego doentio.

Alexandre pensou um momento e continuou:

— Admitamos, contudo, a sua hipótese. Ainda que a mesa doméstica estivesse rodeada de entidades indignas, estranhas aos laços consanguíneos, resta a certeza de que as almas se reúnem obedecendo às tendências que lhes são características e à circunstância de que cada Espírito tem as companhias que prefere.

E, desejoso de fornecer bases sólidas ao meu aprendizado, considerou:

— A mesa familiar é sempre um receptáculo de influenciações de natureza invisível. Valendo-se dela, medite o homem no bem, e os trabalhadores espirituais, nas vizinhanças do pensador, virão partilhar-lhe o serviço no campo abençoado dos bons pensamentos; conserve-se a família em plano superior, rendendo culto às experiências elevadas da vida, e os orientadores da iluminação espiritual aproximar-se-ão, lançando no terreno da palestra construtiva as sementes das ideias novas, que então se movimentam com a beleza sublime da espontaneidade. Entretanto, pelos mesmos dispositivos da Lei de Afinidade, a maledicência atrairá os caluniadores invisíveis e a ironia buscará, sem dúvida, as entidades galhofeiras e sarcásticas, que inspirarão o anedotário menos digno, deixando margem vastíssima à leviandade e à perturbação.

Indicando o grupo à mesa, Alexandre acentuou:

— Aqui, os tristes inveterados atraem os familiares desencarnados de análoga condição. É o vampirismo recíproco. Ouça você o que falam.

Agucei meus ouvidos e, com efeito, observei que a conversação era das mais lastimáveis.

— Nunca pensei que viria a sofrer tanto neste mundo! — **11.8**
exclamava a velha tia de Ester, queixando-se amargamente. —
Agostinho e eu trabalhamos tanto na mocidade!... Agora, chegados
à velhice, sem recursos para enfrentar a vida, somos obrigados a
sobrecarregar uma pobre sobrinha viúva! Ó que doloroso destino!...

E enquanto as lágrimas lhe corriam nas faces de cera, o
ancião fazia coro:

— É verdade! para uma vida laboriosa e difícil, tão amargosa compensação! Jamais esperei uma velhice tão escura!...

As entidades vestidas em túnicas de sombra, ao ouvirem
semelhantes declarações, pareciam também mais comovidas,
abraçando-se aos velhos com fervor.

A viúva, todavia, embora tristonha, acrescentou resignada:

— De fato, nossas provações têm sido cruéis; entretanto,
devemos confiar na bondade de Deus.

Alexandre fixou nela toda a sua atenção e notei que na
alma da viúva se fazia disposição singular. De olhos brilhantes,
como se percebesse, de muito longe, a nossa influenciação espiritual, recordou o sonho da noite, de modo vago, acentuando:

— Graças à Providência, amanheci hoje muito mais confortada. Sonhei que a prima Etelvina me conduziu à presença de
um mensageiro celestial que me abençoou o coração, aliviando-me as pesadas dores destes últimos dias! Ó como me rejubilaria
se pudesse reconstituir esse sonho de luz!

— Ora, mamãe, conte-nos! — exclamou a filhinha de 7
anos presumíveis, que até ali se mantivera em silêncio.

A senhora, de bom grado, comentou:

— Minha filha, não se pode descrever as grandes sensações.
Não me lembro, precisamente, de tudo, mas recordo-me de que
o emissário de Jesus me ouviu com paciência e, em seguida, disse-me palavras de encorajamento e amor. Longe de me repreender, acolheu-me bondoso e, revelando divina tolerância, escutou

minhas queixas até o fim, qual médico abnegado. Inegavelmente, levantei-me hoje com outro ânimo. Estejamos conformados, pois Deus nos auxiliará. Logo que me refaça completamente, ganharei nosso pão com o trabalho honesto. Tenhamos esperança e fé.

11.9 Em face das afirmativas encorajadoras de Ester, os meninos entreolharam-se sorridentes, enquanto os velhinhos calaram a amargura que lhes era própria.

Desejei fazer-me visível aos companheiros desencarnados, sem luz, que se movimentavam no recinto, de maneira a palestrar com eles, sondando-lhes as experiências, mas Alexandre dissuadiu-me:

— Seria perder tempo — disse —, e se você deseja beneficiá-los, venha até aqui em outra oportunidade, porque as cristalizações mentais de muitos anos não se desfazem com esclarecimentos verbais de um dia. No momento, nosso objetivo é diverso. Precisamos obter informações sobre Raul. Além disso, se nos valêssemos da hora, a fim de ouvir nossos irmãos desencarnados presentes, verificaríamos de pronto que eles poderiam apenas relacionar dolorosas lamentações, sem proveito construtivo.

E revelando reduzido interesse pela conversação dos encarnados, em vista do objetivo essencial do momento, considerou:

— Procuremos algum de nossos irmãos visitadores. Temos necessidade de informes iniciais para dar uma feição imediata ao nosso trabalho intercessório.

Porque Alexandre demandasse outros aposentos, deixei igualmente a modesta sala de refeições, embora desejasse continuar observando. O instrutor, porém, não tinha muito tempo para gastar.

Depois de rápidos minutos, fomos defrontados por uma entidade de aspecto humilde, mas muito digno, a quem Alexandre se dirigiu afavelmente:

— Meu amigo é visitador em função ativa?

— Sim, para servi-lo — respondeu atencioso o interpelado. **11.10**

O orientador expôs-lhe, com franqueza e em poucas palavras, o que desejávamos.

Então, o irmão visitador explicou-se razoavelmente: conhecera Raul, de perto, auxiliara-o muitas vezes, prestando-lhe continuada assistência espiritual; todavia, não pudera, nem ele e nem outros amigos, evitar-lhe o suicídio friamente deliberado.

— Suicídio? — interrogou Alexandre, procurando informar-se de maneira completa. — A viúva acredita em assassínio.

— Entretanto — ponderou o novo amigo —, ele soubera dissimular com cuidado. Meditara por muito tempo o ato infeliz e, no último dia, fizera a aquisição de um revólver para o fim desejado. Alvejando a região do coração, atirou a arma a pequena distância, depois de utilizá-la, cautelosamente, para evitar as impressões digitais e, desse modo, conseguira burlar a confiança dos familiares, fazendo-os supor tivesse havido doloroso crime.

— E chegou a vê-lo nos derradeiros minutos da tragédia? — indagou Alexandre paternal.

— Sim — esclareceu o interlocutor —, alguns amigos e eu tentamos socorrê-lo, mas, em vista das condições da morte voluntária, friamente deliberada, não nos foi possível retirá-lo da poça de sangue em que se mergulhou, retido por vibrações pesadíssimas e angustiosas. Permanecíamos em serviço com o fim de ampará-lo, quando se aproximou um "bando" de algumas dezenas, que abusou do infeliz e deslocou-o, facilmente, em virtude da harmonia de forças perversas. Como pode compreender, não nos foi possível arrebatá-lo das mãos dos salteadores da sombra, que o carregaram por aí...

O instrutor parecia satisfeito com as elucidações, e, quando vi que se dispunha a terminar a palestra, ousei perguntar:

— Mas... E a causa do suicídio? não será interessante ouvir o visitador?

11.11   — Não — explicou Alexandre, tranquilamente. — Indagaremos do próprio interessado.

Despedimo-nos. Determinada indagação, todavia, atormentava-me o cérebro. Não a contive por muitos instantes, dirigindo-me ao generoso orientador:

— Um "bando"? Mas o que significa? — interroguei.

Alexandre, que me parecia agora mais preocupado, esclareceu:

— O "bando" a que se refere o informante é a multidão de entidades delinquentes, dedicadas à prática do mal. Embora tenham influenciação limitada, em virtude das defesas numerosas que rodeiam os núcleos de nossos irmãos encarnados e as nossas próprias esferas de ação, levam a efeito muitas perturbações, concentrando os impulsos de suas forças coletivas.

Porque fosse muito grande a minha estranheza, o onstrutor aduziu:

— Não se surpreenda, meu amigo. A morte física não é banho milagroso, que converta maus em bons e ignorantes em sábios, de um instante para outro. Há desencarnados que se apegam aos ambientes domésticos, à maneira da hera às paredes. Outros, contudo, e em vultoso número, revoltam-se nos círculos da ignorância que lhes é própria e constituem as chamadas legiões das trevas, que afrontaram o próprio Jesus, por intermédio de obsidiados diversos. Organizam-se diabolicamente, formam cooperativas criminosas e ai daqueles que se transformam em seus companheiros! Os que caem na senda evolutiva, pelo descaso das oportunidades divinas, são escravos sofredores desses transitórios, mas terríveis poderes das sombras, em cativeiro que pode caracterizar-se por longa duração.

— No entanto, o visitador regional, como guarda destes sítios — inquiri espantado —, não poderia defender o suicida infeliz?

— Se ele fosse vítima de assassínio, sim — respondeu o instrutor —, porque, na condição real de vítima, o homem segrega determinadas correntes de força magnética suscetíveis de pô-lo em contato com os missionários do auxílio; mas no suicídio previamente deliberado, sem a intromissão de inimigos ocultos, como este sob nossa observação, o desequilíbrio da alma é inexprimível e acarreta absoluta incapacidade de sintonia mental com os elementos superiores.

— Mas — indaguei assombrado — as sentinelas espirituais não poderiam socorrer independentemente?

Esboçou Alexandre um gesto de tolerância fraterna e acentuou:

— Sendo a liberdade interior apanágio de todos os filhos da Criação, não seria possível organizar precipitados serviços de socorro para todos os que caem nos precipícios dos sofrimentos, por ação propositada, com plena consciência de suas atitudes. Em tais casos, a dor funciona como medida de auxílio nas corrigendas indispensáveis; mas... E os maus que parecem felizes na própria maldade? — perguntará você, naturalmente. Esses são aqueles sofredores perversos e endurecidos de todos os tempos, que, apesar de reconhecerem a decadência espiritual de si mesmos, criam perigosa crosta de insensibilidade em torno do coração. Desesperados e desiludidos, abrigando venenosa revolta, atiram-se à onda torva do crime, até que um novo raio de luz lhes desabroche no céu da consciência.

O assunto oferecia ensejo a valiosos esclarecimentos, mas Alexandre esboçou um gesto de quem não podia gastar muito tempo com palavras e, depois de ligeiro intervalo, acrescentou:

— André, mantenha-se em oração, ajudando-me por alguns momentos. Agora, que tenho informações positivas do visitador, preciso mobilizar minhas possibilidades de visão, sindicando quanto ao paradeiro do irmão infeliz.

Não obstante conservar-me em prece, observei que o orientador entrava em profundo silêncio. Daí a alguns minutos,

Alexandre tomou a palavra e exclamou como quem estivesse voltando de surpreendente excursão:

11.13 — Podemos seguir adiante. O pobre irmão, semi-inconsciente, permanece imantado a um grupo perigoso de vampiros, em lugarejo próximo.

O instrutor pôs-se a caminho; segui-o, passo a passo, em silêncio, apesar de minha intensa curiosidade.

Em pouco tempo, distanciando-nos dos núcleos suburbanos, encontramo-nos nas vizinhanças de grande matadouro.

Minha surpresa não tinha limites, porque observei a atitude de vigilância assumida pelo meu orientador, que penetrou firmemente a larga porta de entrada. Pelas vibrações ambientes, reconheci que o lugar era dos mais desagradáveis que conhecera, até então, em minha nova fase de esforço espiritual. Seguindo Alexandre de muito perto, via numerosos grupos de entidades francamente inferiores que se alojavam aqui e ali. Diante do local em que se processava a matança dos bovinos, percebi um quadro estarrecedor. Grande número de desencarnados, em lastimáveis condições, atirava-se aos borbotões de sangue vivo, como se procurassem beber o líquido em sede devoradora...

Alexandre percebera o assombro doloroso que se apossara de mim e esclareceu-me com serenidade:

— Está observando, André? Estes infelizes irmãos que nos não podem ver, pela deplorável situação de embrutecimento e inferioridade, estão sugando as forças do plasma sanguíneo dos animais. São famintos que causam piedade.

Poucas vezes, em toda a vida, eu experimentara tamanha repugnância. As cenas mais tristes das zonas inferiores que, até ali, pudera observar, não me haviam impressionado com tamanho amargor. Desencarnados à procura de alimentos daquela espécie? Matadouro cheio de entidades perversas? Que significava tudo aquilo? Lembrei meus reduzidos estudos de História, remontando-me à época em que as gerações primitivas ofereciam aos supostos deuses o sangue de touros e cabritos. Estaria ali, naquele quadro horripilante, a representação antiga dos sacrifícios em altares de pedra? Deixei que as primeiras impressões me incandescessem o cérebro, a ponto de sentir, como em outro tempo, que minhas ideias vagueavam em turbilhão.

 Alexandre, contudo, solícito como sempre, acercou-se mais carinhosamente de mim e explicou: **11.14**

 — Por que tamanha sensação de pavor, meu amigo? Saia de si mesmo, quebre a concha da interpretação pessoal e venha para o campo largo da justificação. Não visitamos, nós ambos, na esfera da crosta, os açougues mais diversos? Lembro-me de que em meu antigo lar terrestre havia sempre grande contentamento familiar pela matança dos porcos. A carcaça de carne e gordura significava abundância da cozinha e conforto do estômago. Com o mesmo direito, acercam-se os desencarnados, tão inferiores quanto já o fomos, dos animais mortos, cujo sangue fumegante lhes oferece vigorosos elementos vitais. Sem dúvida, o quadro é lastimável; não nos compete, porém, lavrar as condenações. Cada coisa, cada ser, cada alma, permanece no processo evolutivo que lhe é próprio. E se já passamos pelas estações inferiores, compreendendo como é difícil a melhoria no plano de elevação, devemos guardar a disposição legítima de auxiliar sempre, mobilizando as melhores possibilidades ao nosso alcance, a serviço do próximo.

 A advertência fora utilíssima. As palavras do instrutor caíram-me na alma a preceito, retificando-me a atitude mental. Encarei sereno o quadro sob meus olhos e, notando que me reequilibrara, Alexandre mostrou-me uma entidade de aspecto lamentável, semelhante a um autômato, a vaguear em torno dos demais. Depois de fixar-lhe os olhos quase sem expressão, reparei que a sua vestimenta permanecia ensanguentada.

11.15   — É o suicida que procuramos — exclamou o instrutor, claramente.

— Quê? — perguntei espantado — por que precisariam dele os vampiros?

— Semelhantes infelizes — elucidou Alexandre — abusam de recém-desencarnados sem qualquer defesa, como este pobre Raul, nos primeiros dias que se sucedem à morte física, subtraindo-lhes as forças vitais, depois de lhes explorarem o corpo grosseiro...

Estava atônito, lembrando as antigas informações religiosas sobre as tentações diabólicas, mas o orientador, firme na missão sagrada de auxílio, obtemperou:

— André, não se impressione em sentido negativo. Todo homem, encarnado ou desencarnado, que se desvie da estrada reta do bem, pode vir a ser perigoso gênio do mal. Não temos tempo a perder. Vamos agir, socorrendo o desventurado.

Seguindo o prestimoso mentor, aproximei-me também do infeliz. Alexandre alçou a destra sobre a fronte de Raul e envolveu-o em vigoroso influxo magnético. Dentro de poucos instantes, Raul permanecia cercado de luz, que foi vista imediatamente pelos seres da sombra, observando eu que a maioria se afastou, lançando gritos de horror. Vendo a claridade que rodeara a vítima, estavam lívidos, espantados. Um dos algozes mais corajosos replicou em voz alta:

— Deixemos este homem entregue à sua sorte. Os "Espíritos poderosos" estão interessados nele. Larguemo-lo!

Enquanto se retiravam os verdugos, apressadamente, como se temessem algo que eu não podia compreender ainda, em face da aproximação bendita daquela luz que vinha de Mais Alto, perdia-me em dolorosas interrogações íntimas. O quadro era típico das velhas lendas de demônios abandonando as almas prisioneiras de seus propósitos infernais. As palavras "Espíritos poderosos" haviam sido pronunciadas com indisfarçável ironia.

Pela claridade que envolvera o suicida, sabiam eles que estávamos presentes e, embora fugissem medrosos, alvejavam-nos com zombarias.

Aos poucos, o matadouro de grandes proporções estava deserto de vampiros vorazes. Alexandre, dando por finda a operação magnética, tomou a mão do amigo sofredor, que parecia imbecilizado pela influenciação maligna, e, conduzindo-o para fora, a caminho do campo, falou-me bondoso:

11.16

— Não guarde no coração as palavras irônicas que ouvimos. Esses irmãos desventurados merecem a nossa maior compaixão. Vamos ao que nos possa interessar.

Recomendou-me amparar o novo amigo, que parecia inconsciente de nossa colaboração, e, depois de alguns minutos de marcha, estacionávamos sob árvore frondosa, depondo o irmão enfraquecido e cambaleante sobre a relva fresca.

Impressionado com o seu olhar inexpressivo, solicitei os esclarecimentos do orientador, cuja palavra amiga não se fez esperar:

— O pobrezinho permanece temporariamente desmemoriado. O estado dele, depois de tão prolongada sucção de energias vitais, é de lamentável inconsciência.

Em face da minha estranheza, Alexandre acrescentou:

— Que deseja você? Esperaria por aqui o processo de menor esforço? O magnetismo do mal está igualmente cheio de poder, mormente para aqueles que caem voluntariamente sob os seus tentáculos.

Em seguida, inclinou-se paternalmente sobre o desventurado suicida e indagou:

— Irmão Raul, como passa?

— Eu... Eu... — murmurou o infeliz, como se estivesse mergulhado em profundo sono — Não sei... Nada sei...

— Lembra-se da esposa?

— Não... — respondeu o suicida, de modo vago.

O instrutor levantou-se e disse-me:

11.17   — A inconsciência dele é total. Precisamos despertá-lo.

Em seguida, determinou que eu permaneceria ali, em vigilância, enquanto buscaria recursos necessários.

— Não poderemos acordá-lo por nós mesmos? — interroguei admirado.

O orientador sorriu e considerou:

— Bem se reconhece que você não é veterano em serviços "intercessórios". Esquece-se de que vamos despertá-lo não só para a consciência própria, senão também para a dor? Romperemos a crosta de magnetismo inferior que o envolve e Raul regressará ao conhecimento da situação que lhe é própria; entretanto, sentirá o martírio do peito varado pelo projetil, rugirá de angústia ao contato da sobrevivência dolorosa, criada, aliás, por ele mesmo. Ora, em tais casos, as primeiras impressões são francamente terríveis e escoam-se algumas horas antes de seguro alívio. E como outras obrigações esperam por nós, será conveniente entregá-lo aos cuidados de outros amigos.

As observações calaram-me profundamente.

Decorridos vinte minutos, aproximadamente, Alexandre voltou acompanhado de dois irmãos que se prontificaram a conduzir o infeliz e, daí a algum tempo, encontrávamo-nos em uma casa espiritual de socorro urgente, localizada na própria esfera da crosta. Via-se que a organização atendia a trabalhos de emergência, porquanto o material de assistência era francamente rudimentar.

Adivinhando-me o pensamento, Alexandre explicou:

— No círculo de vibrações antagônicas dos habitantes da crosta, não se pode localizar uma instituição completa de auxílio. O trabalho de socorro, desse modo, há de sofrer incontestável deficiência. Esta casa, porém, é um hospital volante que conta com a abnegação de muitos companheiros.

Deposto Raul num leito alvo, o devotado instrutor começou a aplicar-lhe passes magnéticos sobre a região cerebral. Não se passou muito tempo, e o infeliz lançou um grito estertoroso e vibrante, dilacerando-me o coração.

— Eu morro! Eu morro!... — gritava Raul, em suprema aflição, tentando, agora, escalar as paredes. — Acudam-me por caridade!

E comprimindo o peito com as mãos, exclamava, em tom lancinante:

— Meu coração está partido! Ajudem-me!... Não quero morrer!...

Enfermeiros solícitos amparavam-no com atenção, mas o paciente parecia tomado de horror. Olhos esgazeados em máscara de sofrimento indefinível, continuava gritando estentoricamente, como se houvesse acordado de pesadelo angustioso.

— Ester! Ester!... — chamou o infeliz, recordando a esposa devotada — Venha em meu auxílio pelo amor de Deus! Socorra-me! Meus filhos!... Meus filhos!...

Alexandre acercou-se dele paternalmente e obtemperou:

— Raul, tenha paciência e fé no Divino Poder! Procure enfrentar corajosamente a situação difícil que você mesmo criou e não invoque o nome da companheira dedicada, nem chame pelos filhos amados que deixou na sua antiga paisagem do mundo, porque a porta material de sua casa se fechou com os seus olhos. Se você tivesse cultivado o amor cristão, prezando as oportunidades que o Senhor lhe confiou, fácil seria, em um momento destes, regressar ao ninho afetuoso para rever os entes amados, ainda que eles não conseguissem identificar a sua presença; mas... Agora, meu amigo, é muito tarde... É necessário aguardar outro ensejo de trabalho e purificação, porque a sua oportunidade, com o nome terrestre de Raul, está finda...

Imenso pavor a estampar-se-lhe no semblante, o interpelado revidou:

— Estarei morto, porventura? Não sinto o coração varado de dor? Não tenho as vestes ensanguentadas? Será isso morrer? Absurdo!...

11.19 Muito sereno, o bondoso instrutor voltou a falar:

— Não empunhou sua arma contra o próprio peito? Não localizou o coração para exterminar a própria vida? Ó, meu amigo, podem os homens enganar uns aos outros, mas nenhum de nós poderá iludir a Justiça Divina.

Revelando extrema vergonha, ao sentir-se a descoberto, o suicida prorrompeu em soluços, murmurando:

— Ah! desventurado que sou! Mil vezes infeliz!...

Alexandre, contudo, não tornou a falar-lhe naquela circunstância. Depois de recomendá-lo carinhosamente aos cuidados dos irmãos responsáveis pelos serviços de assistência, dirigiu-se a mim, explicando:

— Vamos, André! Nosso novo amigo está em crise cuja culminância não cederá antes de setenta horas, aproximadamente. Voltaremos mais tarde a vê-lo.

De regresso aos meus trabalhos, esperei, ansioso, o instante de reatar as observações educativas. Impressionava-me a complexidade do serviço "intercessório". As simples orações de uma esposa saudosa e dedicada haviam provocado atividades numerosas para o meu orientador e valiosos esclarecimentos para mim. Como agiria Alexandre na fase final? Que revelações teria Raul para os nossos ouvidos de companheiros interessados no seu bem-estar? Conseguiria a esposa consolar-se nos círculos da viuvez?

Abrigando interrogações numerosas, aguardei o momento azado. Decorridos quatro dias, o instrutor convidou-me a tornar ao assunto, o que me fez exultar de contentamento pela possibilidade de prosseguir, aprendendo para a minha própria evolução.

Encontramos Raul cheio de dores; todavia, mais calmo para sustentar a conversação esclarecedora. Queixava-se da ferida aberta, do coração descontrolado, dos sofrimentos agudos, do grande abatimento. Sabia, porém, que não se encontrava mais no círculo da carne, embora semelhante verdade lhe custasse angustioso pranto.

— Tranquilize-se — disse-lhe o meu orientador, com inexprimível bondade —, sua situação é difícil, mas poderia ser muito pior. Há suicidas que permanecem agarrados aos despojos cadavéricos por tempo indeterminado, assistindo à decomposição orgânica e sentindo o ataque dos vermes vorazes. **11.20**

— Ai de mim! — suspirou o mísero — porque, além de suicida, sou igualmente criminoso.

E demonstrando infinita confiança em nós, Raul contou a sua história triste, procurando justificar o ato extremo.

Na mocidade, viera do interior para a cidade grande, atendendo ao convite de Noé, seu camarada de infância. Companheiro devotado e sincero, esse amigo apresentara-o, certa vez, à noiva querida, com quem esperava tecer, no futuro, o ninho de ventura doméstica. Ai! desde o dia, porém, que vira Ester pela primeira vez, nunca mais pôde esquecê-la. Personificava a jovem o que ele, Raul, reputava como seu mais alto ideal para o matrimônio feliz. Em sua presença, sentia-se o mais ditoso dos homens. Seu olhar alimentava-lhe o coração, suas ideias constituíam a continuidade dos seus próprios pensamentos. Como, porém, fazer-lhe sentir o afeto imenso? Noé, o bom companheiro do passado, tornara-se-lhe o empecilho que precisava remover. Ester seria incapaz de traição ao compromisso assumido. Noé mostrava-se infinitamente bondoso e estimável para provocar um rompimento. Foi então que lhe nasceu no cérebro a tenebrosa ideia de um crime. Eliminaria o rival. Não cederia sua felicidade a ninguém. O colega deveria morrer. Como, porém, efetuar o plano sem complicações com a justiça? Enceguecido pela paixão violenta, passou a estudar minuciosamente a realização de seus criminosos propósitos. E encontrou uma fórmula sutil para a eliminação do companheiro dedicado e fiel. Ele, Raul, passou a usar conhecido e terrível

11.21 veneno em pequeninas doses, aumentando-as vagarosamente até habituar o organismo com quantidades que para outrem seriam fulminantes. Atingido o padrão de resistência, convidou o companheiro para um jantar e propinou-lhe o veneno odioso em vinho agradável que ele próprio bebeu, sem perigo algum. Noé, porém, desaparecera em poucas horas, passando por suicida, à apreciação geral. Guardou ele, para sempre, o segredo terrível e, depois de cortejar gentilmente a noiva chorosa, conseguiu impor-lhe simpatia, que culminou em casamento. Atingira a realização do que mais desejava: Ester pertencia-lhe na qualidade de mulher; vieram os filhinhos enfeitar-lhe o viver, mas... A sua consciência fora ferida sem remissão. Nas mais íntimas cenas do lar, via Noé, por meio da tela mental, exprobando-lhe o procedimento. Os beijos da esposa e as carícias dos filhos não conseguiam afastar a visão implacável. Em vez de decrescerem, seus remorsos aumentavam sempre. No trabalho, na leitura, na mesa de refeições, na alcova conjugal, permanecia a vítima a contemplá-lo em silêncio. A certa altura do destino, quis entregar-se à justiça do mundo, confessando o crime hediondo; entretanto, não se sentia com o direito de perturbar o coração da companheira, nem deveria encher de lodo o futuro dos filhinhos. A sociedade respeitava-o, acatando-lhe o ambiente doméstico. Companheiros distintos de trabalho prezavam-lhe a companhia. Como esclarecer a verdade em semelhantes contingências? Não obstante amar ternamente a esposa e os filhos, achava-se esgotado, ao fim de prolongada resistência espiritual. Receava a perturbação, o hospício, o aniquilamento, fugindo à confissão do crime que, cada dia, se tornava mais iminente. A essa altura, a ideia do suicídio tomou vulto em seu cérebro atormentado. Não resistiu por mais tempo. Esconderia o último ato do seu drama silencioso, como ocultara a primeira tragédia. Comprou um revólver e esperou. Certo dia, após o trabalho diário, absteve-se do caminho de volta ao lar e empunhou a arma contra o próprio coração, agindo cautelosamente para evitar as marcas digitais. Atingido o alvo, em um supremo esforço desfizera-se do revólver homicida e não teve a atenção voltada senão para o intraduzível padecimento do tórax estrangulado... Dificilmente, como se os seus olhos permanecessem anuviados, sentiu que algumas pessoas tentavam socorrê-lo e, em seguida, verdadeira multidão de criaturas, que ele não pôde ver, arrebatava-o do local de dor... Desde então, um enfraquecimento geral tomara-o por completo. Sentia-se presa de um sono pesado e angustioso, cheio de pesadelos cruéis. E, por fim, somente recuperara a consciência de si mesmo, ali naquele quarto modesto, depois de Alexandre restaurar-lhe as energias em prostração...

Terminando a confissão longa e amargurosa, Raul tinha o peito opresso e lágrimas pesadas a lhe lavarem o rosto. **11.22**

Comovidíssimo, não sabia, por minha vez, o que externar. Aquele drama oculto daria para impressionar corações de pedra. Alexandre, contudo, demonstrando a grandeza de suas elevadas experiências, mantinha respeitável serenidade, e falou:

— Nos maiores abismos, Raul, há sempre lugar para a esperança. Não se deixe dominar pela ideia de impossibilidade. Pense na renovação de sua oportunidade, medite na grandeza de Deus. Transforme o remorso em propósito de regeneração.

E após ligeira pausa, enquanto o infeliz se debulhava em pranto, o mentor prosseguia:

— Em verdade, seus males de agora não podem desaparecer milagrosamente. Todos faremos a colheita compatível com a semeadura, mas também nós, que hoje aprendemos alguma coisa, já passamos, inúmeras vezes, pela lição de recomeçar. Tenha calma e coragem.

Em seguida, Alexandre passou a notificá-lo, relativamente à causa de nosso interesse, explicando-lhe que o trabalho de auxílio fraterno fora iniciado por meio das orações da esposa carinhosa e desolada. Deu-lhe notícias dela, dos filhinhos e dos velhos tios; falou-lhe das saudades de Ester e de sua ansiedade para vê-lo, ainda que fosse em ligeiro minuto, em ocasião de sono do veículo físico.

11.23 Ouvindo as derradeiras informações, o suicida pareceu reanimar-se vivamente e observou:

— Ai! não sou digno! Minha miséria acentuar-lhe-ia as dores!...

O orientador, porém, afagando-lhe paternalmente a fronte, prometeu intervir e solucionar o problema.

Retiramo-nos, de novo, e, percebendo-me a profunda admiração, Alexandre ponderou:

— No pequeno drama em observação, meu amigo, você pode calcular a extensão e a complexidade de nossas tarefas nos serviços "intercessórios". Os nossos companheiros encarnados pedem-nos, por vezes, determinados trabalhos, muito distantes do conhecimento das verdadeiras situações. Para a sociedade humana, Raul é uma vítima de sicários ocultos, quando é apenas vítima de si mesmo. Para a companheira é o marido ideal, quando foi criminoso e suicida.

Compreendi as dificuldades morais em que nos achávamos para atender a petição que nos conduzira a semelhante serviço. As palavras do instrutor não evidenciavam outra coisa. Entendendo assim, ousei perguntar:

— Acredita esteja a irmã Ester preparada para o realismo de nossas conclusões?

Alexandre abanou a cabeça, negativamente, e redarguiu:

— Somente são dignos da verdade plena os que se encontrem plenamente libertados das paixões. Ester é profundamente bondosa, mas ainda não alcançou o próprio domínio. Não possui as emoções, antes é possuída por elas. Em vista disso, de modo algum lhe poderíamos dar o conhecimento completo do assunto. Está preparada para a consolação, não para a verdade.

As afirmativas do instrutor chocaram-me de certo modo. **11.24** De que maneira omitir os pormenores da tragédia? Não seria faltar à realidade? Por que processo confortar a esposa saudosa, ocultando-lhe o sentido verdadeiro dos acontecimentos?

Alexandre, porém, compreendeu-me as indagações e observou:

— Com que direito perturbaríamos o coração de uma pobre viúva na crosta, a pretexto de sermos verdadeiros? Por que motivo tisnar a esperança tranquila de três crianças adoráveis, envenenando-lhes, talvez, o destino, tão só para nos exibirmos como campeões da realidade? Haverá mais alegria em mostrar a sombra do crime, que em descobrir a fonte do conforto? André, meu irmão, a vida pede muito discernimento! Cada palavra tem sua ocasião, como cada revelação o seu tempo! Não podemos compreender um serviço de socorro com o esmagamento do suplicante. A oração de Ester não lhe poderia ser portadora de desalento. Por isso mesmo, nem todos recebem, quando querem, a delegação de Mais Alto para os serviços de assistência.

Registrei a observação.

Nesse dia, Alexandre dirigiu-se em minha companhia às autoridades do auxílio, pedindo a colaboração de uma das irmãs que funcionavam nas turmas de socorro, para concurso mais eficiente ao coração de Ester. Foi destacada Romualda, criatura dedicada e bondosa, que desceu para a crosta, junto de nós, recebendo, atenciosamente, as recomendações do prestimoso amigo. Alexandre não se alongou em muitas instruções. Romualda deveria preparar a viúva, espiritualmente, para visitar, na noite próxima, o esposo desencarnado e, em seguida, demorar-se junto dela, duas semanas colaborando no reerguimento de suas energias psíquicas e cooperando para que se lhe reorganizasse a vida econômica, por meio de colocação honesta e digna.

11.25   Era de ver-se o carinho que o delicado instrutor dedicou a todas as providências em curso.

Quase no momento aprazado para o reencontro dos cônjuges, comparecemos ao hospital volante de socorro espiritual, onde o instrutor cuidou pessoalmente de todas as medidas. Recomendou a Raul o melhor ânimo, insistindo para que não pronunciasse a menor expressão de queixa e para que se abstivesse de qualquer gesto que pudesse traduzir impaciência ou aflição. Em seguida, mandou velar a chaga aberta e sanguinolenta, muito visível na região dilacerada do organismo perispiritual, para que a esposa não recebesse qualquer impressão de sofrimento. O próprio Raul, admirado pela lição de boas maneiras, atendia, satisfeito e reanimado, a todas as instruções.

Daí a minutos, Romualda entrou em companhia de Ester, cujo olhar deixava entrever angústia e expectação. Alexandre tomou-a pelo braço e mostrou-lhe o companheiro estendido no leito alvo.

— Raul! Raul! — gritou a viúva desolada, provisoriamente liberta do corpo carnal, dilacerando-me o coração pelo doloroso tom de voz.

A comoção dela era extrema. Quis prosseguir e não pôde. Dobraram-se-lhe os joelhos e encontrou-se, genuflexa, junto ao leito do esposo, soluçando. Reparei que os olhos dele permaneciam marejados de pranto que não chegava a cair. Alexandre fixava-o, com firmeza, dando-lhe a entender a necessidade de coragem para o angustioso testemunho. Como a criança interessada em conhecer as recomendações paternas, o suicida acompanhava os menores gestos do nosso generoso orientador. E porque Alexandre lhe fizera ligeiro sinal, Raul tomou a destra da companheira em lágrimas e falou:

— Não chores mais, Ester! Tem confiança em Deus! Vela pelos nossos filhinhos e ajuda-me com a tua fé! Vou indo muito bem... Não há razão para que nos lamentemos! Querida, a morte não é o fim. Aceita a vontade do Pai, como estou procurando aceitar... Nossa separação é temporária... Nunca te esquecerei! Estarás em meu coração, onde eu estiver! Também estou saudoso de tua companhia, de tua dedicação, mas o Altíssimo nos ensinará a transformar saudades em esperanças!

11.26

As palavras do suicida, bem como a doce inflexão de sua voz, surpreendiam-me a observação. Raul demonstrava um potencial de delicadeza e finura psicológica, que até aí não revelara a meus olhos. Foi então que, aguçando a percepção visual, notei que fios tenuíssimos de luz ligavam a fronte de Alexandre ao cérebro dele e compreendi que o instrutor lhe ministrava vigoroso influxo magnético, amparando-o na difícil situação.

Ouvindo-lhe as expressões consoladoras, a viúva pareceu reanimar-se, exclamando lacrimosa:

— Ó, Raul, eu sei que agora estamos separados pelos abismos da sepultura!... Sei que devo esperar a decisão suprema para unir-me contigo para sempre... Ouve! Auxilia-me na Terra, na viuvez inesperada e dolorosa! Levanta-te e vem para a nossa casa, dar-me esperança ao espírito abatido! Defende-nos ainda contra os maus... Não me deixes sozinha com os nossos filhinhos, que tanto precisam de ti... Pede a Deus essa graça e vem ajudar-nos até o fim!...

Embora continuasse estirado no leito, o interpelado afagou-lhe carinhosamente os cabelos e respondeu:

— Tem coragem e fé! Lembra-te, Ester, de que existem padecimentos maiores que os nossos e conforma-te... Vou fortalecer-me e trabalharei ainda por nós... Assim como me esperas a assistência, esperar-te-ei a confiança. O Senhor não nos confia problemas dos quais não sejamos dignos! Volta para nossa casa e alegra-te! Não tenhas medo da necessidade; nunca nos faltará a bênção do pão! Procura a alegria do trabalho honesto e semeia o bem através de todas as oportunidades que o mundo te ofereça! A prática do bem dá saúde ao corpo e alegria ao espírito! E Deus, que é bom e justo, abençoará nossos filhinhos para que eles sejam felizes ao teu lado... Não te demores mais! Volta confiante! Guarda a certeza de que eu estou vivo e de que a morte do corpo é somente a necessária transformação!...

1.27   Compreendendo que a oportunidade do reencontro estava a esgotar-se, revelou a ansiosa esposa extrema curiosidade e aflição, fitando o companheiro através das lágrimas, e perguntou:

— Raul, antes que me vá, dize-me francamente... Que aconteceu? Quem te roubou a vida?

Notei que o interpelado mostrou no olhar terrível angústia, ante a indagação inesperada. Quis, talvez, confessar a verdade, fazer luz em torno de suas experiências extintas, mas o socorro magnético de Alexandre não se fez esperar. Jato de intensa luminosidade partiu da mão do orientador, que, a essa altura da conversação, mantinha sobre a fronte do suicida a destra protetora. Transformou-se-lhe a expressão fisionômica, restabelecendo-se-lhe a serenidade e a coragem. Novamente calmo, Raul falou à companheira:

— Ester, os processos da Justiça Divina não se encontram ao dispor de nossa apreciação... Guarda contigo a certeza de que estamos sendo instruídos todos os dias e em todos os acontecimentos... Aprende a procurar, antes de tudo... A vontade de Deus...

A pobre viúva desejou prolongar a palestra; adivinhava-se-lhe, pelos olhos aflitos, o intenso propósito de continuar bebendo as sublimes consolações do momento, mas Alexandre tomou-lhe o braço e recomendou-lhe a necessidade de despedir-se. A esposa chorosa não relutou. Concentrando toda a sua capacidade afetiva nas palavras, disse adeus ao suicida e beijou-lhe as mãos com infinito carinho. Algo distante da organização hospitalar de emergência, confiou-a o instrutor aos cuidados de Romualda e regressou em minha companhia.

Não conseguia ocultar minha enorme admiração por semelhante serviço de assistência.

11.28

Alexandre percebeu-me o estado da alma e falou comovidamente:

— Segundo observa, o trabalho de socorro pede muito esforço e devotamento fraterno. Não podemos esquecer que Raul e Ester são dois enfermos espirituais e, nessa condição, requerem muita compreensão de nossa parte. Felizmente, a viúva regressa cheia de novo ânimo e o nosso amigo, sentindo a extensão dos cuidados de que está sendo objeto, e notando por si mesmo quanto pode auxiliar a companheira encarnada, dar-se-á pressa em criar novas expressões de estímulo e energia no próprio coração.

Impressionado, contudo, em vista do dilaceramento havido em seu organismo espiritual, indaguei:

— E a região ferida? Raul experimentará semelhantes padecimentos até quando?

— Talvez por muitos anos — respondeu o instrutor, em tom grave. — Isso, porém, não o impedirá de trabalhar intensamente no campo da consciência, esforçando-se pela reaproximação da bendita oportunidade regeneradora.

Outros problemas afloravam-me à ideia. No entanto, o instrutor precisava ausentar-se, em demanda de incumbências difíceis, nas quais não poderia eu acompanhá-lo.

Pedi-lhe permissão para seguir, de perto, o trabalho de assistência levado a efeito por Romualda, recebendo-lhe a generosa aprovação. Desejava saber até que ponto se confortara a viúva ativa e observar-lhe o proveito daquele reencontro, que traduzia elevada concessão.

No dia seguinte, voltei ao lar modesto, justamente por ocasião do almoço familiar. Romualda andava aflita. O ambiente interno adquirira novo aspecto. As entidades viciadas não haviam desaparecido totalmente, mas o seu número fora consideravelmente reduzido. Amparando a sua protegida, a irmã auxiliadora recebeu-me com amabilidade. Notificou-me que a viúva amanhecera muito melhor e que ela, Romualda, fizera o possível por manter-lhe a recordação plena do sonho. Como era natural, a pobrezinha não poderia lembrar-se de todas as minúcias; entretanto, fixara as impressões culminantes, suscetíveis de acordar-lhe a divina esperança e restaurar-lhe o bom ânimo. Recomendou-me verificar, por mim mesmo, o efeito maravilhoso da providência.

1.29 De fato, o semblante da viúva ganhara nova expressão. De olhos límpidos e brilhantes, narrava aos tios e aos filhinhos o sublime sonho da noite. Todos a escutavam sob forte interesse, mormente as crianças, que pareciam participar de seu júbilo interior.

Ester terminara a narrativa, emocionada. Observei, então, que a velha tia esboçava um gesto de incredulidade, perguntando-lhe:

— E você acredita ter visitado Raul no outro mundo?

— Como não? — redarguiu a viúva, sem pestanejar — tenho ainda a impressão de suas mãos sobre as minhas e sei que Deus me concedeu semelhante graça para que eu readquira minhas forças para o trabalho. Despertei hoje profundamente reanimada e feliz! Enfrentarei o caminho com novas esperanças! Esforçar-me-ei e vencerei.

— Ó, mamãe, como nos consolam as suas palavras! — murmurou um dos pequenos, de olhos muito vivos — Como desejaria estar com a senhora para ouvir o papai nesse sonho maravilhoso!...

Nesse instante, o velhinho, que se alimentava em silêncio, ponderou na qualidade de excelente representante da descrença humana:

— É interessante notar que tendo Raul consolado tanto o seu coração de mulher, nada tenha elucidado sobre o crime que o atirou no sepulcro. **11.30**

Ester, que sentiu a ironia da observação, influenciada pela benfeitora que ali se mantinha, respondeu prontamente:

— Muitas vezes, meu tio, não sabemos ser gratos às bênçãos divinas. Recordo-me desta verdade, ao lhe ouvir semelhante raciocínio. Envergonho-me, quando me lembro de haver feito interrogação desta natureza ao pobre Raul, abatido e pálido no leito. Basta-me a felicidade de tê-lo visto e ouvido em um mundo que eu não posso compreender agora. Tenho a certeza de que o visitei em algum lugar. Que nos interessa descobrir criminosos, quando não podemos levantar-lhe o corpo físico? Em nossa preocupação de punir culpados, sem dar conta de nossas próprias culpas, iremos ao absurdo de desejar ser mais justos que o próprio Deus?

Calou-se o tio, pensativo, e observei que as crianças sentiam imensa alegria pela resposta maternal.

O coração de Ester penetrara a zona lúcida e sublime da fé viva, absorvendo paz, alegria e esperança, a caminho de uma vida nova.

Ao me despedir, felicitei Romualda pelo seu nobre trabalho. A generosa servidora pôs-me a par de seu projeto de serviço. Permaneceria mais estreitamente ao lado da viúva, insuflando-lhe coragem e bom ânimo e, na semana próxima, contava com a possibilidade de cooperar no sentido de organizar-lhe serviço bem remunerado.

Admirei-me, ouvindo o programa, principalmente no que tocava ao auxílio material; entretanto, Romualda aduziu muito calma:

— Quando os companheiros terrestres se fazem merecedores, podemos colaborar em benefício deles, com todos os recursos ao nosso alcance, desde que a nossa cooperação não lhes tolha a liberdade de consciência.

11.31   Roguei-lhe, então, o obséquio de admitir-me o concurso, no dia aprazado, para os serviços finais.

Romualda aquiesceu bondosamente, e, passada uma semana, fui por ela avisado, quanto à medida de conclusão dos trabalhos de assistência.

Voltei ao lar da viúva, em companhia da digna servidora espiritual, que me recomendou:

— Faça o favor de assistir nossa amiga, enquanto vou buscar a pessoa indicada para auxiliá-la. Já movimentei todas as providências cabíveis na situação e não temos tempo a perder.

Mantive-me ali, em profunda curiosidade, e, decorridas três horas, aproximadamente, alguém bateu à porta, chamando-me a atenção. Seguida de Romualda, uma dama distinta vinha ao encontro de Ester, oferecendo-lhe trabalho honesto em sua oficina de costura. A viúva chorava de emoção e de alegria, e, enquanto combinavam determinadas medidas de serviço, em um quadro confortador de júbilo geral, a irmã auxiliadora falou-me contente:

— Agora, irmão André, podemos voltar tranquilamente. O serviço que nos foi confiado está concluído, graças ao Senhor.

12
Preparação de experiências

12.1 Dispúnhamo-nos, Alexandre e eu, a regressar à nossa sede espiritual de trabalho, quando o orientador foi procurado por um companheiro de elevada expressão hierárquica, que me saudou igualmente, demonstrando grande apreço e carinho.

— Serei breve — disse ele ao meu instrutor, que o atendia, solícito —, o tempo não me permite longas conversações.

E, modificando a expressão fisionômica, acentuou:

— Lembra-se de Segismundo, nosso velho amigo?

— Como não? — redarguiu o interpelado — ambos lhe devemos significativos favores de outro tempo.

— Pois bem — tornou o visitante. — Segismundo necessita colaboração urgente. Reconheço que você não é especialista em trabalhos referentes à reencarnação.

No entanto, sinto-me compelido a recorrer ao concurso dos amigos.

O novo companheiro fez pequeno intervalo e continuou:

— Não se esqueceu você de que o nosso amigo, não obstante os rasgos de generosidade, assumiu compromissos muito sérios no passado?

— Sim, sim — respondeu o orientador —, o drama dele vive ainda em nossa memória.

— Segismundo, presentemente — prosseguiu o outro —, voltará ao rio da vida física. A situação assim o exige e não devemos perder a oportunidade de encaminhá-lo ao necessário resgate. Segundo está informado, Raquel, a pobre criatura que ele desviou, em nossa época de laços afetivos mais fortes, e Adelino, o infeliz marido que o nosso irmão assassinou em lamentável competição armada, já se encontram na crosta desde muito e, há quatro anos, religaram-se nos elos do matrimônio. Tudo está preparado a fim de que Segismundo regresse à companhia da vítima e do inimigo do pretérito, no sentido de santificar o coração. Será ele, de conformidade com a permissão de nossos maiores, o segundo filhinho do casal. Todavia, estamos lutando com grandes dificuldades para localizá-lo. Infelizmente, Adelino, que lhe será o futuro pai transitório, repele-o com calor, tão logo surgem as horas de sono físico, trabalhando contra os nossos melhores propósitos de harmonização. Em vista disso, o trabalho preparatório da nova experiência tem sido muito moroso e desagradável.

— E Segismundo? — indagou o mentor preocupado — qual a sua atitude dominante?

Herculano, o mensageiro que nos visitava, informou com fraternal interesse:

— A princípio, animava-se da melhor esperança. Agora, porém, que o rival antigo lhe oferece pensamentos de ódio e ciúme, olvidando compromissos assumidos em nossa esfera de ação, sente-se novamente desventurado e sem forças para reparar o mal. De outras vezes, enche-se-lhe a tristeza de profunda revolta e, nesse estado negativo, subtrai-se à nossa cooperação eficiente.

12.3 O visitante fez ligeira pausa e acrescentou, com inflexão de rogativa:

— Não poderá você ajudar-nos nesse difícil processo de reencarnação? Lembro-me de que sua amizade dividia-se entre ambos. Quem sabe se a sua intervenção afetuosa conseguiria convencer Adelino?

— Conte comigo — redarguiu o orientador, atenciosamente —, farei quanto estiver em minhas possibilidades para que não se perca o ensejo em vista.

Ante o sorriso de satisfação do outro, Alexandre concluiu:

— Na próxima semana, estarei a seu lado para conversar espiritualmente com Adelino e solucionar o problema da reaproximação. Estejamos confiantes no auxílio divino.

Herculano agradeceu e despediu-se comovidamente.

A sós com o mentor devotado e amigo, comecei a meditar na possibilidade de contribuir igualmente no caso que se me deparava. Nunca tivera oportunidade de acompanhar, de perto, um processo de reencarnação, estudando os ascendentes espirituais nas questões da Embriologia. Não seria interessante, para mim, utilizar a experiência? Nesse propósito, dirigi-me ao instrutor, sem falar, porém, da minha pretensão em sentido direto:

— Notável para mim a solicitação de hoje — exclamei.

— Longe estava de pensar, no mundo, na multiplicidade de tarefas atribuídas aos benfeitores e missionários desencarnados. A extensão do serviço em nosso campo de ação assombraria a qualquer mortal.

— Sem dúvida — respondeu o mentor atencioso —, os trabalhos se desdobram em todas as direções. O pedido de Herculano vem focalizar um dos mais importantes problemas da felicidade humana: o da aproximação fraternal, do perdão recíproco, da semeadura do amor, por meio da lei reencarnacionista.

Alexandre meditou alguns momentos e continuou:

— O caso é típico. O drama de Segismundo é demasiadamente complexo para ser comentado em poucas palavras. Basta, todavia, recordar que ele, Adelino e Raquel são os protagonistas culminantes de dolorosa tragédia, ocorrida ao tempo de minha última peregrinação pela crosta. Em seguida a uma paixão desvairada, Adelino foi vítima de homicídio; Segismundo, do crime; e Raquel, do prostíbulo. Desencarnaram, cada um por sua vez, sob intensa vibração de ódio e desesperação, padecendo vários anos, em zonas inferiores. Mais tarde, por intercessão de amigos redimidos, os antigos cônjuges obtiveram a volta ao corpo físico, a fim de santificarem os laços sentimentais e se reaproximarem dos antigos adversários. No entanto, como acontece quase sempre, os heróis na promessa fraquejam na realização, porque se apegam muito mais aos próprios desejos que à compreensão da vontade divina. De posse dos bens da vida física, nega-se Adelino a perdoar, recapitulando erradamente as lições do passado. Antes mesmo da reencarnação do antigo transviado, já se manifesta contrário a qualquer auxílio. Sempre o velho círculo vicioso — quando fora da oportunidade bendita de trabalho terrestre e vendo a extensão das próprias necessidades, desvela-se o companheiro em prometer fidelidade e realização, mas, logo que se apossa do tesouro do corpo físico, volta ao endurecimento espiritual e ao menosprezo das leis de Deus. **12.4**

Calou-se o mentor, por alguns instantes, acentuando em seguida:

— Buscarei, porém, chamá-los à recordação dos compromissos.

Neste ínterim, entendendo que a oportunidade era preciosa, solicitei:

— Ser-me-ia possível acompanhá-lo? Creio que aproveitaria muito. Poderia talvez adquirir valores significativos para o serviço do próximo e para meu benefício pessoal. Ignoro até quando me será permitido estudar em sua companhia e estimarei o aproveitamento integral de semelhante oportunidade.

12.5 Alexandre sorriu compassivo, e falou:

— Não tenho objeções. Entretanto, não creio deva seguir os trabalhos sem algum conhecimento prévio do assunto. Em toda edificação verdadeiramente útil, não podemos prescindir da base. Temos bons amigos no planejamento de reencarnações, serviço muito importante em nossa colônia espiritual, diretamente relacionado com as atividades do Esclarecimento. Nessa instituição, durante alguns dias, você terá uma ideia aproximada de nossa tarefa, portas adentro de semelhantes trabalhos. Grande percentagem de reencarnações na crosta se processa em moldes padronizados para todos, no campo de manifestações puramente evolutivas; mas outra percentagem não obedece ao mesmo programa. Elevando-se a alma em cultura e conhecimento, e, consequentemente, em responsabilidade, o processo reencarnacionista individual é mais complexo, fugindo à expressão geral, como é lógico. Em vista disso, as colônias espirituais mais elevadas mantêm serviços especiais para a reencarnação de trabalhadores e missionários.

As explicações eram sedutoras e relevantes e, compreendendo a importância dos esclarecimentos para meu pobre espírito, Alexandre continuou:

— Quando me refiro a trabalhadores, falo dos companheiros não completamente bons e redimidos, mas daqueles que apresentam maior soma de qualidades superiores, a caminho da vitória plena sobre as condições e manifestações grosseiras da vida. Em geral, como acontece a nós outros, são entidades em débito, mas com valores de boa vontade, perseverança e sinceridade, que lhes outorgam o direito de influir sobre os fatores de sua reencarnação, escapando, de certo modo, ao padrão geral. Claro que nem sempre tais alterações se verificam em condições agradáveis para a experiência futura. Os serviços de retificação representam tarefas enormes.

E desejando imprimir fortemente em meu espírito a noção da responsabilidade, o instrutor prosseguiu, tornando mais grave a inflexão da voz: 12.6

— O problema da queda é também uma questão de aprendizado e o mal indica posição de desequilíbrio, exigindo restauração e corrigenda. A evolução confere-nos poder, mas gastamos muito tempo aprendendo a utilizar esse poder harmonicamente. A racionalidade oferece campo seguro aos nossos conhecimentos; entretanto, André, quase todos nós, trabalhadores da Terra, nos demoramos séculos no serviço de iluminação íntima, porque não basta adquirir ideias e possibilidades, é preciso ser responsável, e nem é justo tenhamos tão somente a informação do raciocínio, mas também a luz do amor.

— Daí as lutas sucessivas em continuadas reencarnações da alma! — exclamei vivamente impressionado.

— Sim — continuou meu amável interlocutor —, temos necessidade da luta que corrige, renova, restaura e aperfeiçoa. A reencarnação é o meio, a educação divina é o fim. Por isso mesmo, a par de milhões de semelhantes nossos que evolvem, existem milhões que se reeducam em determinados setores do sentimento, porquanto, se já possuem certos valores da vida, faltam-lhes outros não menos importantes.

Identificando-me a dificuldade para compreender-lhe o ensinamento de maneira integral, meu orientador voltou a dizer:

— Embora na condição de médico do mundo, acredito que você não tenha sido completamente estranho aos estudos evangélicos.

— Sim, sim — retruquei —, tenho as minhas recordações nesse sentido.

— Pois bem, o próprio Jesus nos deixou material de pensamento para o assunto em exame, quando nos asseverou que se a nossa mão ou os nossos olhos fossem motivos de escândalo deveriam ser cortados ao penetrarmos no templo da vida. Compete-nos transferir a imagem literal para a interpretação simples do espírito. Se já falimos muitas vezes em experiências da autoridade, da riqueza, da beleza física, da inteligência, não seria lógico receber idêntica oportunidade nos trabalhos retificadores.

12.7 Compreendera claramente onde Alexandre pretendia chegar com os seus esclarecimentos amigos.

— É para a regulamentação de semelhantes serviços que funciona em nossa colônia espiritual, por exemplo, o planejamento de reencarnações, onde você terá ocasião de recolher ensinamentos preciosos.

E, atendendo-me às necessidades como pai afetuoso, apresentou-me o instrutor, no dia imediato, à imponente instituição.

Constituía-se o movimentado centro de serviço de vários prédios e numerosas instalações. Árvores acolhedoras enfileiravam-se através de extensos jardins, imprimindo encantador aspecto à paisagem. Reconheci logo que o instituto se caracterizava por grande movimento. Entidades insuladas ou em pequenos grupos iam e vinham, estampando atencioso interesse na expressão fisionômica. Pareciam sumamente despreocupadas de nossa presença ali, porque, quando não passavam sozinhas, ao nosso lado, engolfadas em profundos pensamentos, iam em grupos afetuosos, alimentando discretas conversações, muito graves e absorventes, ao que me parecia. Muitos desses irmãos, que passavam junto de nós, empunhavam reduzidos rolos de substância semelhante ao pergaminho terrestre, relativamente aos quais não possuía eu, até então, a mais leve notícia.

Alexandre, porém, como sempre, veio em socorro de minha estranheza, explicando bondosamente:

— As entidades sob nossos olhos são trabalhadores de nossa esfera, interessados em reencarnações próximas. Nem todos estão diretamente ligados a semelhante propósito, porque grande parte está em trabalho de intercessão, obtendo favores dessa natureza para amigos íntimos. Os rolos brancos que conduzem são pequenos mapas de formas orgânicas, elaborados por orientadores de nosso plano, especializados em conhecimentos biológicos da existência terrena. Conforme o grau de adiantamento do futuro reencarnante e de acordo com o serviço que lhe é designado no corpo carnal, é necessário estabelecer planos adequados aos fins essenciais.

— E a lei da hereditariedade fisiológica? — perguntei. **12.8**

— Funciona com inalienável domínio sobre todos os seres em evolução, mas sofre, naturalmente, a influência de todos aqueles que alcançam qualidades superiores ao ambiente geral. Além do mais, quando o interessado em experiências novas no plano da crosta é merecedor de serviços "intercessórios", as forças mais elevadas podem imprimir certas modificações à matéria, desde as atividades embriológicas, determinando alterações favoráveis ao trabalho de redenção.

A essa altura da palestra esclarecedora, Alexandre convidou-me a transpor o limiar.

Achamo-nos, em breve, em um dos gabinetes extensos do edifício principal, onde um dos numerosos amigos do orientador veio atender-nos atenciosamente.

Apresentou-me Alexandre ao assistente Josino, que me recebeu com extrema gentileza e fidalguia de trato. Esclareceu o instrutor o objetivo de nossa visita. Desejava me fosse conferida a possibilidade de visitar a instituição de planejamento, quantas vezes me fosse possível durante a semana em curso, em vista da minha necessidade de adquirir noções seguras, referentemente ao trabalho de auxílio nas atividades reencarnacionistas. O assistente prometeu a melhor boa vontade. Conduzir-me-ia a colegas dele, para que me não faltassem minúcias de conhecimento, exporia suas próprias experiências à minha observação, para que eu retirasse delas o máximo proveito e, por fim, quanto estivesse ao seu alcance, guiaria meus impulsos no aprendizado.

12.9 Felicitavam-me o íntimo as melhores e mais confortadoras impressões, não só pela recepção carinhosa, senão também pelo ambiente educativo. Não longe de nós, em luminosos pedestais, descansavam duas maravilhas da estatuária, a figuração delicada de um corpo masculino e outro modelo feminino, singularmente belos pela perfeição anatômica, não somente da forma em si, mas também de todos os órgãos e as mais diversas glândulas. Por meio de disposições elétricas, ambas as figurações palpitavam de vida e calor, exibindo eflúvios luminosos, quais os homens e mulheres mais evoluídos na esfera carnal.

Identificando-me a admiração, Alexandre sorriu e disse ao assistente Josino, com o propósito de fazer-se ouvido por mim:

— Talvez André não conheça bastante o nosso respeito e gratidão ao aparelho físico terrestre.

— Em verdade — ajuntei —, ignorava, até agora, que o corpo carnal fosse, entre nós, objeto de tamanhos cuidados. Não sabia que a nossa colônia contasse com instituição desse teor.

— Como não, meu amigo? — interferiu o assistente, com inflexão de carinho. — O corpo físico na crosta planetária representa uma bênção de nosso eterno Pai. Constitui primorosa obra da Sabedoria Divina, em cujo aperfeiçoamento incessante temos nós a felicidade de colaborar. Quanto devemos à máquina humana pelos seus milênios de serviço a favor de nossa elevação na vida eterna? Nunca relacionaremos a extensão de semelhante débito.

E, fixando os modelos que me provocavam assombro, acentuou:

— Todo o nosso zelo, no serviço de reencarnação, permanece muito aquém do quanto deveríamos realizar em benefício do aprimoramento da máquina orgânica.

Embora hesitante, ousei perguntar: **12.10**
— Todos os núcleos de Espiritualidade superior mantêm círculos de trabalho dessa natureza?

Foi Alexandre quem respondeu, com a delicadeza habitual:

— Em todas as colônias de expressão elevada, essas tarefas são desempenhadas com infinito carinho. O auxílio à reencarnação de companheiros nossos traduz o nosso reconhecimento ao aparelho físico que nos tem proporcionado tantos benefícios, através do tempo.

Recordei, porém, que o meu pai terrestre,[23] um dia, voltara à experiência carnal, procedendo das zonas francamente inferiores, e indaguei:

— E aqueles que regressam à crosta, partindo das regiões mais baixas, terão o mesmo generoso auxílio?

Desejando imprimir à pergunta a mais viva sinceridade, acrescentei:

— Meu genitor, na derradeira romagem terrestre, voltou, faz algum tempo, à esfera carnal em condições bem amargas...

Alexandre interrompeu-me o curso da frase, ponderando:

— Compreendemos. Se era ele criatura de razão esclarecida, embora não iluminada, permanecia após a morte em estado de queda, e não deve ter voltado à bendita oportunidade da escola física sem o trabalho "intercessório" e forte ajuda de corações bem-amados de nosso plano. Nesse caso, terá recebido a cooperação de benfeitores, situados em posições mais altas, que lhe terão endossado as promessas no serviço regenerador. Se ele foi, porém, criatura em esforço puramente evolutivo, circunstância essa na qual não teria regressado em condições amargurosas, contou ele naturalmente com o abençoado concurso dos trabalhadores espirituais que velam,

---

[23] Nota do autor espiritual: Vide *Nosso lar*.

na crosta, pela execução dos trabalhos reencarnacionistas, em processos naturais.

12.11 Em face dos esclarecimentos do instrutor, entendi as diferenças e tranquilizei o coração.

Fosse porque a palestra escalpelara melindroso assunto de família humana, fosse pelo propósito de me deixarem a sós com as minhas profundas reflexões naquele extenso gabinete de serviço, o orientador e o assistente entraram em silêncio, compelindo-me a rebuscar novos motivos de conversação para o meu aprendizado.

Passei então a observar detidamente os modelos masculino e feminino, não longe de meus olhos.

Muito gentil, Josino pousou a destra, de leve, nos meus ombros, e falou-me:

— Aproxime-se das criações educativas. Você lucrará muito, observando de perto.

Não contive um gesto de agradecimento e afastei-me dos dois respeitáveis amigos, acercando-me das figurações ali expostas. Detive-me na contemplação do molde masculino, que apresentava absoluta harmonia de linhas, qual arte helênica de sabor antigo.

O modelo, estruturado em substância luminosa, constituía, a meu parecer, a mais primorosa obra anatômica até então sob minha análise. Semelhava-se aquela figura humana, imóvel, a qualquer coisa divinal.

Fixei-lhe as minuciosidades com espanto. Nunca vira semelhante perfeição de minudências fisiológicas. Toda a musculatura estava, ali, formada em fibras radiosas. Desde o frontal ao ligamento anular do tarso, viam-se fios de luz simbolizando as regiões diversas da musculatura em geral. Determinadas fibras, todavia, como as que se localizavam na zona orbicular das pálpebras, no triangular dos lábios, no grande peitoral, no pectíneo, nas eminências tênar e hipótenar até o extensor dos dedos, eram mais brilhantes. Do exame de superfície, passei a observações mais profundas, identificando as disposições maravilhosas das figuras representativas da circulação linfática e sanguínea. Oh! os órgãos estavam todos ali, vibrando em obediência a dispositivos elétricos para demonstrações educativas. Os vasos para o sangue venoso apresentavam-se em luz acinzentada, ao passo que as regiões do sangue arterial figuravam-se em cor encarnada.

Surpreendido, rendi silencioso preito de admiração à Sabedoria Divina, que nos concede o sublime aparelho físico terrestre para as nossas aquisições eternas.

Impressionava-me a composição perfeita dos vasos distribuídos em torno do tronco celíaco,[24] à maneira de pequenos rios de luz, destacando-se em expressão a luminosidade das cavas superior e inferior, das jugulares externa e interna, das artérias e veias axilares da veia porta, das artérias esplênica e mesentérica superior, da aorta descendente, dos vasos ilíacos e dos gânglios da virilha.

Cobrindo as maravilhas orgânicas, estava o sistema nervoso, semelhando-se a capa radiante estruturada em fios tenuíssimos de luz feérica. A região do cérebro parecia uma lâmpada em azul suavíssimo, cuja luminosidade se ligava em sentido direto ao cerebelo, descendo em seguida pela medula espinhal até o plexo sagrado, no qual o foco brilhante adquiria expressão mais intensa, para atenuar-se, depois, no grande ciático.

Transferi minhas observações para a forma feminina, igualmente radiosa, concentrando meu potencial analítico sobre o sistema endocrínico, disposto à maneira de constelação, entre as peças orgânicas. Desde a epífise, situada entre os hemisférios cerebrais, até os núcleos procriadores, as glândulas pareciam formar belo sistema luminoso, semelhantes a pequenos

---

[24] N.E.: Ramo colateral da aorta abdominal.

astros de vida, congregados em sentido vertical, qual antena rútila atraindo a luz procedente de Mais Alto. Cada qual apresentava sua forma específica, suas expressões vibratórias, suas características particulares, diversificando-se, igualmente, a cor de cada uma, embora recebessem todas, a seu modo, a coloração da epífise, semelhante a pequenino sol azulado, mantendo em seu campo de atração magnética todas as demais, desde a hipófise[25] à região dos ovários, como o nosso astro de vida, garantindo a coesão e o movimento da sua grande família de planetas e asteroides.

12.13   Minha estupefação não tinha limites.

É forçoso confessar, porém, que minha surpresa se distendia muito mais, ao fixar os eflúvios brilhantes que emanavam dos centros genitais, semelhando-se, em conjunto, a minúsculo santuário cheio de luz.

Como eu dirigisse ao meu instrutor um olhar de indagação, seus esclarecimentos não se fizeram esperar.

— Na crosta — disse-me Alexandre, sorrindo, após reaproximar-se de mim —, em sentido geral ainda existe muita ignorância acerca da missão divina do sexo. Para nós, porém, que desejamos valorizar as experiências, a paternidade e a maternidade terrestres são sagradas. A faculdade criadora é também divindade do homem. O útero maternal significa, para nós outros, a porta bendita para a redenção; para grande número de pessoas na esfera do globo, a visão celestial é símbolo de repouso e alegria sem-fim, enquanto, para muitos de nós, a visão terrestre significa trabalho edificante e salutar. Não alcançaremos, porém, a terra prometida do serviço redentor, sem o concurso das forças criadoras associadas, do homem e da mulher.

---

[25] N.E.: Pequena glândula endócrina situada na base do cérebro, responsável pela regulação da atividade de outras glândulas e de várias funções do organismo. Também chamada de glândula pituitária.

12.14 Compreendi, com novo espírito, o caráter sublime das energias sexuais e recordei-me, compadecidamente, de todos os encarnados que ainda não conseguiram edificar o respeito e o entendimento, relativos aos sagrados órgãos procriadores. Meu orientador, entretanto, como antena receptora de todas as minhas emissões mentais, advertiu-me bondoso:

— Relegue ao esquecimento qualquer expressão das reminiscências menos construtivas. Os que ultrajam o sexo, escrevendo, agindo ou falando, já são grandes infelizes por si mesmos.

Guardei a lição e abençoei a nova experiência que começava.

Despediu-se Alexandre, deixando-me na grande instituição de planejamento, onde o assistente Josino, ocupado nos encargos de seu ministério, me confiou aos cuidados de Manassés, um irmão dos serviços informativos da casa, que me acolheu prazerosamente, cercando-me de gentileza e carinho.

Senti imediatamente que o meu aprendizado ali se iniciava com imenso proveito. Manassés era um livro volante. Seus pareceres e informes traduziam valiosos ensinamentos.

Aproximando-nos dos pavilhões de desenho, onde numerosos cooperadores traçavam planos para reencarnações incomuns, foi o meu novo companheiro procurado por uma entidade simpática que lhe pedia informações. Manassés apresentou-ma otimista. Tratava-se de um colega que, depois de quinze anos de trabalho nas atividades de auxílio, regressaria à esfera carnal para a liquidação de determinadas contas. O recém-chegado parecia hesitante. Via-se-lhe o receio, a indecisão.

— Não se deixe dominar pelas impressões negativas — dirigia-se Manassés a ele, infundindo-lhe bom ânimo. — O problema do renascimento não é assim tão intrincado. Naturalmente, exige coragem, boas disposições.

— Entretanto — exclamava o interlocutor, algo triste —, temo contrair novos débitos em vez de pagar os velhos compromissos. É tão penoso vencer na experiência carnal, em vista do esquecimento que sobrevém à encarnação...

12.15 — Seria, porém, muito mais difícil triunfar guardando a lembrança — redarguiu Manassés, incontinente.

Prosseguindo sorridente, acrescentou:

— Se tivéssemos grandes virtudes e belas realizações, não precisaríamos recapitular as lições já vividas na carne. E se apenas possuímos chagas e desvios para rememorar, abençoemos o olvido que o Senhor nos concede em caráter temporário.

Esforçou-se o outro para esboçar um sorriso e objetou:

— Conheço-lhe o otimismo; quisera ser igualmente assim. Voltarei confiante no concurso fraterno de vocês.

E modificando o tom de voz, indagou:

— Pode informar se o meu modelo está pronto?

— Creio que poderá procurá-lo amanhã — tornou Manassés bem-disposto —; já fui observar o gráfico inicial e dou-lhe parabéns por haver aceitado a sugestão amorosa dos amigos bem orientados, sobre o defeito da perna. Certamente, lutará você com grandes dificuldades nos princípios da nova luta, mas a resolução lhe fará grande bem.

— Sim — disse o outro, algo confortado —, preciso defender-me contra certas tentações de minha natureza inferior e a perna doente me auxiliará, ministrando-me boas preocupações. Ser-me-á um antídoto à vaidade, uma sentinela contra a devastação do amor-próprio excessivo.

— Muito bem! — respondeu Manassés, francamente otimista.

— E pode informar-me ainda a média de tempo conferida à minha forma física futura?

— Setenta anos, no mínimo — redarguiu meu novo companheiro, contente.

O outro fixou uma expressão de reconhecimento, enquanto Manassés continuou:

— Pondere a graça recebida, Silvério, e, depois de tomar- **12.16**
-lhe a posse no plano físico, não volte aqui antes dos setenta. Trate de aproveitar a oportunidade. Todos os seus amigos esperam que você volte, mais tarde, à nossa colônia, na gloriosa condição de um "completista".

O interpelado mostrou um raio de esperança nos olhos, agradeceu e despediu-se.

As últimas observações de Manassés acenderam-me curiosidade mais forte. Não contive a indagação que me vagueava no pensamento e perguntei sem rebuços:

— Meu amigo, que significa a palavra "completista"?

Ele sorriu complacente, e retrucou bem-humorado:

— É o título que designa os raros irmãos que aproveitaram todas as possibilidades construtivas que o corpo terrestre lhes oferecia. Em geral, quase todos nós, regressando à esfera carnal, perdemos oportunidades muito importantes no desperdício das forças fisiológicas. Perambulamos por lá, fazendo alguma coisa de útil para nós e para outrem, mas, por vezes, desprezamos cinquenta, sessenta, setenta por cento e, frequentemente, até mais, de nossas possibilidades. Em muitas ocasiões, prevalece ainda, contra nós, a agravante de termos movimentado as energias sagradas da vida em atividades inferiores que degradam a inteligência e embrutecem o coração. Aqueles, porém, que mobilizam a máquina física, à maneira do operário fidelíssimo, conquistam direitos muito expressivos em nossos planos. O "completista", na qualidade de trabalhador leal e produtivo, pode escolher, à vontade, o corpo futuro, quando lhe apraz o regresso à crosta em missões de amor e iluminação, ou recebe veículo enobrecido para o prosseguimento de suas tarefas, a caminho de círculos mais elevados de trabalho.

Semelhante notícia representava para mim valiosa revelação. Nada mais legítimo que dotar o servidor fiel de recursos completos. E lembrei-me dos desregramentos de toda a sorte a que se entregam as criaturas humanas, em todos os países, doutrinas e situações, complicando os caminhos evolutivos, criando laços escravizantes, enraizando-se no apego aos quadros transitórios da existência material, alimentando enganos e fantasias, destruindo o corpo e envenenando a alma. Em um transporte de justificada admiração, redarguiu:

12.17 — Recordando o cativeiro dos Espíritos encarnados no plano da sensação, consola-nos saber que há um prêmio aos raríssimos homens que vivem na sublime arte do equilíbrio espiritual, mesmo na carne.

— Sim — disse Manassés, aprovando-me com o olhar —, por mais estranho que possa parecer, semelhantes exceções existem no mundo. Passam, frequentemente, para cá, entre os anônimos da crosta, sem fichas de propaganda terrestre, mas com imenso lastro de Espiritualidade superior.

E dando-me a impressão de que desejava esclarecer-me, relativamente a ele mesmo, acrescentou:

— Há muitos anos me esforço para conseguir a condição dos "completistas"; no entanto, até agora continuo em fase de preparação...

Compreendi que Manassés, tanto quanto eu, trazia regular bagagem de recordações menos felizes, com respeito ao uso que fizera do corpo terreno nas experiências passadas e procurei modificar a orientação da palestra:

— Sabe de algum "completista" que tenha regressado à crosta? — interroguei.

— Sim.

— Naturalmente — continuei curioso —, terá escolhido um organismo irrepreensível.

Meu novo companheiro mostrou significativa expressão fisionômica e acentuou:

— Nenhum dos que tenho visto partir, embora os méritos de que se encontravam revestidos, escolheram formas irrepreensíveis, quanto às linhas exteriores. Solicitaram providências em favor da existência sadia, preocupando-se com a resistência, equilíbrio, durabilidade e fortaleza do instrumento que os deveria servir, mas pediram medidas tendentes a lhes atenuarem o magnetismo pessoal, em caráter provisório, evitando-se-lhes apresentação física muito primorosa, ocultando, assim, a beleza de suas almas para a eficiente garantia de suas tarefas. Assim procedem, porquanto, vivendo a maioria das criaturas no jogo das aparências, quando na crosta planetária, incumbir-se-iam elas próprias de esmagar os missionários do Bem, se lhes conhecessem a verdadeira condição, por meio das vibrações destruidoras da inveja, do despeito, da antipatia gratuita e das disputas injustificáveis. Em vista disso, os trabalhadores conscientes, na maioria das vezes, organizam seus trabalhos em moldes exteriores menos graciosos, fugindo, por antecipação, ao influxo das paixões devastadoras das almas em desequilíbrio.

12.18

Entendi a extensão do esclarecimento e meditava na grandeza dos princípios espirituais que regem a experiência humana, quando Manassés acrescentou, após longa pausa:

— As mentes juvenis, quais crianças do mundo, brincam com o fogo das emoções; todavia, os Espíritos amadurecidos, mormente quando chegam à situação de "completistas", abandonam toda experiência que os possa distrair no caminho de realização da Vontade Divina.

Em seguida, convidado pelo meu novo amigo, penetrei numa das dependências consagradas aos serviços de desenho. Pequenas telas, demonstrando peças do organismo humano, estavam ordenadamente em todos os recantos. Tinha a impressão fiel de que me encontrava num grande centro de anatomistas, cercados de auxiliares competentes e operosos. Espalhavam-se desenhos de membros, tecidos, glândulas, fibras, órgãos de todos os feitios e para todos os gostos.

12.19 — Como sabe — observou Manassés cuidadoso —, no serviço de recapitulação ou de tarefas especializadas na superfície do globo, a reencarnação nunca pode ser vulgar. Para isso, trabalham aqui centenas de técnicos em questões de Embriologia e Biologia em geral, no sentido de orientar as experiências individuais do futuro de quantos irmãos se ligam a nós no esforço coletivo.

Sentindo espontânea veneração, contemplei os servidores que se inclinavam atenciosos, arquitetando o porvir de muitos companheiros. Como era complexa a oportunidade de renascer! Que atividades intensas exigia dos benfeitores espirituais! Ao meu gesto de estranheza, respondeu Manassés numa síntese expressiva:

— Você não ignora que os homens ainda selvagens ou semisselvagens, embora utilizando os recursos sempre sagrados da Natureza, edifiquem suas habitações em moldes mais simples e rudimentares; todavia, o homem que já atingiu certo padrão de ideal, desenvolvendo faculdades superiores, constrói o lar, organizando plantas prévias.

Indicando o quadro interior, extremamente movimentado, acrescentou sorridente:

— Não estamos aqui senão cogitando, igualmente, de projetos para futuras habitações carnais. O corpo humano não deixa de ser a mais importante moradia para nós outros, quando compelidos à permanência na crosta. Não podemos esquecer que o próprio Divino Mestre classificava-o como templo do Senhor.

Impressionado, seguia atenciosamente os trabalhos em curso. Dispúnhamo-nos a seguir adiante, quando uma irmã, de porte muito respeitável, se aproximou saudando Manassés afetuosamente. Ele respondeu com gentileza e apresentou-ma:

— É nossa irmã Anacleta.

Cumprimentei-a, sentindo-lhe a simpatia pessoal.

— Trata-se de uma das nossas trabalhadoras mais corajosas — acentuou o funcionário do trabalho de informações.

A senhora sorriu, algo contrafeita por se ver focalizada na opinião franca do companheiro. Todavia, Manassés, com o otimismo que lhe era característico, prosseguiu:

— Imagine que voltará à esfera do globo, em breves dias, em tarefa de profunda abnegação por quatro entidades que, há mais de quarenta anos, se debatem em regiões abismais das zonas inferiores.

— Não vejo nisso abnegação alguma — atalhou a senhora, sorrindo —, cumprirei tão somente um dever.

E fixando-me desassombrada e serena, asseverou:

— As mães, que não completaram a obra de amor que o Pai lhes confia junto dos filhos amados, devem ser bastante fortes para recomeçarem os serviços imperfeitos. Esse o meu caso. Não se deve mencionar sacrifício onde existe apenas obrigação.

Interessava-me a história daquela irmã despretensiosa e simpática e, por isso mesmo, animei-me a perguntar-lhe:

— Regressará, então, dentro em breve? De qualquer maneira, sua resolução traduz devotamento e bondade. Não posso esquecer que também minha mãe voltou ao círculo da carne, tangida por sublime dedicação.

Notei que os olhos dela se encheram de lágrimas discretas, que não chegaram a cair, emocionada talvez com a minha observação sincera. Estendeu-me a destra, gentilmente, e, dando a ideia de que não desejava continuar em conversação relativa ao assunto, disse-me comovida:

— Muito grata pelo conforto de suas palavras. Mais tarde, ao se lembrar de mim, ajude-me com o seu pensamento amigo.

Nesse ponto da ligeira palestra, Manassés indagou:

— Já recebeu todos os projetos?

12.21 — Sim — respondeu ela —, não somente os que se referem aos meus pobres filhos, mas também a planta relativa à minha própria forma futura.

— Está satisfeita?

— Muitíssimo! — redarguiu a dama. — Na Lei do Pai, a justiça está cheia de misericórdia e continuo na condição de grande devedora.

Em seguida despediu-se calma e afável.

Manassés compreendeu-me a curiosidade e explicou:

— Anacleta é um exemplo vivo de ternura e devotamento, mas voltará às lutas do corpo a fim de operar determinadas retificações no coração materno. Por imprevidência dela, em outro tempo, os quatro filhos, que o Senhor lhe confiara, caíram desastradamente. A pobrezinha albergava certas noções de carinho que não se compadecem com a realidade. Seu esposo era homem probo e trabalhador e, apesar de abastado, nunca se esqueceu dos deveres que lhe prendiam as atividades de homem de bem ao campo da sociedade em geral. Caracterizava-se por uma energia sempre construtiva, mas a esposa, embora devotadíssima, contrariava-lhe a influência do lar, viciando o afeto de mãe com excessos de meiguice desarrazoada. E, como consequência indireta, quatro almas não encontraram recursos para a jornada de redenção. Três rapazes e uma jovem, cuja preparação intelectual exigira os mais árduos sacrifícios, caíram muito cedo em desregramentos de natureza física e moral, a pretexto de atenderem a obrigações sociais. E tão degradantes foram esses desregramentos que perderam muito cedo o templo do corpo, entrando em regiões baixas, em tristes condições. Anacleta, contudo, voltando ao campo espiritual, compreendeu o problema e dispôs-se a trabalhar afanosamente para conseguir, não só a reencarnação de si própria, senão também a dos filhos que deverão segui-la nas provas purificadoras da crosta.

— Quantos anos gastou para obter semelhante concessão? — perguntei impressionado.

— Mais de trinta.
— Imagino-lhe os sacrifícios futuros! — exclamei.
— Sim — esclareceu Manassés —, a experiência ser-lhe-á bem dura, porque dois dos rapazes deverão regressar na condição de paralíticos, um na qualidade de débil mental e, para auxiliá-la na viuvez precoce, terá tão somente a filha, que, por si mesma, será também portadora de prementes necessidades de retificação.

Ia dizer de minha profunda surpresa, diante do mecanismo de introdução ao serviço reencarnacionista, quando outra irmã se acercou de nós, procurando por Manassés.

Depois das saudações afetivas, explicou-se ela, gentil, dirigindo-se ao meu novo amigo:

— Desejo sua obsequiosa interferência na retificação do meu plano.

E abrindo pequeno mapa, no qual se via desenhado com extrema perfeição um organismo de mulher, acentuou:

— Veja bem o meu projeto para o sistema endocrínico. Sei que os amigos me favoreceram, planejando-o com muita harmonia nas menores disposições; entretanto, desejaria modificações...

— Em que sentido? — indagou o interpelado surpreso.

A recém-chegada indicou os pontos do projeto, nos quais se localizava o colo e falou:

— Fui advertida por benfeitores daqui, no sentido de não me apresentar na crosta, dentro de linhas impecáveis para a forma física e, em razão disso, para que eu tenha mais probabilidades de êxito em meu favor, na tarefa que me proponho desempenhar, estimaria que a tireoide[26] e as paratireoides[27] não estivessem tão perfeitamente delineadas. Como sabe, Manassés, minha tarefa

---

[26] N.E.: Glândula endócrina localizada na parte anterior do pescoço. Secreta hormônios que têm ação ativadora sobre o crescimento e o metabolismo do organismo.

[27] N.E.: Glândulas endócrinas, em número de quatro, localizadas nos lobos laterais da tireoide. Exercem importante papel no metabolismo do cálcio e do fósforo.

não será fácil. Devo reaver um patrimônio espiritual de grandes proporções. Preciso fugir de qualquer possibilidade de queda e a perfeita harmonia física me perturbaria as atividades.

2.23   O novo companheiro endereçou-me expressivo olhar e disse-lhe:

— Tem razão. A sedução carnal é imenso perigo, não só para aqueles que emitem a sua influenciação, como também para quantos a recebem.

— Prefiro a fealdade corpórea — tornou ela. — Não estou interessada num corpo de Vênus,[28] e sim na redenção de meu espírito para a Eternidade.

Manassés prometeu interpor os seus bons ofícios, e, tão logo se despediu da nova interlocutora, passou a mostrar-me as mais interessantes figurações de órgãos do corpo humano.

Admirava, tomado de profunda impressão, aqueles gráficos numerosos que se alinhavam, com absoluta ordem, demonstrando o cuidado espiritual que precede o serviço de reencarnações, quando o meu amigo ponderou:

— A Medicina humana será muito diferente no futuro, quando a Ciência puder compreender a extensão e complexidade dos fatores mentais no campo das moléstias do corpo físico. Muito raramente não se encontram as afecções diretamente relacionadas com o psiquismo. Todos os órgãos são subordinados à ascendência moral. As preocupações excessivas com os sintomas patológicos aumentam as enfermidades; as grandes emoções podem curar o corpo ou aniquilá-lo. Se isso pode acontecer na esfera de atividades vulgares das lutas físicas, imagine o campo enorme de observações que nos oferece o plano espiritual, para onde se transferem, todos os dias, milhares de almas desencarnadas, em lamentáveis condições

---

[28] N.E.: Deusa do amor.

de desequilíbrio da mente. O médico do porvir conhecerá semelhantes verdades e não circunscreverá sua ação profissional ao simples fornecimento de indicações técnicas, dirigindo-se, muito mais, nos trabalhos curativos, às providências espirituais, nas quais o amor cristão represente o maior papel.

Desejando, porém, prosseguir nos esclarecimentos, quanto ao serviço reencarnacionista, Manassés tomou pequeno gráfico e, apresentando-me as linhas gerais, acentuou:

12.24

— Aqui temos o projeto de futura reencarnação de um amigo meu. Não observa certos pontos escuros, desde o cólon descendente à alça sigmoide? Isso indica que ele sofrerá uma úlcera de importância, nessa região, logo que chegue à maioridade física. Trata-se, porém, de escolha dele.

E porque extrema curiosidade me vagueasse nos olhos, Manassés explicou:

— Esse amigo, faz mais de cem anos, cometeu revoltante crime, assassinando um pobre homem a facadas; logo que se entregou ao homicídio, como acontece muitas vezes, a vítima desencarnada ligou-se fortemente a ele, e da semente do crime, que o infeliz assassino plantou em um momento, colheu resultados terríveis por muitos anos. Como não ignora, o ódio recíproco opera igualmente vigorosa imantação e a entidade, fora da carne, passou a vingar-se dele, todos os dias, matando-o devagarinho, por ataques sistemáticos pelo pensamento mortífero. Em suma, quando o homicida desencarnou, por sua vez, trazia o organismo periespiritual em dolorosas condições, além do remorso natural que a situação lhe impusera. Arrependeu-se do crime, sofreu muito nas regiões purgatoriais e, depois de largos padecimentos purificadores, aproximou-se da vítima, beneficiando-a em louváveis serviços de resgate e penitência. Cresceu moralmente, tornou-se amigo de muitos benfeitores, conquistou a simpatia de vários agrupamentos de nosso plano e obteve preciosas intercessões. Entretanto... a dívida permanece. O amor, contudo, transformou o caráter do trabalho em pagamento. O nosso amigo, ao voltar à crosta, não precisará desencarnar em espetáculo sangrento, mas onde estiver, durante os tempos de cura completa, na carne que ele outrora menosprezou, carregará a própria ferida, conquistando, dia a dia, a necessária renovação. Experimentará desgostos, em virtude do sofrimento físico pertinaz, lutará incessantemente, desde a eclosão da úlcera até o dia do resgate final no aparelho fisiológico; entretanto, se souber manter-se fiel aos compromissos novos, terá atingido, mais tarde, a plena libertação.

Enquanto fixava no projeto minha melhor atenção, Manassés continuava:

— Segundo observamos, a justiça se cumpre sempre, mas, logo que se disponha o Espírito à precisa transformação no Senhor, atenua-se o rigorismo do processo redentor. O próprio Pedro nos lembrou, há muitos séculos, que "o amor cobre a multidão dos pecados".

Examinei, impressionado, a planta educativa e, porque não encontrasse palavras bastante claras para pintar minha admiração, silenciei comovidamente.

Compreendendo-me o estado da alma, o companheiro continuou:

— São inúmeros os projetos de corpos futuros em nossos setores de serviço. Depreende-se, da maioria deles, que todos os enfermos na carne são almas em trabalho da ingente conquista de si próprias. Ninguém trai a vontade de Deus, nos processos evolutivos, sem graves tarefas de reparação, e todos os que tentam enganar a Natureza, quadro legítimo das Leis Divinas, acabam por enganar a si mesmos. A vida é uma sinfonia perfeita. Quando procuramos desafiná-la, no círculo das notas que devemos emitir para a sua máxima glorificação, somos compelidos a estacionar em pesado serviço de recomposição da harmonia quebrada.

E, durante alguns dias, ali permaneci na instituição benemérita, compreendendo que a existência humana não é um ato acidental e que, no plano da Ordem Divina, a justiça exerce o seu ministério, todos os dias, obedecendo ao alto desígnio que manda ministrar os dons da vida "a cada um por suas obras".

12.20

13
Reencarnação

13.1 Senti-me ditoso e emocionado quando Alexandre me convidou a visitar, em companhia dele, o ambiente doméstico de Adelino e Raquel, onde se verificaria a reencarnação de Segismundo.

Profundo contentamento extravasava de meu espírito, porquanto era a primeira vez que iria tomar conhecimento direto com o fenômeno reencarnacionista. Desde os primeiros tempos de estudo no campo da Medicina, fascinavam-me as leis biogenéticas. Entretanto, nunca me fora dado intensificar observações e especializar experiências. Na colônia espiritual a que me conduziram a Providência de Deus e a generosa intercessão dos amigos, muita vez recebera lições referentemente ao assunto; todavia, até então, nunca vira, de mais perto, o processo de imersão da entidade desencarnada no campo da matéria densa.

Em razão disso, acompanhei o prestimoso orientador com agradável e ansiosa expectativa.

Alexandre explicou-me, por excesso de gentileza, que, em outro tempo, recebera muitos favores das personagens envolvidas naquele caso de reencarnação e que se sentia feliz pela oportunidade de lhes ser útil. Comentou as dificuldades do serviço de libertação espiritual e exaltou a Lei do Bem, que chama todos os filhos da Criação ao concurso fraterno e aos serviços "intercessórios".

13.2 Depois de confortadora e instrutiva conversação, alcançamos o lar de Adelino, deliciosamente colocado em pitoresco canto suburbano, qual ninho gracioso, rodeado de tufos de vegetação.

Eram dezoito horas, aproximadamente.

Com surpresa, verifiquei que Herculano nos esperava no limiar. O instrutor, porém, informou-me que havia notificado o amigo sobre a nossa visita, recomendando-lhe trouxesse Segismundo para o trabalho de aproximação.

Cumprimentou-nos o companheiro, afetuosamente, e dirigiu-se ao meu orientador, esclarecendo:

— Segismundo veio em minha companhia e espera-nos, lá dentro.

— Foi excelente medida — falou Alexandre bem-humorado —, consagrarei aos nossos amigos a minha próxima noite. Veremos o que é possível fazer.

Entramos.

O casal Adelino–Raquel tomava a refeição da tarde, junto de um pequenino, no qual adivinhei o primogênito da casa. Não longe, acomodado em uma cadeira de descanso, repousava uma entidade que se levantou imediatamente, quando percebeu nossa presença, dirigindo-se particularmente ao encontro do meu orientador, que lhe abriu os braços carinhosos.

Herculano, perto de mim, explicou, em tom discreto:

— É Segismundo.

Notei que o desencarnado abraçara-se com Alexandre, chorando convulsivamente. O instrutor acolhia-o como pai, e, após ouvi-lo durante alguns minutos, falou-lhe compassivamente:

13.3   — Acalme-se, meu amigo! Quem não terá suas lutas, seus problemas, suas dores? E se todos somos devedores uns dos outros, não será motivo de júbilo e glorificação receber as sublimes possibilidades de resgate e pagamento? Não chore! Nossos irmãos permanecem ao jantar. Não devemos perturbá-los, emitindo forças magnéticas de desalento.

E repondo-o na vasta cadeira de braços, como se Segismundo estivesse enfraquecido e enfermiço, continuou:

— Tenha coragem. O ensejo próximo é divino para o seu futuro espiritual. Organizaremos as coisas, não tenha receio.

— Entretanto, meu amigo — falou o interlocutor, em lágrimas —, experimento grandes obstáculos.

E acentuava em tom humilde:

— Reconheço que fui um grande criminoso, mas pretendo redimir as velhas culpas. Adelino, porém, apesar das promessas na esfera espiritual, esqueceu, na recapitulação presente, o perdão aos meus antigos erros...

Alexandre que ouvia enternecido, sorriu paternalmente e redarguiu:

— Ora, Segismundo, por que envenenar o coração? Por que não desculpa você, por sua vez?! Não complique a própria situação, abrigando injustificável desânimo. Levante as energias, meu amigo! Coloque-se na situação do ex-adversário, vítima em outro tempo de seu ato impensado! Não encontraria, talvez, as mesmas dificuldades? Tenha calma e prudência, não perca a bendita ocasião de tolerar alguma coisa desagradável ao seu sentimento, a fim de reparar o passado e atender às necessidades do presente. Vamos, equilibre-se! O momento é de gratidão a Deus e de harmonia com os semelhantes!...

Segismundo enxugou os olhos, sorriu com esforço e murmurou:

— Tem razão.

Herculano, que o contemplava compadecido, entrou na palestra, acrescentando:

— Ele tem estado muito abatido, desanimado...

— É natural — tornou Alexandre decidido —, porque, em tais circunstâncias, sofre a criatura certos desequilíbrios, em face das necessidades do regresso à carne, mas Segismundo tem levado muito longe o fenômeno, acentuando os próprios sofrimentos, com expectativas e inquietações injustificáveis.

Fixando, mais detidamente, a atenção no casal que se mantinha à mesa, falou afetuoso:

— Observemos Adelino e Raquel. Vejamos a cooperação que podem receber.

Acompanhamo-lo, em silêncio.

O chefe da casa permanecia taciturno, conversando com a esposa tão somente por monossílabos. Via-se que a companheira se esforçava; no entanto, ele continuava quase sombrio.

— Não se efetuou o negócio que você esperava? — interrogou a senhora, tentando a palestra afetiva.

— Não — respondeu ele secamente.

— Mas você continua interessado?

— Sim.

— E viajará na semana próxima, caso não se realize o empreendimento até domingo?

— Talvez.

A esposa fez longa pausa, algo desapontada, arguindo em seguida:

— Que desculpa apresenta a Companhia, em vista de semelhante demora?

O marido fitou-a com frieza e respondeu lacônico:

— Nenhuma.

A essa altura, Alexandre fez significativo gesto com a cabeça e falou-nos preocupado:

13.5   — Em verdade, a condição espiritual de Adelino é das piores, porque o sublime amor do altar doméstico anda muito longe, quando os cônjuges perdem o gosto de conversar entre si. Em semelhante estado psíquico, não poderá ser útil, de modo algum, aos nossos propósitos.

Alexandre levantou-se, deu alguns passos em torno da reduzida família e dirigiu-se a nós outros, afirmando:

— Procurarei despertar-lhe as fibras sensíveis do coração, de modo a prepará-lo, convenientemente, a fim de ouvir-nos nessa noite.

Assim dizendo, o devotado orientador aproximou-se da criança, belo menino de 3 anos aproximadamente, e colocou-lhe a destra sobre o coração. Vi que o pequeno sorriu, mostrando novo brilho nos olhos azuis e falou, com inflexão de infinito carinho:

— Mamãe, por que papai está triste?

O dono da casa ergueu o rosto, com admiração, ao passo que a senhora respondeu comovida:

— Não sei, Joãozinho. Ele deve estar preocupado com os negócios, meu filho.

— E que são "negócios", mamãe? — tornou a criança ingênua.

— São as lutas da vida.

O menino fitou a mãezinha, com atenção, e perguntou:

— Papai fica alegre nos negócios?

— Fica, sim — respondeu a senhora, sorrindo.

— E por que fica triste em casa?

Enquanto o pai seguia o diálogo, sob forte impressão, a genitora carinhosa esclarecia a criança, com paciência:

— Nas lutas de cada dia, Joãozinho, teu pai deve estar contente com todos e não deve ofender a ninguém. Entretanto, o que te parece tristeza é o cansaço do trabalho. Quando ele volta ao lar traz consigo muitas preocupações. Se na rua deve teu pai mostrar cordialidade e alegria a todos, de modo a não ferir os demais, não acontece o mesmo aqui, onde se encontra à vontade para refletir nos problemas que o interessam de perto. Aqui é o lar, meu filho, onde está com o direito de não esconder as preocupações mais íntimas...

A criança escutou atenta, dividindo os olhares afetuosos entre pai e mãe, e tornou:

13.6

— Que pena, hein, mamãe?

O chefe da pequena família, tocado nas fibras recônditas da alma pela ternura do filhinho e pela humildade sincera da companheira, sentiu que a nuvem de sombra dos seus próprios pensamentos dava lugar a repousantes sensações de alívio confortador. Sorriu, repentinamente transformado, e dirigiu-se ao pequeno, com nova inflexão de voz:

— Que ideia é essa, Joãozinho? Não me sinto entristecido. Estou, aliás, satisfeitíssimo, como no último dia de nosso passeio à serra! Tua mãe explicou muito bem o que se passa. Quando teu pai estiver silencioso não quer dizer que se encontra desalentado. Por vezes, é preciso calar para pensar melhor.

A dona da casa mostrou largo sorriso de satisfação, observando a mudança brusca do companheiro. O menino, por sua vez, não disfarçava o júbilo no semblante infantil, e assim que o pai terminou as explicações afetuosas, sempre envolvido nas irradiações magnéticas do bondoso instrutor, dirigiu-se novamente ao chefe da casa, perguntando:

— Papai, por que você não vem rezar, de noite, comigo?

O genitor trocou expressivo olhar com a esposa e falou ao pequenino:

— Tenho tido sempre muito serviço à noite, mas voltarei hoje mais cedo para acompanhar tuas preces.

E sorrindo, com paternal alegria, acrescentou:

— Já sabes orar sozinho?

O pequeno redarguiu satisfeito:

13.7 — Mamãe ensina-me todas as noites a rezar por você. Quer ver?

E, abandonando o talher, instintivamente olhou para o alto, de mãos postas, e recitou:

— "Meu Deus, guarda o papai nos caminhos da vida, dá-lhe saúde, tranquilidade e coragem nas lutas de cada dia! Assim seja!"

O genitor, que se apresentara tão impenetrável e rude a princípio, mostrou os olhos rasos d'água, sensibilizado nas fibras mais íntimas, e, fixando ternamente o filho, murmurou:

— Estás muito adiantado. Hoje, Joãozinho, rezarei também.

De alma desanuviada agora, Adelino contemplou a companheira, orgulhoso de possuir-lhe o devotamento, e acentuou:

— A palestra do João fez-me enorme bem. Trazia o coração desalentado, opresso. Eu mesmo não saberia definir meu estado da alma... Há muitos dias, minhas noites são agitadas, cheias de aflições e pesadelos! Tenho sonhado sistematicamente que alguém se aproxima de mim, na qualidade de vigoroso inimigo. Por vezes, rendo graças a Deus, ao despertar pela manhã, porque me sinto mais à vontade, enfrentando as máscaras humanas, que lutando, noite inteira, em sonhos cruéis...

A esposa, admirada, observou carinhosa:

— Creio que deverias descansar um pouco...

Comovido, ante a delicadeza da mulher, Adelino continuou:

— Tenho tido receio de mim mesmo! Tão logo me acomodo no leito, sinto instintivamente que uma sombra se aproxima de mim. Adormeço sob incrível ansiedade e o pesadelo começa, sem que eu saiba explicar conscientemente coisa alguma.

— E os sonhos são sempre os mesmos? — indagou a esposa solícita.

— Sempre — respondeu ele, com emoção — vejo que um homem se aproxima de mim, estendendo as mãos, à maneira de um mendigo vulgar a implorar socorro, mas, ao lhe fixar a fisionomia, inexplicável terror invade-me o espírito... Tenho a impressão de que ele deseja assassinar-me pelas costas... Em certas ocasiões, tento estender-lhe as mãos, vencendo a impressão de pavor; entretanto, fujo sempre, num misto de ódio e repugnância! Oh! que pesadelos terríveis e longos!

E, modificando o tom de voz, acrescentou:

13.8

— Admito esteja eu sob fortes desequilíbrios nervosos, sem atinar com o motivo...

— Por que não se submeter ao necessário tratamento médico? — perguntou a esposa afetuosa.

O marido pensou alguns momentos, como se o seu espírito vagueasse através de longínquas recordações. Em seguida, fixando na companheira os olhos muito brilhantes, acentuou:

— Talvez não precise recorrer a facultativos. É possível que o nosso filhinho esteja com a razão... As lutas grosseiras do mundo impuseram-me o esquecimento da fé em Deus. Há quantos anos terei abandonado a oração?

De olhos molhados e pensativos, prosseguiu:

— Quando menino, minha mãe me educava na ciência da prece. Ensinado a curvar-me diante da vontade do Altíssimo, sentia a Bondade Divina em todas as coisas e ajoelhava-me confiante ao pé de minha carinhosa genitora, implorando as bênçãos do Alto... Depois, vieram as emoções dos sentidos, o duelo com os maus, a experiência difícil na concorrência ao pão de cada dia... Desde então perdi a crença pura, que sinto necessidade de retomar...

A esposa enxugou os olhos, comovida. Há muitos anos não observava no companheiro semelhantes demonstrações emotivas. Ergueu-se emocionada, e falou com ternura:

— Volte hoje mais cedo para orarmos juntos.

E procurando imprimir notas de alegria à conversação, chamou o filhinho a pronunciar-se, acrescentando:

13.9 — Hoje, Joãozinho, papai rezará conosco.

Iluminou-se o semblante do pequenino de intraduzível alacridade. Contemplou a mãezinha, enternecido, e observou:

— Então, mamãe, farei todas as orações que eu já sei.

Após o jantar, experimentando disposições diferentes, Adelino despediu-se com delicadeza que Herculano classificou de inabitual.

Alexandre, muito satisfeito, asseverou, depois de restituir a criança aos cuidados maternos:

— Felizmente, nossos serviços preparatórios desdobram-se com excelentes promessas. Conseguimos bastante em reduzidos minutos.

De minha parte, imensa era a surpresa que me invadia o espírito. Por que tamanhos cuidados? Alexandre e outros benfeitores espirituais, tão elevados quanto ele mesmo, não poderiam organizar todos os serviços atinentes à reencarnação de Segismundo? Não eram senhores de grande poder sobre todos os obstáculos?

Todavia, dando-me a ideia de que desejava responder às minhas interrogações íntimas, o instrutor afavelmente falou a Herculano, nestes termos:

— Não devemos e nem podemos forçar a ninguém e precisamos das boas disposições de Adelino para o trabalho a fazer.

Em seguida, passou a orientar Segismundo, relativamente à conduta mental, aconselhando-o a preparar-se com todos os recursos ao seu alcance para o êxito na experiência próxima. Outros amigos espirituais das personagens daquele drama entre duas esferas também chegaram ao ninho doméstico, acentuando-se a alegria da camaradagem fraternal. A presença do meu instrutor parecia incentivo a contentamento geral. Alexandre sabia conduzir a palestra elevada e comunicava seu valioso otimismo a todos os companheiros. Comentava-se a dificuldade da reencarnação em vista dos conflitos vibratórios causados pela incompreensão das criaturas terrestres, quando o chefe da casa voltou ao lar, interessado em cultivar as doces emoções daquele dia.

Agradavelmente surpreendidos, a esposa e o filhinho fizeram-lhe muita festa, encetando nova conversação confortadora e educativa. Fez-se mais de uma hora de boa leitura e excelente troca de ideias, renovando Adelino os seus propósitos de reaver a serenidade íntima, por intermédio de maior comunhão espiritual com a pequena família.

13.10

Quando a mãezinha dedicada lembrou ao pequeno a necessidade de recolher-se, Joãozinho recordou a promessa paternal e indagou:

— Papai, sabe o que devemos fazer antes da oração?

O chefe da casa sorriu e pediu-lhe explicações.

O menino, com assombrosa vivacidade, esclareceu:

— Diz mamãe que devemos chamar os mensageiros de Deus para que nos assistam.

— Pois bem — tornou o genitor bem-humorado —, chame por eles em nosso favor.

O pequeno pronunciou algumas palavras de convite, de mãos postas, e, em seguida, encaminharam-se os três para o aposento íntimo.

Alexandre, que parecia muito satisfeito com a lembrança espontânea do pequenino, disse-nos então:

— Estamos convidados a participar das suas mais íntimas orações. Acompanhemo-los.

Naquele momento, nosso grupo estava acrescido de três entidades amigas de Raquel, que tinham vindo, até ali, igualmente convocadas pela dedicação de Herculano, a fim de cooperarem na solução do assunto.

O quadro interior era dos mais comoventes. O pequenino pusera-se de joelhos e fazia a oração dominical, com infantil emotividade. Adelino e a companheira seguiam-lhe a prece com grande atenção. Por nossa vez, continuamos, agora em silêncio, a observar e colaborar naquele serviço espiritual com as melhores forças do sentimento.

13.11 Notei que a esposa se achava rodeada de intensa luminosidade, que, partindo de seu coração, envolvia o esposo e o pequenino em suaves irradiações. Muito sensibilizado, Adelino deixou escapar uma lágrima furtiva, quando o filho, terminando as preces, curtas em palavras e grandiosas em espiritualidade, lhe beijou carinhosamente as mãos.

Mais alguns minutos e todos se recolhiam sob os cobertores, felizes e tranquilos.

Nesse instante, Alexandre falou:

— Agora, meus amigos, façamos o nosso serviço de oração cooperadora. Precisamos conversar seriamente com Adelino, relativamente à situação.

O orientador pediu a proteção divina para o casal, em voz alta, sendo acompanhado por nós, em profundo silêncio. As vibrações do nosso pensamento em rogativa congregaram-se, como parcelas de luminosas substâncias a se reunirem num todo, derramando-se sobre o leito conjugal, quais correntes sutis de forças magnéticas revigorantes e regeneradoras.

Foi então que vi Raquel abandonar o corpo físico, dentro de luminosas irradiações, parecendo-me alheia à situação. Despreocupada, feliz, abraçou-se com uma das entidades que nos acompanhavam, velha senhora que Alexandre nos apresentara pouco antes, declarando tratar-se da avó materna da dona da casa. A anciã desencarnada convidou a neta a permanecerem juntas em oração, ao que Raquel aquiesceu com visível contentamento.

A esposa de Adelino, entretanto, parecia identificar tão somente a presença da velhinha amorosa. Fixava em nós o olhar, indiferentemente, como se ali não estivéssemos. Estranhando o fato, dirigi-me ao instrutor, pedindo-lhe explicações. Alexandre não se fez rogado e, não obstante a delicadeza do serviço em curso, esclareceu-me delicadamente:

— Não se surpreenda. Cada um de nós deve ter a possibilidade de ver somente aquilo que nos proporcione proveito legítimo. Além do mais, não seria justo intensificar a percepção de nossa amiga para que nos acompanhe no trabalho desta noite. Ela nos auxiliará com o valor da oração, mas não precisará seguir, de perto, os esclarecimentos que a condição do esposo requisita. Quem faz o que pode, recebe o salário da paz. Raquel vem fazendo quanto lhe é possível para o êxito no desempenho das obrigações que a trouxeram ao mundo; por isso mesmo, não deve ser advertida e nem perturbada. Atendamos Segismundo e Adelino.

13.12

Satisfeito com as elucidações recebidas e admirando a Justiça Divina a manifestar-se nos mínimos pormenores de nossas atividades espirituais, observei que a companheira de Adelino se mantinha, não longe de nós, em fervorosa prece.

Nesse momento, o esposo de Raquel afastava-se do corpo físico, pesadamente. Não apresentava, tal qual a consorte, um halo radioso em derredor da personalidade, parecendo mover-se com extrema dificuldade. Enquanto seu olhar vagueava no quarto, angustiado e espantadiço, Alexandre se aproximava de mim e observava:

— Está examinando a lição? Repare singularidades da vida espiritual. Adelino e Raquel são Espíritos associados de muitas existências em comum, partilham o mesmo cálice de dores e alegrias terrestres. Na atualidade, seus corpos repousam um ao lado do outro, no mesmo leito; entretanto, cada um vive em plano mental diferente. É muito difícil estarem reunidas nos laços domésticos as almas da mesma esfera. Raquel, fora dos veículos de carne, pode ver a avozinha, com quem se encontra ligada no mesmo círculo de elevação. Adelino, porém, somente poderá ver Segismundo, com quem se encontra imantado pelas forças do ódio que ele deixou, imprudentemente, desenvolver-se, de novo, em seu coração...

13.13 A palavra do orientador, contudo, foi interrompida por um grito lancinante. Adelino, receoso, identificara a presença do antigo adversário e, espavorido, tentava correr, inutilmente. Movimentava-se, com dificuldade, ansioso de retomar o corpo físico, à maneira de criança medrosa procurando um refúgio, mas Alexandre, aproximando-se dele, com amorosa autoridade, estendeu-lhe as mãos, das quais saíam grandes chispas de luz. Contido pelos raios magnéticos, o esposo de Raquel pôs-se a tremer, sentindo-se que ele começava a ver alguma coisa além da figura do ex-inimigo. Aos poucos, em vista das vigorosas emissões magnéticas de Alexandre, ele pôde ver nosso venerável orientador, com quem passou a sintonizar diretamente e caiu de joelhos, em convulsivo pranto. Observei o pensamento de Adelino naquela hora comovedora e percebi que ele associava a visão radiosa às preces do filhinho. Ele via, ali, a estranha figura de Segismundo e a resplandecente presença de Alexandre e fazia intraduzível esforço para recordar-se de alguma coisa do passado distante que a sua memória não conseguia situar com exatidão. Supôs, naturalmente, que o nosso mentor devia ser um emissário do Céu para salvá-lo dos pesadelos cruéis e, ofuscado pela intensa luz, soluçava, genuflexo, entre o medo e o júbilo, suplicando paz e proteção.

O bondoso instrutor dirigiu-se para ele, com a serenidade de um pai carinhoso e experiente, e, levantando-o, exclamou:

— Adelino, guarda a paz que te trazemos em nome do Senhor!

E, abraçando-o de encontro ao peito amigo, continuou:

— Que temes, meu irmão?

Ergueu ele os olhos lacrimosos e indicando Segismundo, triste, alegou sentidamente:

— Mensageiro de Deus, livrai-me deste pesadelo infeliz! **13.14** Se viestes, trazido pelas orações de meu filho inocente, ajudai-me por caridade!

E apontando o pobre amigo, continuava:

— Este fantasma enlouquece-me! Sinto-me doente, desventurado!...

Alexandre, porém, fixando-o firmemente, indagou:

— É assim que recebes os irmãos mais infelizes? É assim que te portas, ante os desígnios supremos? Onde puseste as noções de solidariedade humana? Por que fugir aos mais infortunados da sorte? É sempre muito fácil amar os amigos, admirar os bons, compreender os inteligentes, defender os familiares, entronizar as afeições, conservar os que nos estimam, louvar os justos e exaltar os heróis conhecidos; mas, se somos respeitáveis em semelhantes posições íntimas, é preciso reconhecer que elas traduzem serviço realizado em nosso processo evolutivo. Nós, porém, meu amigo, ainda não alcançamos a redenção final. Por isso mesmo, a tempestade é nossa benfeitora; a dificuldade, nossa mestra; o adversário, instrutor eficiente. Modifica as vibrações de teus pensamentos! Recebe com caridade o mendigo que te bate à porta, quando não tenhas adquirido ainda bastante luz para recebê-lo com o amor que Jesus nos ensinou!

Impressionado com as palavras ouvidas, pronunciadas com inflexão de ternura paternal, Adelino, em lágrimas copiosas, voltou-se para Segismundo, encarando-o de frente. Alexandre, como se lhe aproveitasse a nova atitude, acentuou:

— Contempla o pobrezinho que te pede socorro! Observa-lhe o estado de humilhação e necessidade. Imagina-te na posição dele e reflete! Não te doeria a indiferença dos outros? Não te dilaceraria a alma a crueldade alheia? Estimarias que alguém te classificasse de fantasma, tão só pelas tuas demonstrações de sofrimento? Adelino, meu amigo, abre as portas do coração aos que te procuram em nome do poderoso Pai.

13.15 O interpelado voltou-se, qual criança medrosa, e, fixando o mentor generoso, falou:

— Ó mensageiro dos céus, tenho medo, muito medo!... Algo existe entre este homem de sombra e eu, compelindo-me a profunda aversão! Creio que ele deseja roubar-me a vida, aniquilar a minha felicidade doméstica, envenenar-me o coração para sempre!...

Compreendi que a aproximação de Segismundo despertava em Adelino reencarnado as reminiscências do passado sombrio. Ele, a vítima de outro tempo, não conseguia localizar os fatos vividos, mas experimentava, no plano emotivo, as recordações imprecisas dos acontecimentos, cheias de ansiedades dolorosas.

Findo ligeiro intervalo, Alexandre objetou:

— Não deves permitir a intromissão de forças negativas e destruidoras no campo íntimo da alma. É sempre possível transformar o mal em bem, quando há firme disposição da criatura no serviço de fidelidade ao Senhor. Considera, meu amigo, as grandes verdades da vida eterna! Ainda que este irmão te procurasse na condição de um adversário, ainda que ele te buscasse como inimigo feroz, deverias abrir-lhe o espírito fraternal! Toda reconciliação é difícil quando somos ignorantes na prática do amor, mas sem a reconciliação humana jamais seria possível nossa integração gloriosa com a Divindade!

E porque o esposo de Raquel chorasse copiosamente, o orientador observou:

— Não chores! Equilibra o coração e aproveita a sagrada oportunidade!...

Adelino, então, enxugou as lágrimas e pediu humilde:

— Auxiliai-me por amor de Deus!

Sentindo-lhe a sinceridade profunda, o instrutor convidou Segismundo a aproximar-se. Ele levantou-se cambaleante, angustiado.

Amparando a ex-vítima, Alexandre indicou-lhe a figura do ex-assassino e apresentou: **13.16**

— Este é o nosso amigo Segismundo que necessita de tua cooperação no serviço redentor. Estende-lhe as mãos fraternas e atende-o em nome de Jesus!

Adelino não hesitou e, embora o grande esforço íntimo, visível à nossa percepção espiritual, apertou a destra do ex-adversário, fundamente comovido.

— Perdoe-me, irmão! — murmurou Segismundo, com infinita humildade. — O Senhor recompensá-lo-á pelo bem que me faz!...

O marido de Raquel fixou-o nos olhos, como a dissipar as derradeiras sombras do desentendimento, e redarguiu:

— Disponha de mim... serei seu amigo!...

O ex-homicida inclinou-se respeitoso, e beijou-lhe as mãos. O ato espontâneo de Segismundo conquistara-o. Não podia ser mau aquele Espírito angustiado e triste que lhe osculava as mãos com veneração e carinho. Foi então que vi um fenômeno singular. O organismo perispiritual de Adelino parecia desfazer-se de pesadas nuvens, que se rompiam de alto a baixo, revelando-lhe as características luminosas. Irradiações suavíssimas aureolavam-lhe agora a personalidade, deixando perceber a sua condição elevada e nobre.

Herculano, junto de mim, falou-me em tom discreto:

— O perdão dado por Adelino foi sincero. As sombras espessas do ódio foram efetivamente dissipadas. Louvado seja Deus!

Alexandre abraçou as duas almas reconciliadas e renovou-lhes fraternais observações, repassadas de sabedoria e ternura. Em seguida, recomendou ao esposo de Raquel que descansasse da luta, dispondo-se a sair em nossa companhia. Notei que marido e mulher, impulsionados pelos amigos espirituais ali presentes, voltavam ao corpo físico, a fim de permutarem impressões, referentemente aos fatos que classificariam de sonhos, dentro da coloração mental de cada um.

13.17 Ao se retirar, Alexandre, satisfeito, comentou paternalmente:

— Com o auxílio de Jesus, a tarefa foi executada com êxito.

E, fixando Segismundo, acrescentou:

— Creio que na próxima semana poderá iniciar o seu serviço definitivo de reencarnação. Acompanhá-lo-emos com carinho. Não receie coisa alguma.

Enquanto Segismundo sorria resignado e confiante, o orientador dirigia-se a Herculano, explicando-se:

— Já observei o gráfico referente ao organismo físico que o nosso amigo receberá de futuro, verificando, de perto, as imagens da moléstia do coração que ele sofrerá na idade madura, como consequência da falta cometida no passado. Segismundo experimentará grandes perturbações dos nervos cardíacos, mormente os nervos do tônus. Entretanto — e nesse momento concentrou toda a sua atenção no interessado —, é necessário que você lhe faça ver que as provas de resgate legítimo inclinam a alma encarnada a situações periclitantes e difíceis na recapitulação das experiências; todavia, não obrigam a novas quedas espirituais, quando dispomos de verdadeira boa vontade no trabalho de elevação. O aprendiz aplicado pode ganhar muito tempo e conquistar imensos valores se, de fato, procura conhecer as lições e pô-las em prática. A Justiça Divina nunca foi exercida sem amor. E quando a fidelidade sincera ao Senhor permanece viva no coração dos homens, há sempre lugar para o "acréscimo de misericórdia" a que se referia Jesus em seu apostolado.

Em seguida, convidando-me a acompanhá-lo, Alexandre despediu-se dos demais, frisando:

— Voltaremos a vê-los no dia da ligação inicial de Segismundo com a matéria física. Preciso cooperar, na ocasião, com os nossos amigos construtores, aos quais pedi me apresentassem os mapas cromossômicos, referentemente aos serviços a serem encetados.

Separamo-nos.

13.18

E eu, torturado de curiosidade estranha, em vista daqueles cuidados extremos para que Adelino e Segismundo se reconciliassem, antes da reaproximação pelos laços da carne, não sopitei as interrogações que me atormentavam o espírito. Não seria lícito providenciar a reencarnação do necessitado, sem quaisquer delongas? Por que tamanha demonstração de carinho para com o esposo de Raquel se ele deveria sentir-se satisfeito em poder cooperar na obra sublime de redenção? Não dispúnhamos de suficiente poder para quebrar todas as resistências?

Alexandre ouviu-me, pacientemente, mostrou um sorriso de pai e respondeu:

— Sua estranheza é natural. Não se habituou ainda aos trabalhos de socorro ou de organização neste lado da vida.

E, depois de pequena pausa, considerou:

— Cada homem, como cada Espírito, é um mundo por si mesmo e cada mente é como um céu... Do firmamento descem raios de sol e chuvas benéficas para a organização planetária, mas também, no instante do atrito de elementos atmosféricos, desse mesmo céu procedem faíscas destruidoras. Assim, a mente humana. Dela se originam as forças equilibrantes e restauradoras para os trilhões de células do organismo físico; mas, quando perturbada, emite raios magnéticos de alto poder destrutivo para as comunidades celulares que a servem. O pensamento envenenado de Adelino destruía a substância da hereditariedade, intoxicando a cromatina dentro da própria bolsa seminal. Ele poderia atender aos apelos da Natureza, entregando-se à união sexual, mas não atingiria os objetivos sagrados da Criação, porque, pelas disposições lamentáveis de sua vida íntima, estava aniquilando as células criadoras, ao nascerem, e, quando não as aniquilasse por completo, intoxicava os genes do caráter, dificultando-nos a ação... Ora, no caso de Segismundo, unido a ele, em processo ativo de redenção, não podemos dispensar-lhe o concurso amoroso e fraterno. Daí a necessidade desse trabalho intenso para despertar-lhe os valores afetivos. Somente o amor proporciona vida, alegria e equilíbrio. Modificado em sua posição íntima, Adelino emitirá doravante forças magnéticas protetoras dos elementos destinados ao serviço elevado da procriação.

13.19 A palavra do orientador não podia ser mais lógica. Começava agora a compreender o sentido sublime do trabalho que se realizara para que o esposo de Raquel se fizesse mais humano e mais doce. Como não encontrasse expressões para definir meu assombro, Alexandre sorriu e acentuou, depois de longo intervalo:

— Segundo pode observar, não existem por aqui milagres para o culto do menor esforço. E quando ensinamos, em toda parte, a necessidade da prática do amor, não procedemos obedientes a meros princípios de essência religiosa, mas atendendo a imperativos reais da própria vida.

No curso de seus esclarecimentos, alusivos ao interessante caso de Segismundo, o bondoso instrutor ferira assuntos de grande relevância para mim. Mencionara a união sexual e designara o trabalho criador como seu objetivo sagrado. Não seria esse o momento oportuno de ouvi-lo, mais extensamente, respeito ao delicado assunto? Crivei-o de interrogações ansiosas. Alexandre não se mostrou surpreendido e ouviu-me as perguntas, com imperturbável serenidade. Quando me coloquei na atitude de expectativa, respondeu amavelmente:

— O sexo tem sido tão aviltado pela maioria dos homens reencarnados na crosta que é muito difícil para nós outros, por enquanto, elucidar o raciocínio humano, com referência ao assunto. Basta dizer que a união sexual entre a maioria dos homens e mulheres terrestres se aproxima demasiadamente das manifestações dessa natureza entre os irracionais. No capítulo de relações dessa espécie, há muita inconsciência criminosa e indiferença sistemática às Leis Divinas. Desse plano não seria razoável qualquer comentário de nossa parte. Trata-se de um domínio de semibrutos, no qual muitas inteligências admiráveis preferem demorar em baixas correntes evolutivas. É inegável que também aí funcionam as tarefas de abnegados construtores espirituais, que colaboram na formação básica dos corpos, destinados a servirem às entidades que reencarnam nesses círculos mais grosseiros. Entretanto, é preciso considerar que o serviço, em semelhante esfera, é levado a efeito em massa, com características de mecanismo primitivo. O amor, nesses planos mais baixos, é tal qual o ouro perdido em vasta quantidade de ganga, exigindo largo esforço e laboriosas experiências para revelar-se aos entendidos. Entre as criaturas, porém, que se encaminham, de fato, aos montes de elevação, a união sexual é muito diferente. Traduz a permuta sublime das energias perispirituais, simbolizando alimento divino para a inteligência e para o coração e força criadora não somente de filhos carnais, mas também de obras e realizações generosas da alma para a vida eterna.

Alexandre fez ligeira pausa, sorriu paternalmente e continuou: **13.20**
— Lembre-se, André, de que me referi a objetivos sagrados da Criação, e não exclusivamente ao trabalho procriador. A procriação é um dos serviços que podem ser realizados por aquele que ama, sem ser o objeto exclusivo das uniões. O Espírito que odeia ou que se coloca em posição negativa, diante da Lei de Deus, não pode criar vida superior em parte alguma.

Compreendi que o problema era muito difícil de ser explanado, mas, como se quisesse desfazer todas as minhas dúvidas, o dedicado instrutor prosseguiu, após breve interrupção:
— É necessário deslocar a concepção do sexo, abstendo-nos de situá-la tão somente em determinados órgãos do corpo

transitório das criaturas. Vejamos o sexo como qualidade positiva ou passiva, emissora ou receptora da alma. Chegados a esse entendimento, verificamos que toda manifestação sexual evolute com o ser. Enquanto nos mergulhamos no charco das vibrações pesadas e venenosas, experimentamos, nesse domínio, simplesmente sensações. À medida que nos dirigimos a caminho do equilíbrio, colhemos material de experiências proveitosas, oportunidades de retificação, força, conhecimento, alegria e poder. Harmonizando-nos com as leis supremas, encontramos a iluminação e a revelação, enquanto os Espíritos superiores colhem os valores da Divindade. Substituamos as palavras "união sexual" por "união de qualidades" e observaremos que toda a vida universal se baseia nesse divino fenômeno, cuja causa reside no próprio Deus, Pai criador de todas as coisas e de todos os seres.

13.21 As palavras de Alexandre abriam-me novos horizontes ao pensamento. As questões obscuras do tema tornavam-se claras ao meu campo mental. Fazendo-me sentir que os intervalos da conversação se destinavam a fornecer-me tempo de meditar, o benevolente orientador continuou, depois de longa pausa:

— Essa "união de qualidades", entre os astros, chama-se magnetismo planetário da atração; entre as almas, denomina-se amor; entre os elementos químicos, é conhecida por afinidade. Não seria possível, portanto, reduzir semelhante fundamento da vida universal, circunscrevendo-o a meras atividades de certos órgãos do aparelho físico. A paternidade ou a maternidade são tarefas sublimes; não representam, porém, os únicos serviços divinos, no setor da Criação Infinita. O apóstolo que produz no domínio da Virtude, da Ciência ou da Arte, vale-se dos mesmos princípios de troca, apenas com a diferença de planos, porque, para ele, a permuta de qualidades se verifica em esferas superiores. Há fecundações físicas e fecundações psíquicas. As primeiras exigem as disposições da forma, a fim de atenderem a exigências da vida, em caráter provisório, no campo das experiências necessárias. As segundas, porém, prescindem do cárcere de limitações e efetuam-se nos resplandecentes domínios da alma, em processo maravilhoso de eternidade. Quando nos referimos ao amor do Onipotente, quando sentimos sede da Divindade, nossos espíritos não procuram outra coisa senão a troca de qualidades com as esferas sublimes do Universo, sequiosos do eterno princípio fecundante...

13.22 Alexandre fez longa pausa, como se ele mesmo permanecesse embevecido com semelhantes evocações. Por minha vez, achava-me deslumbrado. Nunca ouvira definições tão profundas, referentemente à posição do sexo na vida universal.

— É lamentável — continuou o orientador, gravemente — que a maioria dos nossos irmãos encarnados na crosta tenha menosprezado as faculdades criativas do sexo, desviando-as para o vórtice de prazeres inferiores. Todos pagarão, porém, ceitil por ceitil, o que devem ao altar santificado, através de cuja porta receberam a graça de trabalhar e aprender na superfície da Terra. Todo ato criador está cheio de sagradas comoções da Divindade e são essas comoções sublimes da participação da alma, nos poderes criadores da Natureza, que os homens conduzem, imprevidentemente, para a zona do abuso e da viciação. Tentam arrastar a luz para as trevas e convertem os atos sexuais, profundamente veneráveis em todas as suas características, em uma paixão viciosa tão deplorável como a embriaguez ou a mania do ópio. Entretanto, André, sem que os olhos mortais lhes observem as angústias retificadoras, todos os infelizes, em semelhantes despenhadeiros, são punidos severamente pela Natureza Divina.

A essa altura das luminosas elucidações, sentindo que o respeitável amigo entraria em nova pausa, ousei interrogar:

— Todavia, não é o uso do sexo uma lei natural na esfera da crosta?

13.23   Alexandre sorriu com benevolência e respondeu:

— Ninguém contesta esse caráter das manifestações sexuais nos círculos da carne, mas todas as leis naturais na experiência humana devem ser exercidas, como em toda parte, sobre as bases da Lei Universal do Bem e da Ordem. Quem foge ao bem, é defrontado pelo crime; quem foge à ordem, cai no desequilíbrio. As uniões sexuais, portanto, que se efetuem a distância desses sublimes imperativos, transformam-se em causas geradoras de sofrimento e perturbação. Ao demais, não devemos esquecer que o sexo, na existência humana, pode ser um dos instrumentos do amor, sem que o amor seja o sexo. Por isso mesmo, os homens e as mulheres, cuja alma se vai libertando dos cativeiros da forma física, escapam, gradativamente, do império absoluto das sensações carnais. Para eles, a união sexual orgânica vai deixando de ser uma imposição, porque aprendem a trocar os valores divinos da alma, entre si, alimentando-se reciprocamente, por permutas magnéticas, não menos valiosas para os setores da Criação infinita, gerando realizações espirituais para a eternidade gloriosa, sem qualquer exigência dos atritos celulares. Para esse gênero de criaturas, a união reconfortadora e sublime não se acha circunscrita à emotividade de alguns minutos, mas constitui a integração de alma com alma, através da vida inteira, no campo da Espiritualidade superior. Diante dos fenômenos da presença física, bastam-lhes, na maioria das vezes, o olhar, a palavra, o simples gesto de carinho e compreensão, para que recebam o magnetismo criador do coração amado, impregnando-se de força e estímulo para as mais difíceis edificações.

Imprimiu Alexandre pequeno intervalo à palestra e, em seguida, abanando a cabeça, significativamente, observou:

— Não há criação sem fecundação. As formas físicas descendem das uniões físicas. As construções espirituais procedem das uniões espirituais. A obra do Universo é filha de Deus. O sexo, portanto, como qualidade positiva ou passiva dos princípios e dos seres, é manifestação cósmica em todos os círculos evolutivos, até que venhamos a atingir o campo da harmonia perfeita, onde essas qualidades se equilibram no seio da Divindade.

Não ousei quebrar o silêncio que se seguiu. O venerando instrutor, engolfado em profundos pensamentos, não mais voltou ao assunto, compelindo-me, talvez, a meditações mais edificantes.

Esperei, ansioso, o instante de tornar às observações do caso Segismundo. O estudo que encetara era verdadeiramente fascinador. Foi por isso, com justificada alegria, que recebi o convite de Alexandre para o regresso ao lar de Adelino. O bondoso orientador alegava que era preciso visitar o casal e o amigo em processo reencarnacionista, na véspera da primeira ligação com a matéria orgânica.

Chegados à moradia nossa conhecida, encontramos Herculano e Segismundo em companhia de outras entidades. Alexandre informou-me tratar-se de Espíritos construtores, que iam cooperar na formação fetal do nosso amigo.

Como da outra vez, banhava-se o ninho doméstico na luz crepuscular, mantendo-se a pequena família no mesmo ato de afeição. Adelino, porém, demonstrava diferente posição espiritual. Cercava-o claro ambiente de otimismo, delicadeza e alegria. Meu amável instrutor, muito satisfeito com a nova situação, passou a examinar os mapas cromossômicos, com a assistência dos construtores presentes. Em vão procurava compreender aqueles caracteres singulares, semelhantes a pequeninos arabescos, francamente indecifráveis ao meu olhar.

Alexandre, porém, sempre gentil e benevolente, acentuou:

— Este não é um estudo que você possa entender, por enquanto. Estou examinando a geografia dos genes nas estrias cromossômicas,[29] a fim de certificar-me até que ponto poderemos

---

[29] N.E.: Refere-se aos cromossomos, cujo constituinte fundamental é o DNA, estrutura responsável pela transmissão das características hereditárias dos seres vivos.

colaborar em favor de nosso amigo Segismundo, com recursos magnéticos para a organização das propriedades hereditárias.

13.25 Conformei-me e passei a observar Segismundo, que parecia extenuado, abatido. Não conseguia manter-se sentado. Assistido pela dedicação de Herculano, conversava dificilmente conosco, estirado em uma cama, em grande prostração.

Demonstrava-se satisfeito com a minha simpatia fraternal e, enquanto os demais lhe estudavam a situação, entretive com ele conversação rápida, que me deu a conhecer, mais uma vez, a penosa impressão dos que se encontram no limiar de nova experiência terrestre.

— Já estive mais animado — disse-me ele, triste —; entretanto, agora, falece-me a energia... Sinto-me fraco, incapacitado... Enquanto lutava por obter a transformação de meu futuro pai, experimentava mais confiança e serenidade... agora, porém..., que consegui a dádiva do retorno à luta, tenho receio de novos fracassos...

— Tenha calma — respondi, confortando-o —; a sua oportunidade de redenção é das melhores. Além disso, muitos companheiros segui-lo-ão de perto, colaborando em seu êxito no porvir.

O interlocutor sorriu com dificuldade e observou:

— Sim, reconheço... Dentre todos os irmãos que me assistem agora, Herculano me acompanhará com desvelo e constância... Bem sei. No entanto, o renascimento na carne, com os valores espirituais que já possuímos, representa um fato gravíssimo em nosso processo de elevação... Ai de mim, se cair outra vez!...

Dirigia-lhe exortações de coragem e bom ânimo, quando meu orientador, dando por findo o exame da documentação, se aproximou de nós ambos e falou-lhe com afetuosa autoridade:

— Segismundo, é incrível que desfaleça no momento culminante de suas atuais realizações. Restaure a sua fé, regenere a esperança, porque você não pode entrar na corrente material, à maneira dos nossos irmãos ignorantes e infelizes, que reclamam quase absoluto estado de inconsciência para penetrarem, de novo, o santuário maternal. Não deixe de cooperar com a sua confiança em nosso labor para o seu próprio benefício. Dê trabalho à sua imaginação criadora. Mentalize os primórdios da condição fetal, formando em sua mente o modelo adequado. Você encontrará na maternidade nobre de Raquel os mais eficientes auxílios e receberá de nós outros a mais decidida colaboração; entretanto, lembre-se de que o seu trabalho individual será muito importante, no setor da adaptação e da recepção, para que triunfe na presente oportunidade. Não perca tempo em expectativas ansiosas, cheias de dores e apreensões. Levante o padrão de suas forças morais.

Segismundo ouviu, respeitoso, a advertência. Reconheci que as palavras reconfortantes de Alexandre se fizeram seguir de maravilhoso efeito. Segismundo melhorou repentinamente, esforçando-se por alijar a carga de preocupações inúteis.

Impressionado com o esclarecimento do prestimoso mentor, não hesitei em dirigir-lhe nova consulta.

— Existem, então — perguntei sob forte interesse —, aqueles que reencarnam inconscientes do ato que realizam?

— Certamente — respondeu ele solícito —, assim também como desencarnam diariamente na crosta milhares de pessoas sem a menor noção do ato que experimentam. Somente as almas educadas têm compreensão real da verdadeira situação que se lhes apresenta em frente da morte do corpo. Do mesmo modo, aqui. A maioria dos que retornam à existência corporal na esfera do globo é magnetizada pelos benfeitores espirituais, que lhe organizam novas tarefas redentoras, e quantos recebem semelhante auxílio são conduzidos ao templo maternal de carne como crianças adormecidas. O trabalho inicial, que a rigor lhes compete na organização do feto, passa a ser executado pela mente materna e pelos amigos que os ajudam de nosso plano. São inúmeros os que regressam à crosta nessas condições, reconduzidos por autoridades superiores de nossa esfera de ação, em vista das necessidades de certas almas encarnadas, de certos lares e determinados agrupamentos.

13.27 A explicação não podia ser mais lógica e, uma vez ainda, admirei no amoroso amigo o dom da clareza e da simplicidade.

Demoramo-nos, por mais algum tempo, naquele ninho acolhedor e, ao despedir-se, quase à meia-noite, após reconfortar o espírito de Segismundo, Alexandre dirigiu-se a Herculano e aos construtores, nestes termos:

— Voltaremos na noite de amanhã, para a ligação inicial, fazendo a entrega de nosso irmão reencarnante aos nossos amigos.

Um dos Espíritos construtores, que parecia o chefe do grupo em operações, abraçou-o comovidamente, e falou:

— Contamos com o seu concurso para a divisão da cromatina no útero materno.

— Com muito prazer! — redarguiu bem-humorado.

Voltando a outras ocupações, não continha as ideias novas que a experiência de Segismundo despertava em mim. Como seria feito o auxílio naquelas circunstâncias? Raquel estaria consciente de nossa colaboração? Como interpretaria o casal as atividades de nosso plano, caso viesse a conhecer a extensão de nossa tarefa? Alexandre, porém, incumbiu-se de interromper minhas indagações interiores, acrescentando, como se estivesse ouvindo os meus pensamentos:

— Em casos dessa natureza, André, a nossa intervenção desenvolve-se com a mesma santidade que caracteriza o concurso de um médico responsável e honesto, ao praticar a intervenção no parto comum. A modelagem fetal e o desenvolvimento do embrião obedecem a leis físicas naturais, qual ocorre na organização de formas em outros reinos da Natureza, mas, em todos esses fenômenos, os ascendentes de cooperação espiritual coexistem com as leis, de acordo com os planos de evolução ou resgate. Nosso concurso, portanto, em processos tais, é uma das tarefas mais comuns.

Compreendi a elevação do esclarecimento e pacifiquei a mente, esperando o dia seguinte. **13.28**

Escoadas, porém, as horas do dia, a curiosidade voltou a espicaçar-me. Em que momento deveríamos buscar a moradia de Adelino? Sem qualquer intenção menos digna, preocupava-me o instante da primeira ligação de Segismundo à matéria. Agiria Alexandre no momento da união sexual ou o fenômeno obedeceria a diferentes determinações? Meu orientador sorria em silêncio, compreendendo-me a tortura mental. As horas sucediam-se umas às outras e, observando-me a impaciência, Alexandre esclareceu-me bondoso:

— Não é necessária a nossa presença ao ato de união celular. Semelhantes momentos do tálamo conjugal são sublimes e invioláveis nos lares em bases retas. Você sabe que a fecundação do óvulo materno somente se verifica algumas horas depois da união genesíaca. O elemento masculino deve fazer extensa viagem, antes de atingir o seu objetivo.

E, sorrindo, acrescentou:

— Temos tempo.

Compreendi a delicadeza dos esclarecimentos e, sequioso de informações referentes ao assunto, interroguei:

— Com relação às uniões sexuais, de acordo com o seu parecer, todas elas são invioláveis?

— Isto não — aduziu o instrutor atencioso —, você não deve esquecer que aludi aos "lares em bases retas". Todos os encarnados que edificam o ninho conjugal, sobre a retidão, conquistam a presença de testemunhas respeitosas, que lhes garantem a privatividade dos atos mais íntimos, consolidando-lhes as fronteiras vibratórias e defendendo-as contra as forças menos dignas, tomando, por base de seus trabalhos, os pensamentos elevados que encontram no ambiente doméstico dos amigos; não ocorre o mesmo, entretanto, nas moradias, cujos proprietários escolhem baixas testemunhas espirituais, buscando-as em zonas inferiores. A esposa infiel aos princípios nobres da vida em comum e o esposo que põe sua casa em ligação com o meretrício, não devem esperar que seus atos afetivos permaneçam coroados de veneração e santidade. Suas relações mais íntimas são objeto de participação das desvairadas testemunhas que escolheram. Tornam-se vítimas inconscientes de grupos perversos, que lhes partilham as emoções de natureza fisiológica, induzindo-as à mais dolorosa viciação. Ainda que esses cônjuges infelizes estejam temporariamente catalogados no pináculo das posições sociais humanas, não poderão trair a miserável condição interior, sequiosos que vivem de prazeres criminosos, dominados de estranha e incoercível volúpia.

3.29 A resposta impressionante de Alexandre surpreendeu-me. Compreendi com mais intensidade que cada um de nós permanece com a própria escolha de situação, em todos os lugares. Todavia, nova questão surgia-me no cérebro e procurei movimentá-la, para melhor aclarar o raciocínio.

— Entendo a magnitude de suas elucidações — afirmei respeitoso. — Entretanto, considerando o perigo de certas atitudes inferiores dos que assumem o compromisso da fundação de um lar, que condição, por exemplo, é a da esposa fiel e devotada, ante um marido desleal e aventureiro, no campo sexual? Permanecerá a mulher nobre e santa à mercê das criminosas testemunhas que o homem escolheu?

— Não! — disse ele veemente — o mau não pode perturbar o que é genuinamente bom. Em casos dessa espécie, a esposa garantirá o ambiente doméstico, embora isto lhe custe as mais difíceis abnegações e pesados sacrifícios. Os atos que lhe exijam a presença enobrecedora são sagrados, ainda que o companheiro, na vida comum, se tenha colocado em nível inferior aos brutos. Em situações como essa, no entanto, o marido imprevidente torna-se paulatinamente cego à virtude e converte-se por vezes no escravo integral das entidades perversas que tomou por testemunhas habituais, presentes em todos os seus caminhos e atividades fora do santuário da família. Chegado a esse ponto, é muito difícil impedir-lhe a queda nos desfiladeiros fatais do crime e das trevas.

— Oh! meu Deus! — exclamei — quanto trabalho esperando o concurso das almas corajosas! quanta ignorância a ser vencida!...

— Você diz bem — acrescentou o orientador gravemente —, porque, de fato, a maioria das tragédias conjugais se transfere para Além-Túmulo, criando pavorosos infernos para aqueles que as viveram na crosta do mundo. É muito doloroso observar a extensão dos crimes perpetrados na existência carnal e ai dos desprevenidos que não se esforçam, a tempo, no sentido de combater as paixões baixas! Angustioso lhes é aqui o despertar!...

Calei-me, e Alexandre, pensativo, entrou também em silêncio profundo, dando-me a entender suas admiráveis faculdades de concentração.

Eram aproximadamente vinte e duas horas, quando nos pusemos a caminho da residência de Raquel.

A pequena família acabava de recolher-se.

Herculano e os demais receberam-nos com inequívocas demonstrações de carinho.

O chefe dos construtores dirigiu-se ao meu instrutor, nestes termos:

— Esperávamos pela sua colaboração para iniciarmos o serviço magnético no paciente.

Passamos, em seguida, à pequena câmara, onde Segismundo repousava. Permanecia ele aflito, de olhar triste e vagueante.

13.31   Não pude sopitar uma interrogação:
— Por que motivo Segismundo sofre tanto? — indaguei de Alexandre, em tom discreto.

— Desde muito, e, particularmente, desde a semana passada, está em processo de ligação fluídica direta com os futuros pais. Herculano está encarregado de ajudá-lo nesse trabalho. À medida que se intensifica semelhante aproximação, ele vai perdendo os pontos de contato com os veículos que consolidou em nossa esfera, por meio da assimilação dos elementos de nosso plano. Semelhante operação é necessária para que o organismo perispiritual possa retomar a plasticidade que lhe é característica e, no estágio em que ele se encontra, o serviço impõe-lhe sofrimentos.

A observação era muito nova para mim e continuei indagando:

— Mas o organismo perispirítico de Segismundo não é o mesmo que ele trouxe da crosta, ao desencarnar pela última vez?

— Sim — concordou o orientador —, tem a mesma identidade essencial; todavia, com o curso do tempo, em vista de nova alimentação e novos hábitos em meio muito diverso, incorporou determinados elementos de nossos círculos de vida, dos quais é necessário se desfaça a fim de poder penetrar, com êxito, a corrente da vida carnal. Para isto, as lutas das ligações fluídicas primordiais com as emoções que lhes são consequentes desgastam-lhe as resistências dessa natureza, salientando-se que, nesta noite, faremos a parte restante do serviço, mobilizando, em seu auxílio, nossos recursos magnéticos.

— Oh! — disse eu — Não teremos aqui um fato semelhante à morte física na crosta?

Alexandre sorriu e aquiesceu:

— Sem dúvida, desde que consideremos a morte do corpo carnal como simples abandono de envoltórios atômicos terrestres.

Reconheci, porém, que a hora não comportava longas dissertações, e, vendo que o meu bondoso instrutor fixava a atenção nos construtores, abstive-me de novas interrogações.

Seguido pelos amigos, Alexandre aproximou-se de Segismundo e falou-lhe bem-humorado:

— Então? Mais forte?

E, acariciando-lhe a face, acrescentou:

— Você deve estar satisfeito: é chegado o momento decisivo. Todas as nossas expressões de reconhecimento a Deus são insignificantes, diante da nova oportunidade recebida.

— Sim... — falou Segismundo arquejante — estou grato... não se esqueçam de mim... com o auxílio necessário.

E olhando angustiosamente para o meu orientador, observou inquieto:

— Tenho receio... muito receio...

Alexandre sentou-se paternalmente ao lado dele e disse-lhe com ternura:

— Não asile o monstro do medo no coração. A hora é de confiança e coragem. Ouça, Segismundo! Se você guarda alguma preocupação, divida conosco os seus pesares, fale de tudo o que constitua dificuldade em seu íntimo! Abra sua alma, querido amigo! Lembre-se de que o instante da passagem definitiva de plano se aproxima. Torna-se indispensável manter o pensamento puro, lavado de todos os detritos!

O interlocutor deixou cair algumas lágrimas e conversou com esforço:

— Sabe que empreendi pequenina obra de socorro, nas cercanias de nossa colônia espiritual... A obra foi autorizada pelos nossos maiores e... apesar do bom funcionamento... sinto que não está terminada e que tenho em sua estrutura grandes responsabilidades... não sei se fiz bem... pedindo agora o retorno à crosta do mundo, antes de consolidar meu trabalho... entretanto...

13.32

reconheci que para seguir além... precisava reconciliar-me com a própria consciência, buscando os adversários de outro tempo... a fim de resgatar minhas faltas...

13.33   E enquanto o instrutor e os demais amigos o acompanhavam, em silêncio, Segismundo prosseguia:

— Foi por isto... que insisti tanto pela obtenção de minha volta... como poderia conduzir os outros à plena conversão espiritual... diante dos ensinamentos do Cristo... sem haver pago minhas próprias dívidas? Como ensinar os irmãos sofredores... sofrendo eu mesmo... dolorosas chagas em virtude do passado cruel? Agora, porém... que se aproxima o recomeço difícil... tortura-me o receio de errar novamente... Quando Raquel e Adelino voltaram... prometeram-me amparo fraternal e estou certo... de que serão dois benfeitores para mim... no entanto... afligem-me receios e ansiedades ante o futuro desconhecido...

Valendo-se da pausa que se fizera naturalmente, Alexandre tomou a palavra, com franqueza e otimismo:

— Não adianta inquietar-se tanto, meu amigo! Desprenda-se de suas criações aqui. Todas as nossas obras, efetuadas de acordo com as Leis Divinas, sustentam-se por si mesmas e esperam-nos em qualquer tempo para a colheita de saborosos frutos de alegria eterna. Somente o mal está condenado à destruição e apenas o erro necessita laboriosos processos de retificação. Esteja, portanto, calmo e feliz. Sua insistência pelo regresso atual aos círculos terrenos foi muito bem lembrada. O resgate do desvio de outra época concederá ao seu espírito uma luz nova e mais brilhante. Persevere no seu propósito. Valer-se da escola, receber-lhe a orientação sublime, assenhorear-se-lhe dos benefícios, representa a maior felicidade do aluno fiel. Assim, pois, Segismundo, a sua felicidade de voltar agora à esfera carnal é muito grande. Lave a sua mente na água viva da confiança em Deus, e caminhe. Para a nova experiência você não pode levar senão o patrimônio divino já adquirido com o seu esforço para a vida eterna, constituído pelas ideias enobrecedoras e pelas luzes íntimas que o seu espírito já conquistou. Não se detenha, desse modo, em lembranças dos aspectos exteriores de nossas atividades neste plano. Persistir em semelhantes estados da alma poderá trazer consequências muito graves, porquanto a sua inadaptação perturbaria o desenvolvimento fetal e determinaria a morte prematura de seu novo aparelho físico, no período infantil. Não se prenda a receios pueris. É verdade que você deve e precisa pagar, mas, em sã consciência, qual de nós não é devedor? Com tristeza e abatimento nunca resgataremos nossos débitos. É indispensável criar esperanças novas.

Segismundo fez um gesto significativo de afirmação e sorriu com dificuldade, mostrando-se menos triste.

— Não perturbe o seu trabalho valioso do momento. Recorde as graças que temos recebido e não tema!

Calando-se o mentor, notei que Segismundo, sob forte emoção, não conseguia recursos para manter a palestra. Vi-o, porém, tomar a destra de Alexandre, com infinito esforço, beijando-a respeitoso, em sinal de reconhecimento.

Ponderei, então, no concurso enorme que todos recebemos ao regressar ao círculo carnal. Aqueles devotados benfeitores auxiliavam Segismundo, desde o primeiro dia, e, ainda ali, diante do possível recuo do interessado, eles mesmos se mostravam dispostos a consolar-lhe todas as tristezas, levantando-lhe o ânimo para o êxito final.

Os Espíritos construtores começaram o trabalho de magnetização do corpo perispirítico, no que eram amplamente secundados pelo esforço do abnegado orientador, que se mantinha dedicado e firme em todos os campos de serviço.

Sem que me possa fazer compreendido, de pronto, pelo leitor comum, devo dizer que "alguma coisa da forma de Segismundo estava sendo eliminada". Quase que imperceptivelmente, à medida que se intensificavam as operações magnéticas, tornava-se ele mais pálido. Seu olhar parecia penetrar outros domínios. Tornava-se vago, menos lúcido.

3.35 A certa altura, Alexandre falou-lhe com autoridade:
— Segismundo, ajude-nos! Mantenha clareza de propósitos e pensamento firme!

Tive a impressão de que o reencarnante se esforçava por obedecer.

— Agora — continuou o instrutor — sintonize conosco relativamente à forma pré-infantil. Mentalize sua volta ao refúgio maternal da carne terrestre! Lembre-se da organização fetal, faça-se pequenino! Imagine sua necessidade de tornar a ser criança para aprender a ser homem!

Compreendi que o interessado precisava oferecer o maior coeficiente de cooperação individual para o êxito amplo. Surpreendido, reconheci que, ao influxo magnético de Alexandre e dos construtores espirituais, a forma perispiritual de Segismundo tornava-se reduzida.

A operação não foi curta, nem simples. Identificava o esforço geral para que se efetuasse a redução necessária.

Segismundo parecia cada vez menos consciente. Não nos fixava com a mesma lucidez e suas respostas às nossas perguntas afetuosas não se revelavam completas.

Por fim, com grande assombro meu, verifiquei que a forma de nosso amigo assemelhava-se à de uma criança.

O fenômeno espantava-me e não pude conter as interrogações que se me represavam no íntimo. Observando que Alexandre e os construtores se dispunham a alguns minutos de intervalo, antes da penetração na câmara conjugal, acerquei-me do prestimoso orientador, que me percebeu, em um relance, a curiosidade.

Acolheu-me, cortês como sempre, e falou:
— Já sei. Você permanece torturado pelo espírito de pesquisa.

Sorri desapontado, mas cobrei ânimo e indaguei:
— Como pode ser o que vejo? Ignorava que o renascimento compelisse o plano espiritual a serviços tão complexos!

— O trabalho enobrecedor está em toda parte — acentuou Alexandre, intencionalmente. — O paraíso da ociosidade é talvez a maior ilusão dos princípios teológicos que obscureceram na crosta o sentido divino da verdadeira Religião.

Fez uma pausa, fixou um gesto expressivo e continuou:
— Quanto à estranheza de que se sente possuído, não vemos razão para tanto. A desencarnação normal na Terra obriga o corpo denso de carne a não menores modificações. A enfermidade mortal, para o homem terreno, não deixa, em certo sentido, de ser prolongada operação redutiva, libertando por fim a alma, desembaraçando-a dos laços fisiológicos. Há pessoas que, depois de algumas semanas de leito, se tornam francamente irreconhecíveis. E devemos considerar que o aparelho físico permanece muito distante da plasticidade do corpo perispiritual, profundamente sensível à influenciação magnética.

A explicação não podia ser mais lógica.
— O que vimos, porém, com Segismundo — perguntei — é regra geral para todos os casos?

— De modo algum — respondeu o instrutor atencioso —, os processos de reencarnação, tanto quanto os da morte física, diferem ao infinito, não existindo, segundo cremos, dois absolutamente iguais. As facilidades e obstáculos estão subordinados a fatores numerosos, muitas vezes relativos ao estado consciencial dos próprios interessados no regresso à crosta ou na libertação dos veículos carnais. Há companheiros de grande elevação que, ao voltarem à esfera mais densa em apostolado de serviço e iluminação, quase dispensam o nosso concurso. Outros irmãos nossos, contudo, procedentes de zonas inferiores, necessitam de cooperação muito mais complexa que a exercida no caso de Segismundo.

13.37 — Não deveriam renascer, porém — interroguei curioso —, tão somente aqueles que se revelassem preparados?

— Não podemos esquecer, no entanto — refutou meu esclarecido interlocutor —, que a reencarnação é o curso repetido de lições necessárias. A esfera da crosta é uma escola divina. E o amor, por intermédio das atividades "intercessórias", reconduz diariamente ao banco escolar da carne milhões de aprendizes.

O orientador amigo calou-se por alguns instantes, e prosseguiu:

— A reencarnação de Segismundo obedece às diretrizes mais comuns. Traduz expressão simbólica da maioria dos fatos dessa natureza, porquanto o nosso irmão pertence à enorme classe média dos Espíritos que habitam a crosta, nem altamente bons, nem conscientemente maus. Acresce notar, todavia, que a volta de certas entidades das regiões mais baixas ocasiona laboriosos e pacientes esforços dos trabalhadores de nosso plano. Semelhantes seres obrigam-nos a processos de serviço que você gastará ainda muito tempo para compreender.

As elucidações de Alexandre calavam-me fundo, satisfazendo-me a pesquisa intelectual; entretanto, novas indagações surgiram-me na mente sequiosa. Foi então que, premido por intensa e legítima curiosidade, perguntei respeitoso:

— O auxílio que vemos atingirá, porventura, a todos? Aqui nos encontramos em um lar em bases retas, segundo sua própria afirmação; mas... se nos achássemos numa casa típica de deboche carnal? E se fôssemos aqui defrontados por paixões criminosas e desvarios desequilibrantes?

O instrutor meditou gravemente e redarguiu:

— André, o diamante perdido no lodo, por algum tempo, **13.38** não deixa de ser diamante. Assim, também, a paternidade e a maternidade, em si mesmas, são sempre divinas. Em todo lugar desenvolve-se o auxílio da esfera superior, desde que se encontre em jogo o trabalho da vontade de Deus. Entretanto, devemos considerar que, em tais circunstâncias, as atividades de auxílio são verdadeiramente sacrificiais. As vibrações contraditórias e subversivas das paixões desvairadas da alma em desequilíbrio comprometem os nossos melhores esforços, e, muitas vezes, nessas paisagens de irresponsabilidade e viciação, para ajudar, em obediência ao nosso ministério, devemos, antes de tudo, lutar contra entidades monstruosas, dominadoras dos círculos de vida dos homens e das mulheres que, imprevidentemente, escolhem o perigoso caminho da perturbação emocional, no qual tais entidades ignorantes e desequilibradas transitam. Nesses casos, nem sempre a nossa colaboração pode ser perfeita, porquanto são os próprios pais que, menosprezando a grandeza do mandato que lhes foi confiado, abrem as portas de suas potências sagradas aos impiedosos monstros da sombra que lhes perseguem os filhos nascituros. Certas almas heroicas escolhem semelhante entrada na existência carnal, a fim de se fortalecerem nas resistências supremas contra o mal, desde os primeiros dias de serviço uterino. Entretanto, devemos considerar que é preciso ser suficientemente forte na fé e na coragem para não sucumbir. Nos renascimentos dessa espécie, o maior número de criaturas, porém, cumpre o programa salutar das provações retificadoras. Muitas fracassam; todavia, há sempre grande quantidade das que retiram os melhores lucros espirituais no setor da experiência para a vida eterna.

Alexandre comentara o assunto com imponente beleza. Começava eu a compreender a procedência de certos fenômenos teratológicos e de determinadas moléstias congênitas que, no mundo, confrangem o coração. As asserções do momento levavam-me a novo e fascinante estudo — a questão das provas retificadoras e necessárias.

3.39   Em seguida Alexandre convidou os construtores a examinarem os mapas cromossômicos, em companhia dele, junto de Herculano. Acompanhei o trabalho com interesse, embora absolutamente desprovido de competência para ajuizar com precisão, relativamente aos caprichosos desenhos sob nosso olhar.

Não me é dado transmitir determinadas definições daquela pequena assembleia de autoridades espirituais, por falta de elementos para a comparação analógica, mas posso dizer que, finda a parte propriamente técnica das conversações, o meu orientador acrescentava satisfeito:

— Com exceção do tubo arterial, na parte a dilatar-se para o mecanismo do coração, tudo irá muito bem. Todos os genes poderão ser localizados com normalidade absoluta.

Depois de pequena pausa, acentuou:

— Os membros e os órgãos serão excelentes. E se o nosso amigo souber valorizar as oportunidades do futuro, possivelmente conquistará o equilíbrio do aparelho circulatório, mantendo-se em serviço de iluminação por abençoado tempo de trabalho terrestre. Depende dele o êxito preciso.

Voltando-se para os construtores, falou-lhes afável:

— Meus amigos, o nosso Herculano permanecerá em definitivo junto de Segismundo, na nova experiência, até que ele atinja os 7 anos, após o renascimento, ocasião em que o processo reencarnacionista estará consolidado. Depois desse período, a sua tarefa de amigo e orientador será amenizada, visto que seguirá o nosso irmão em sentido mais distante. Sei que o devotado companheiro tomará todas as providências indispensáveis à harmoniosa organização fetal, seja auxiliando o reencarnante, seja defendendo o templo maternal contra o assédio de forças menos dignas; entretanto, peço-lhes muita atenção nos primórdios de formação do timo,[30] glândula, como sabem, de importância essencial para a vida infantil, desde o útero materno. Precisamos do equilíbrio perfeito desse departamento glandular, até que se forme a medula óssea e se habilite à produção dos corpúsculos vermelhos para o sangue. Os diversos gráficos das disposições cromossômicas facilitarão os serviços dessa natureza.

Alguns dos amigos presentes passaram a observar os mapas com maior atenção.

13.4(

Enquanto se estendiam, sob meus olhos, aqueles microscópicos sinais, facultando amplo exame da célula-ovo, acerquei-me do instrutor e, sentindo-o mais acessível às minhas interrogações, perguntei:

— Temos, nestes mapas, a geografia dos genes da hereditariedade distribuídos nos cromossomos. A lei da herança, porém, será ilimitada? A criatura receberá, ao renascer, a total imposição dos característicos dos pais? As enfermidades ou as disposições criminosas serão transmissíveis de maneira integral?

— Não, André — observou o orientador, com grave inflexão —, estamos diante de um fenômeno físico natural. O organismo dos nascituros, em sua expressão mais densa, provém do corpo dos pais, que lhes entretêm a vida e lhes criam os caracteres com o próprio sangue; todavia, em semelhante imperativo das Leis Divinas para o serviço de reprodução das formas, não devemos ver a subversão dos princípios de liberdade espiritual, imanente na ordem da Criação Infinita. Por isso mesmo, a criatura terrena herda tendências, e não qualidades. As primeiras cercam o homem que renasce, desde os primeiros dias de luta, não só em seu corpo transitório, mas também no ambiente geral a que foi chamado a viver, aprimorando-se; as segundas resultam do labor individual da alma encarnada, na defesa, educação e

---

[30] N.E.: Situado no mediastino anterior, o timo exerce, sobretudo na infância, importante papel na maturação dos linfócitos T, que são as nossas principais células de defesa contra as infecções.

aperfeiçoamento de si mesma nos círculos benditos da experiência. Se o Espírito reencarnado estima as tendências inferiores, desenvolvê-las-á, ao reencontrá-las dentro do novo quadro de experiência humana, perdendo um tempo precioso e menosprezando o sublime ensejo de elevação. Todavia, se a alma que regressa ao mundo permanece disposta ao serviço de autoelevação, sobrepairará a quaisquer exigências menos nobres do corpo ou do ambiente, triunfando sobre as condições adversas e obtendo títulos de vitória da mais alta significação para a vida eterna. Em sã consciência, portanto, ninguém se pode queixar de forças destruidoras ou de circunstâncias asfixiantes, se referindo ao círculo no qual renasceu. Haverá sempre, dentro de nós, a luz da liberdade íntima indicando-nos a ascensão. Praticando a subida espiritual, melhoraremos sempre. Esta é a Lei.

13.41   Em virtude das anteriores explicações do orientador, relativamente à importância da assistência de Herculano a Segismundo reencarnado, até os 7 anos, procurei obter do instrutor alguma elucidação a respeito. Pedi desculpas a Alexandre, todavia, não me pude furtar à delicada inquirição. Por que tamanho cuidado com o sangue do futuro recém-nascido? Somente aos 7 anos iniciais de existência humana estaria terminado o serviço de reencarnação?

Como sempre acontecia, o nobre mentor ouviu-me complacente, sorriu qual pai carinhoso, e respondeu solícito:

— Você não ignora que o corpo humano tem as suas atividades propriamente vegetativas, mas talvez ainda não saiba que o corpo perispiritual, que dá forma aos elementos celulares, está fortemente radicado no sangue. Na organização fetal, o patrimônio sanguíneo é uma dádiva do organismo materno. Logo após o renascimento, inicia-se o período de assimilação diferente das energias orgânicas, em que o "eu" reencarnado ensaia a consolidação de suas novas experiências e, somente aos sete anos de vida comum, começa a presidir, por si mesmo, ao processo de formação do sangue, elemento básico de equilíbrio ao corpo perispirítico ou forma preexistente, no novo serviço iniciado. O sangue, portanto, é como se fora o fluido divino que nos fixa as atividades no campo material e em seu fluxo e refluxo incessantes, na organização fisiológica, nos fornece o símbolo do eterno movimento das forças sublimes da Criação infinita. Quando a sua circulação deixa de ser livre, surge o desequilíbrio ou enfermidade e, se surgem obstáculos que impedem o seu movimento, de maneira absoluta, então sobrevém a extinção do tônus vital, no campo físico, ao qual se segue a morte com a retirada imediata da alma.

13.42 Fortemente impressionado com a revelação do respeitável amigo, observei:

— Oh! como é grande a responsabilidade do homem, em frente ao corpo material!

— Diz bem — acrescentou o orientador — ao se referir com semelhante admiração a esse soberano dever da criatura reencarnada. Sem atender às pesadas responsabilidades que lhe competem na preservação do vaso físico, homem algum poderá realizar o progresso espiritual. O Espírito renasce na carne para a produção de valores divinos em sua natureza; mas como atender a semelhante imperativo, destruindo a máquina orgânica, base fundamental do serviço a fazer? Inda agora, referia-se você à lei da herança. O corpo terreno é também um patrimônio herdado há milênios e que a Humanidade vem aperfeiçoando, através dos séculos. O plasma, sublime construção efetuada ao influxo divino, com água do mar, nas épocas primitivas, é o fundamento primordial das organizações fisiológicas. Voltando à crosta, temos de aproveitar-lhe a herança, mais ou menos evolvida no corpo humano.

A essa altura das elucidações surpreendentes para mim, Alexandre, depois de ligeiro intervalo, continuou:

13.43   — Por isso mesmo, não desconhece você que, enquanto nos movimentamos na esfera da carne, somos criaturas marinhas respirando em terra firme. No processo vulgar de alimentação, não podemos prescindir do sal; nosso mecanismo fisiológico, a rigor, se constitui de sessenta por cento de água salgada, cuja composição é quase idêntica à do mar, constante dos sais de sódio, de cálcio, de potássio. Encontra-se, na esfera de atividade fisiológica do homem reencarnado, o sabor do sal no sangue, no suor, nas lágrimas, nas secreções. Os corpúsculos aclimatados nos mares mais quentes viveriam à vontade no líquido orgânico. Há verdadeiras surpresas de comparação analógica que poderíamos efetuar neste sentido.

Não soube o que responder, em vista das definições ouvidas, e, ante o meu silêncio, foi o próprio Alexandre que continuou, depois de significativa parada:

— Como vê, ao renascermos na crosta do mundo, recebemos com o corpo uma herança sagrada, cujos valores precisamos preservar, aperfeiçoando-o. As forças físicas devem evolutir como as nossas almas. Se nos oferecem o vaso de serviço para novas experiências de elevação, devemos retribuir, com o nosso esforço, auxiliando-as com a luz de nosso respeito e equilíbrio espiritual, no campo de trabalho e educação orgânica. O homem do futuro compreenderá que as suas células não representam apenas segmentos de carne, mas companheiras de evolução, credoras de seu reconhecimento e auxílio efetivo. Sem esse entendimento de harmonia no império orgânico, é inútil procurar a paz.

A conversação brilhante do orientador magnânimo e sábio sugeria sublimes questões. Entretanto, ele mesmo recordou-me o trabalho em curso e deu por findos os esclarecimentos daquela hora.

Estávamos a duas horas depois de meia-noite.

Permaneciam agora, ao nosso lado, não somente Alexandre e os construtores, mas também diversos amigos espirituais da família. **13.44**

Congregando todos os companheiros em torno de si, como figura máxima daquela reunião, Alexandre falou, gravemente:

— Agora, meus irmãos, penetremos a câmara de nossos dedicados colaboradores para que se efetue o júbilo da união espiritual.

E, depositando Segismundo nos braços da entidade que fora na crosta terrestre a carinhosa mãe de Raquel, acentuou:

— Seja você, minha irmã, a portadora do sagrado depósito. O coração filial que nos espera sentirá novas felicidades ao contato de sua ternura. Raquel bem merece semelhante alegria.

Voltando-se para a assembleia ali congregada, explicou:

— Faremos agora o ato de ligação inicial, em sentido direto, de Segismundo com a matéria orgânica. Espero, porém, caros companheiros, a visita reiterada de todos vocês ao nosso irmão reencarnante, principalmente no período de gestação do seu corpo futuro. Não ignorem o valor da colaboração afetuosa nesse serviço. Somente aqueles que semearam muitas afeições podem receber o concurso de muitos amigos e Segismundo deve receber esse prêmio pelos seus nobres sentimentos e elevados trabalhos a todos nós, nestes últimos anos em que se devotou a grandes obras de benemerência e fraternidade.

Logo após, penetrávamos o aposento conjugal, onde o espetáculo íntimo era divinamente belo. No leito de madeira, em macios lençóis de linho, repousavam dois corpos que a bênção do sono imobilizava, mas, ali mesmo, Adelino e Raquel nos esperavam em espírito, conscientes da grandeza da hora em curso. Despertando na esfera densa de luta e aprendizado, seus cérebros carnais não conseguiriam fixar a reminiscência perfeita daquela cena espiritual, em que se destacavam como principais protagonistas; contudo, o fato gravar-se-ia para sempre em sua memória eterna.

13.45   Os amigos invisíveis do lar, companheiros de nosso plano, haviam enchido a câmara de flores de luz. Desde a meia-noite, haviam obtido permissão para ingressar no futuro berço de Segismundo, com o amoroso propósito de adornar-lhe os caminhos do recomeço.

Mais de cem amigos se reuniam ali, prestando-lhe afetuosa homenagem.

Alexandre caminhou à nossa frente, cumprimentando carinhosamente o casal, temporariamente desligado dos veículos físicos.

Em seguida, com a melhor harmonia, os presentes passaram às saudações, enchendo de conforto celeste o coração dos cônjuges esperançosos.

O quadro era lindo e comovedor.

Duas entidades, ao meu lado, comentavam fraternalmente:

— É sempre penoso voltar à carne, depois de havermos conhecido as regiões de Luz Divina; entretanto, é tão sagrado o amor cristão que, mesmo em tal circunstância, sublime é a felicidade daqueles que o praticam.

— Sim — respondeu a outra —, Segismundo tem lutado muito pela redenção e, nessa luta, vem sendo um servo devotado de todos nós. Bem merece as alegrias desta hora.

A esse tempo, observei que a entidade convidada a guardar o reencarnante se mantinha à pequena distância de Raquel, entre os Espíritos construtores.

Refletia sobre esse fato, quando alguém me tocou levemente, despertando-me a atenção:

Era Alexandre que sorria paternalmente, elucidando-me:

— Deixemos os nossos amigos, por alguns minutos, no suave contentamento das expansões afetivas. Iniciaremos o trabalho no momento oportuno.

13.46 Perplexo, diante dos fatos novos para mim, eu não acomodara o raciocínio em face dos múltiplos problemas daquela noite. Por isso mesmo, alucinantes interrogações vagueavam-me no cérebro. O orientador percebeu-me o estado da alma e, talvez por esse motivo, deu-me a impressão de mais paciente.

Valendo-me daquele instante, indiquei Segismundo, recolhido nos braços acolhedores que o guardavam, e perguntei:

— Nosso irmão reencarnante apresentar-se-á, mais tarde, entre os homens, tal qual vivia entre nós? Já que as suas instruções se baseiam na forma perispiritual preexistente, terá ele a mesma altura, bem como as mesmas expressões que o caracterizavam em nossa esfera?

Alexandre respondeu sem titubear:

— Raciocine devagar, André! Falamos da forma preexistente, nela significando o modelo de configuração típica ou, mais propriamente, o "uniforme humano". Os contornos e minúcias anatômicas vão desenvolver-se de acordo com os princípios de equilíbrio e com a lei da hereditariedade. A forma física futura de nosso amigo Segismundo dependerá dos cromossomos paternos e maternos; adicione, porém, a esse fator primordial, a influência dos moldes mentais de Raquel, a atuação do próprio interessado, o concurso dos Espíritos construtores, que agirão como funcionários da Natureza Divina, invisíveis ao olhar terrestre, o auxílio afetuoso das entidades amigas que visitarão constantemente o reencarnante, nos meses de formação do novo corpo, e poderá fazer uma ideia do que vem a ser o templo físico que ele possuirá, por algum tempo, como dádiva da superior Autoridade de Deus, a fim de que se valha da bendita oportunidade de redenção do passado e iluminação para o futuro, no tempo e no espaço. Alguns fisiologistas da crosta concordam em asseverar que a vida humana é uma resultante de conflitos biológicos, esquecidos de que, muitas vezes, o conflito aparente das forças orgânicas não é senão a prática avançada da Lei de Cooperação Espiritual.

13.47 — Segismundo terá então — insisti — uma forma física eventual, imprecisa, por enquanto, ao nosso conhecimento?

O instrutor esclareceu sem demora:

— Se estivéssemos diretamente ligados ao caso dele, estaríamos de posse de todas as informações referentes ao porvir, nesse particular, mas a nossa colaboração neste acontecimento é transitória e sem maior significação no tempo. Os orientadores de Segismundo, porém, nas esferas mais altas, guardam o programa traçado para o bem do reencarnante. Note que me refiro ao bem, e não ao destino. Muita gente confunde plano construtivo com fatalismo. O próprio Segismundo e o nosso irmão Herculano estão de posse dos informes a que nos reportamos, porque ninguém penetra num educandário, para estágio mais ou menos longo, sem finalidade específica e sem conhecimento dos estatutos a que deve obedecer.

Nesse ponto, o mentor generoso fez ligeiro intervalo e continuou em seguida:

— Os contornos anatômicos da forma física, disformes ou perfeitos, longilíneos ou brevilíneos, belos ou feios, fazem parte dos estatutos educativos. Em geral, a reencarnação sistemática é sempre um curso laborioso de trabalho contra os defeitos morais preexistentes nas lições e conflitos presentes. Pormenores anatômicos imperfeitos, circunstâncias adversas, ambientes hostis constituem, na maioria das vezes, os melhores lugares de aprendizado e redenção para aqueles que renascem. Por isso, o mapa de provas úteis é organizado com antecedência, como o caderno de apontamentos dos aprendizes nas escolas comuns. Em vista disso, o mapa alusivo a Segismundo está devidamente traçado, levando-se em conta a cooperação fisiológica dos pais, a paisagem doméstica e o concurso fraterno que lhe será prestado por inúmeros amigos daqui. Imagine, pois, o nosso amigo voltando a uma escola, que é a Terra; assim procedendo, alimenta um propósito que é o da aquisição de valores novos. Ora, para realizá-lo terá de submeter-se às regras do educandário, renunciando, até certo ponto, à grande liberdade de que dispõe em nosso meio.

— Não poderíamos, porém — indaguei —, intitular semelhante prova de "destino fixado"? **13.48**

O instrutor aduziu com paciência:

— Não incida no erro de muita gente. Isto implicaria obrigatoriedade de conduta espiritual. Naturalmente, a criatura renasce com independência relativa e, por vezes, subordinada a certas condições mais ásperas, em virtude das finalidades educativas, mas semelhante imperativo não suprime, em caso algum, o impulso livre da alma, no sentido de elevação, estacionamento ou queda em situações mais baixas. Existe um programa de tarefas edificantes a serem cumpridas por aquele que reencarna, no qual os dirigentes da alma fixam a cota aproximada de valores eternos que o reencarnante é suscetível de adquirir na existência transitória. E o Espírito que torna à esfera de carne pode melhorar essa cota de valores, ultrapassando a previsão superior, pelo esforço próprio intensivo, ou distanciar-se dela, enterrando-se ainda mais nos débitos para com o próximo, menosprezando as santas oportunidades que lhe foram conferidas.

A essa altura, Alexandre interrompeu-se, talvez ponderando o tempo gasto em nossa conversação, e, como quem sentia necessidade de pôr termo à palestra, observou:

— Todo plano traçado na Esfera superior tem por objetivos fundamentais o bem e a ascensão, e toda alma que reencarna no círculo da crosta, ainda aquela que se encontre em condições aparentemente desesperadoras, tem recursos para melhorar sempre.

Logo após, convidou-me o orientador amigo a nos aproximarmos do casal.

13.49   Recordou Alexandre que a hora ia adiantada e devíamos entregar aos cônjuges felizes o sagrado depósito.

Os construtores, por intermédio do mentor que os dirigia, pediram-lhe fizesse a prece daquele ato de confiança e observei que profundo silêncio se fizera entre todos.

Dispunha-se o instrutor ao serviço da oração, quando Raquel se lhe aproximou, e pediu humilde:

— Boníssimo amigo, se é possível, desejaria receber meu novo filho, de joelhos!...

Alexandre aquiesceu sorrindo e, mantendo-se entre ela, genuflexa, e Adelino que se conservava, como nós outros, de pé, extremamente comovido, começou a orar, estendendo as mãos generosas para o Alto:

> *Pai de amor e sabedoria, digna-te abençoar os filhos de tua casa terrestre, que vão partilhar contigo, neste momento, a divina faculdade criadora! Senhor, faze descer, por misericórdia, a tua bênção neste ninho afetuoso, transformado em asilo de reconciliação. Aqui nos reunimos, companheiros de luta no passado, acompanhando o amigo que retorna ao testemunho de humildade e compreensão de tua lei!*
> *Ó Pai, fortifica-o para a travessia longa do rio do esquecimento temporário, permite que possamos manter sempre viva a sua esperança, ajuda-nos, ainda e sempre, para que possamos vencer todo o mal!*
> *Concede aos que recebem agora o novo ministério de orientação do lar, com o nascimento de um novo filho, a tua luz generosa e santificada, que dissipa todas as sombras! Fortalece-lhes, Senhor, a noção de responsabilidade, abre-lhes a porta de tua confiança sublime, conserva-os na bendita alegria de teu amor desvelado! Restaura-lhes as energias para que recebam, jubilosos, a missão da renúncia até o fim,*

santifica-lhes os prazeres para que não se percam nos despenhadeiros da fantasia!
Este, Senhor, é um ato de confiança de tua bondade infinita que desejamos honrar para sempre! Abençoa, pois, o nosso trabalho amoroso e, sobretudo, Pai, suplicamos tua graça para a nossa irmã que se entrega, reverente, ao divino sacrifício da maternidade. Unge-lhe o coração com a tua magnanimidade paternal, intensifica-lhe o bom ânimo, dilata-lhe a fé no futuro sem-fim! Sejam para ela, em particular, os nossos melhores pensamentos, nossos votos de paz e esperanças mais puras!
Acima de tudo, porém, Senhor, seja feita a tua vontade em todos os recantos do Universo, e que nos caiba, a nós, humildes servos de teu reino, a alegria incessante de reverenciar-te e obedecer-te para sempre!...

13.50 Calara-se Alexandre, observando eu que todo o aposento se enchia de novas luzes. Reconheci que de todos nós, entidades espirituais que ali nos congregávamos, partiam raios luminosos que se derramavam sobre Raquel em pranto de emoção sublime, mas o fenômeno radioso não se circunscreveu a isto. Tão logo o meu orientador se calara, alguma coisa parecia responder à sua súplica. Leve rumor, que apenas encontrava eco em nossos ouvidos, se fazia sentir acima de nossas cabeças. Ergui-me surpreso, e pude ver que uma coroa brilhante e infinitamente bela descia do Alto sobre a fronte de Raquel, ajoelhada, em silêncio. Tive a impressão de que a auréola se compunha de turmalinas eterizadas, que miraculoso ourives houvera tornado resplandecente. Seu brilho feria-nos o olhar e o próprio Alexandre, ao fixá-la, curvou-se reverente. A coroa sublime, sustentada por Espíritos muito superiores a nós, que eu não podia ver, descansou sobre a fronte de Raquel.

13.51 Notei, embora a comoção do momento, que o meu instrutor fez um gesto à depositária de Segismundo, para que efetuasse a entrega do reencarnante aos braços maternais.

Raquel, dando-me a impressão de que não via a luminosa auréola, ergueu os olhos rasos de lágrimas e recebeu o depósito que o Céu lhe confiava. Alexandre estendeu-lhe a destra, ajudando-a a levantar-se, e vi que Adelino se aproximou da esposa, estreitando-a carinhosamente nos braços, beijando-lhe a fronte orvalhada de luz.

Foi então, ó divino mistério da Criação infinita de Deus!, que a vi apertar a "forma infantil" de Segismundo de encontro ao coração, mas tão fortemente, tão amorosamente, que me pareceu uma sacerdotisa do poder da Divindade suprema. Segismundo ligara-se a ela como a flor se une à haste. Então compreendi que, desde aquele momento, era alma de sua alma aquele que seria carne de sua carne.

Alexandre recomendou aos amigos presentes, com exceção dos construtores, de Herculano e de mim, que se afastassem da câmara, conduzindo Adelino, confortado e feliz, a pequena excursão pelo exterior, e, guiando Raquel, com infinito cuidado, ao corpo físico, disse-nos:

— Agora, auxiliemos nosso amigo no primeiro contato com a matéria mais densa.

Raquel acordara, experimentando no coração estranha ventura. Abraçou-se, instintivamente, ao companheiro adormecido, como o navegante feliz, ao sentir-se em porto de tranquilidade e segurança. Havia atravessado o espesso véu de vibrações que separa o plano espiritual da esfera física e não conservava qualquer reminiscência precisa da sublime felicidade de momentos antes; todavia, seu sentimento de júbilo permanecia dilatado, suas esperanças transbordavam e uma confiança imensa no porvir acalentava-lhe, agora, o coração. Seria mãe pela segunda vez? — pensava contente. Essa ideia, que lhe não despontava no cérebro por acaso, balsamizava-lhe a alma com deliciosa alegria. Estava pronta para o serviço divino da maternidade, confiaria no Senhor como escrava de sua bondade infinita.

13.52 Não via a esposa de Adelino que Alexandre e os construtores espirituais lhe rodeavam a mente de sublime luz, banhando-lhe as ideias com a água viva do amor espiritual.

Observando que a forma de Segismundo se ligara a ela, por divino processo de união magnética, recebi a determinação do meu orientador para seguir-lhe, de perto, o trabalho de auxílio na ligação definitiva de Segismundo à matéria.

Indicando os órgãos geradores de Raquel e fazendo incidir sobre eles a sua luz, Alexandre preveniu-me, quanto à grandeza do quadro sob nossa observação, acentuando, respeitosamente:

— Temos aqui o altar sublime da maternidade humana. Perante o seu augusto tabernáculo, ao qual devemos a claridade divina de nossas experiências, devemos cooperar, na tarefa do amor, guardando a consciência voltada para a Majestade suprema.

Inclinei-me para a organização feminina de nossa irmã reencarnada, dentro de uma veneração que nunca, até então, havia sentido.

Auxiliado pelo concurso magnético do mentor querençoso, passei a observar as minúcias do fenômeno da fecundação.

Por meio dos condutos naturais, corriam os elementos sexuais masculinos, em busca do óvulo, como se estivessem preparados de antemão para uma prova eliminatória, em corrida de três milímetros, aproximadamente, por minuto. Surpreendido, reconheci que o número deles se contava por milhões e que seguiam, em massa, para frente, em impulso instintivo, na sagrada competição.

No silêncio sublime daqueles minutos, compreendi que Alexandre, em vista de ser o missionário mais elevado do grupo em operação de auxílio, dirigia os serviços graves da ligação primordial. Segundo depreendi, ele podia ver as disposições cromossômicas de todos os princípios masculinos em movimento, depois de haver observado, atentamente, o futuro óvulo materno, presidindo ao trabalho prévio de determinação do sexo do corpo a organizar-se.

13.53   Após acompanhar, profundamente absorto no serviço, a marcha dos minúsculos competidores que constituíam a substância fecundante, identificou o mais apto, fixando nele o seu potencial magnético, dando-me a ideia de que o ajudava a desembaraçar-se dos companheiros para que fosse o primeiro a penetrar a pequenina bolsa maternal. O elemento focalizado por ele ganhou nova energia sobre os demais e avançou rapidamente na direção do alvo. A célula feminina que, em face do microscópico projetil espermático, se assemelhava a um pequeno mundo arredondado de açúcar, amido e proteínas, aguardando o raio vitalizante, sofreu a dilaceração da cutícula, à maneira de pequenina embarcação torpedeada, e enrijeceu-se, de modo singular, cerrando os poros tenuíssimos, como se estivesse disposta a recolher-se às profundezas de si mesma, a fim de receber, face a face, o esperado visitante, e impedindo a intromissão de qualquer outro dos competidores, que haviam perdido a primeira posição na grande prova. Sempre sob o influxo luminoso-magnético de Alexandre, o elemento vitorioso prosseguiu a marcha, depois de atravessar a periferia do óvulo, gastando pouco mais de quatro minutos para alcançar o seu núcleo. Ambas as forças, masculina e feminina, formavam agora uma só, convertendo-se ao meu olhar em tenuíssimo foco de luz. O meu orientador, absolutamente entregue ao seu trabalho, tocou a pequenina forma com a destra, mantendo-se no serviço de divisão da cromatina, cujas particularidades são ainda inacessíveis à minha compreensão, conservando a atitude do cirurgião seguro de si, na técnica operatória. Em seguida Alexandre ajustou a forma reduzida de Segismundo, que se interpenetrava com o organismo perispirítico de Raquel, sobre aquele microscópico globo de luz, impregnado de vida, e observei que essa vida latente começou a movimentar-se.

13.54 Havia decorrido precisamente um quarto de hora, a contar do instante em que o elemento ativo ganhara o núcleo do óvulo passivo.

Depois de prolongada aplicação magnética, que era secundada pelo esforço dos Espíritos construtores, Alexandre aproximou-se de mim e falou:

— Está terminada a operação inicial de ligação. Que Deus nos proteja.

Sentindo a admiração com que eu seguia, agora, o processo da divisão celular, em que se formava rapidamente a vesícula de germinação, o orientador acentuou:

— O organismo maternal fornecerá todo o alimento para a organização básica do aparelho físico, enquanto a forma reduzida de Segismundo, como vigoroso modelo, atuará como ímã entre limalhas de ferro, dando forma consistente à sua futura manifestação no cenário da crosta.

Estava boquiaberto, diante do que me fora dado observar. E, sentindo que o fenômeno da redução perispiritual de Segismundo era um fato espantoso aos meus olhos, acrescentou bondosamente o instrutor:

— Não se esqueça, André, de que a reencarnação significa recomeço nos processos de evolução ou de retificação. Lembre-se de que os organismos mais perfeitos da nossa casa planetária procedem inicialmente da ameba. Ora, recomeço significa "recapitulação" ou "volta ao princípio". Por isso mesmo, em seu desenvolvimento embrionário, o futuro corpo de um homem não pode ser distinto da formação do réptil ou do pássaro. O que opera a diferenciação da forma é o valor evolutivo, contido no molde perispirítico do ser que toma os fluidos da carne. Assim pois, ao regressar à esfera mais densa, como acontece a Segismundo, é indispensável recapitular todas as experiências vividas no longo drama de nosso aperfeiçoamento, ainda que seja por dias e horas breves, repetindo em curso rápido as etapas vencidas ou lições adquiridas, estacionando na posição em que devemos prosseguir no aprendizado. Logo depois da forma microscópica da ameba, surgirão no processo fetal de Segismundo os sinais da era aquática de nossa evolução e, assim por diante, todos os períodos de transição ou estações de progresso que a criatura já transpôs na jornada incessante do aperfeiçoamento, dentro da qual nos encontramos, agora, na condição de Humanidade.

13.55 A hora ia muito avançada.

Sentindo que Alexandre não se demoraria, acerquei-me, ainda uma vez, do quadro de formação fetal. O óvulo fecundado animava-se de profunda vida, evolutindo para a vesícula germinal.

O orientador amigo convidou-me à retirada e falou:

— Meu trabalho está findo. Entretanto, André, considerando as suas necessidades de valores novos, poderei solicitar aos construtores a aquiescência de sua cooperação fraterna nos serviços protetores, sempre que você conte com oportunidade de vir até aqui.

Rejubilei-me, encantado. Efetivamente, não desejava outra coisa. Aquele estudo de Embriologia, sob novo prisma, era fascinante e maravilhoso.

Enquanto dava expansão à minha alegria íntima, o obsequioso mentor combinava providências, relativas ao meu concurso e aprendizado simultâneos, ouvindo os companheiros.

Daí a momentos, quando trocávamos saudações de despedida, Herculano, com muita simpatia e acolhimento, declarou que permaneceria à minha espera, sempre que eu pudesse voltar à residência de Adelino, para colaborar nos trabalhos de proteção.

14
Proteção

14.1　No dia imediato, logo que descansei de meus quefazeres cotidianos, atinentes à tarefa comum, regressei, ansioso, ao lar de Raquel.

Era noite alta, encontrando ali o amigo fiel de Segismundo e os Espíritos construtores, operando na intimidade afetuosa que caracteriza as reuniões das entidades superiores.

Apuleio, o chefe, recebeu-me com amabilidade.

A esposa de Adelino, ao contrário da véspera, não passava bem, fisicamente. Embora mantivesse o corpo em posição de repouso, estava superexcitada, inquieta:

— Nossa irmã Raquel — esclareceu-me o diretor — começa a sentir o esforço de adaptação. Por enquanto, e, durante alguns dias, permanecerá indisposta; todavia, a ocorrência é passageira.

— Não conseguirá dormir? — perguntei.

— Mais tarde — respondeu ele —; por agora, terá o sono reduzido, até que se formem os folhetos blastodérmicos.[31] É o

---

[31] N.E.: Referente a *blastoderme*, porção do zigoto dos mamíferos que dá origem ao embrião, constituída por dois folhetos.

serviço inicial do feto e não podemos dispensar-lhe a cooperação ativa.

Observei, interessado, a extraordinária movimentação celular, no desenvolvimento da estrutura do novo corpo em formação e anotei o cuidado empregado pelos Espíritos presentes para que o disco embrionário fosse esculturado com a exatidão devida.

14.2

— A engenharia orgânica — exclamou o chefe do trabalho bem-humorado — reclama bases perfeitas. O corpo carnal é também um edifício delicado e complexo. Urge cuidar dos alicerces com serenidade e conhecimento.

Reconheci que o serviço de segmentação celular e ajustamento dos corpúsculos divididos ao molde do corpo perispirítico, em redução, era francamente mecânico, obedecendo a disposições naturais do campo orgânico, mas toda a entidade microscópica do desenvolvimento da estrutura celular recebia o toque magnético das generosas entidades em serviço, dando-me a ideia de que toda a célula-filha era convenientemente preparada para sustentar a tarefa da iniciação do aparelho futuro.

No intuito talvez de justificar o desvelo empregado, Apuleio explicou-me atencioso:

— Temos grandes responsabilidades na missão construtiva do mecanismo fetal. Há que remover empecilhos e auxiliar os organismos unicelulares do embrião, na intimidade do útero materno, para que a reencarnação, por vezes tão dificilmente projetada e elaborada, não venha a falhar, de início, por falta de colaboração do nosso plano, onde são tomados os compromissos.

Escutava-lhe a palavra experiente e sábia, com muita atenção, a fim de aproveitar-lhe todo o conteúdo educativo.

— Em razão disto — prosseguiu ele —, o aborto muito raramente se verifica obedecendo a causas de nossa esfera de ação. Em regra geral, origina-se do recuo inesperado dos pais terrestres, diante das sagradas obrigações assumidas ou aos excessos de leviandade e inconsciência criminosa das mães, menos preparadas na responsabilidade e na compreensão para este ministério divino. Entretanto, mesmo aí, encontrando vasos maternais menos dignos, tudo fazemos, por nossa vez, para opor-lhes resistência aos projetos de fuga ao dever, quando essa fuga representa mero capricho da irresponsabilidade, sem qualquer base em programas edificantes. Claro, porém, que a nossa interferência no assunto, se tratando de luta aberta contra nossos amigos reencarnados, transitoriamente esquecidos da obrigação a cumprir, tem igualmente os seus limites. Se os interessados, retrocedendo nas decisões espirituais, perseveram sistematicamente contra nós, somos compelidos a deixá-los entregues à própria sorte. Daí, a razão de existirem muitos casais humanos, absolutamente sem a coroa dos filhos, visto que anularam as próprias faculdades geradoras. Quando não procederam de semelhante modo no presente, sequiosos de satisfação egoística, agiram assim, no passado, determinando sérias anomalias na organização psíquica que lhes é peculiar. Neste último caso, experimentam dolorosos períodos de solidão e sede afetiva, até que refaçam, dignamente, o patrimônio de veneração que todos nós devemos às leis de Deus.

14.3 As definições do chefe dos construtores aclaravam-me o raciocínio, referentemente a graves problemas da luta humana.

Interessado em aprender, cooperando, busquei tomar a posição do trabalhador, procurando o serviço que me competia, no campo de auxílio magnético às organizações celulares.

Mais tarde, porém, antes de me retirar, aproximei-me do diretor, a fim de recolher algumas informações.

Impressionavam-me certas minudências do trabalho que se levara a efeito na noite anterior. Por que processo conseguira localizar-se a ligação inicial de Segismundo ao futuro corpo, nos órgãos geradores de Raquel? E o problema do elemento masculino mais apto? Em todos os casos de fecundação, amigos da condição de um Alexandre deveriam funcionar no serviço de escolha?

Apuleio ouviu-me, com a benevolência que caracteriza as entidades elevadas, e informou: **14.4**

— Passividade não significa ausência de cooperação. Quando Raquel aceitou a tarefa maternal, fê-lo com decisão e obediência construtiva. Ela recebeu Segismundo em seu organismo perispiritual, e, mobilizando os poderes naturais de sua mente, situou-lhe o molde vivo na esfera uterina, com a mesma espontaneidade de outros processos orgânicos, superintendidos pela atividade mecânica subconsciente, cujo automatismo traduz a conquista de experiências multimilenárias da alma reencarnada. Para os círculos da mulher é tão fácil a ambientação das forças criativas, como é natural para o homem a manutenção da atitude patriarcal e protetora, enquanto perdura a existência dos laços paternais.

Percebendo-me a intenção de aproveitar-lhe os informes para pequenino esforço meu, no sentido de escrever para leitores encarnados, Apuleio acentuou:

— Teríamos grandes dificuldades em explicar aos homens terrestres o fenômeno da adaptação das energias criativas, no útero materno, nos processos da reencarnação. Por enquanto, a tendência da maioria dos nossos irmãos encarnados encaminha-se para a materialização de todos os nossos esclarecimentos. É preciso esperar mais tempo para ministrar-lhes certas informações que, por agora, seriam para eles incompreensíveis.

E, sorrindo, prosseguiu:

— Eles se alimentam, diariamente, de formas mentais, sem utilizarem a boca física, valendo-se da capacidade de absorção do organismo perispirítico, mas ainda não sentem a extensão desses fenômenos em suas experiências diárias. No lar, na via pública, no trabalho, nas diversões, cada criatura recebe o alimento mental que lhe é trazido por aqueles com quem convive, temperado com o magnetismo pessoal de cada um. Dessa alimentação dependem, na maioria das vezes, mormente para a imensa percentagem de encarnados que ainda não alcançaram o domínio das próprias emoções, os estados íntimos de felicidade ou desgosto, de prazer ou sofrimento. Segundo você pode observar, também o homem absorve matéria mental, em todas as horas do dia, ambientando-a dentro de si mesmo, nos círculos mais íntimos da própria estrutura fisiológica.

14.5   O chefe dos construtores fixou-me, bem-humorado, a expressão de surpresa, ao lhe receber elucidações tão simples, em assunto tão complexo, e acrescentou:

— Em sua experiência última na crosta, quando envergava os fluidos carnais, nunca sentiu a perturbação do fígado, depois de um atrito verbal? Jamais experimentou o desequilíbrio momentâneo do coração, recebendo uma notícia angustiosa? Por que a desarmonia orgânica, se a hora em curso era, muitas vezes, de satisfação e felicidade? É que, em tais momentos, o homem recebe "certa quantidade de força mental" em seu campo de pensamento, como o fio recebe a "carga de eletricidade positiva". O ponto de recepção está efetivamente no cérebro, mas se a criatura não está identificada com a lei de domínio emotivo, que manda selecionar as emissões que chegam até nós, ambientará a força perturbadora dentro de si mesmo, na intimidade das células orgânicas, com grande prejuízo para as zonas vulneráveis.

Apuleio, com muita serenidade, fez ligeiro intervalo e considerou:

— Se é muito difícil explicar aos homens encarnados fatos rotineiros como esses a que nos referimos, repetidos com eles dezenas de vezes, durante cada dia de luta carnal, como informá-los, com exatidão e minúcias, quanto à ambientação do molde vivo para a edificação fetal na intimidade uterina?

Precisamos esperar pelo concurso do tempo para conjugar as nossas experiências.

Animado com as elucidações recebidas, observei:

14.6

— Tem razão. Ainda hoje, embora a minha condição de desencarnado, não me sinto à altura de receber determinadas notícias, sem alterações do meu campo emocional.

— Muito bem! — falou o diretor satisfeito — é que você está fazendo o longo curso de autodomínio. Somente depois dele, saberá selecionar as forças que o procuram, ambientando nas zonas íntimas de sua alma apenas aquelas de teor reconfortante ou construtivo.

Em seguida, fornecendo-me a impressão de desejar manter-se dentro do assunto em exame, Apuleio prosseguiu:

— Quanto às suas observações alusivas à colaboração de Alexandre na escolha do elemento masculino de fecundação, cumpre-me acentuar que não podemos contar em todos os casos com esse concurso, que depende do setor de merecimento. Entretanto, quando o fator magnético não procede de cooperação elevada dessa ordem, devemos considerar que ele prevalece do mesmo modo, compreendendo-se que a esfera passiva está igualmente impregnada de energias da atração. Se o elemento masculino da fecundação está repleto de força positiva, o óvulo feminino está cheio de força receptiva. E se esse óvulo está imantado de energias desequilibrantes, naturalmente exercerá especial atração sobre o elemento que se aproxime da sua natureza intrínseca. Em vista disso, meu amigo, a célula masculina que atinge o óvulo em primeiro lugar, para fecundá-lo, não é a mais apta em sentido de "superioridade", mas em sentido de "sintonia magnética", em todos os casos de fecundação para o mundo das formas. Esta é a lei, pela qual os geneticistas do globo são muitas vezes surpreendidos em suas observações, em face das mudanças inesperadas na estrutura de vários tipos, dentro das mesmas espécies. As células possuem também o seu "individualismo magnético" algo independente, no campo das manifestações vitais.

14.7 Nesse ponto, o diretor sorriu, prosseguindo:

— Se a mulher pode exercer a sua influência decisiva na escolha do companheiro, também a célula feminina, na maioria das vezes, pode exercer a sua atuação na escolha do elemento que a fecundará. Claro que nos referimos aqui a problema de ciência física, sem alusão aos problemas espirituais das tarefas, missões ou provas necessárias.

Identificando-me o silencioso gesto de interrogação, o diretor observou:

— Sim, porque nas obrigações determinadas de certos Espíritos na reencarnação, as autoridades de nossa esfera de luta dispõem de suficiente poder para intervir na lei biogenética, dentro de certos limites, ajustando-lhe as disposições, a caminho de objetivos especiais.

Nesse momento, porém, nossa conversação foi interrompida.

Pequeno grupo de entidades amigas pedia a presença de Apuleio, fora da câmara de serviço.

Muito gentil, o chefe de trabalho convidou-me a acompanhá-lo.

Apresentou-se o grupo com desembaraço. Constituía-se de duas senhoras desencarnadas, amigas de Raquel, e de um amigo de Segismundo, desejosos de testemunhar-lhes afeto e dedicação, na experiência em curso. Vinham de nossa colônia espiritual, em serviço de assistência a familiares detidos na crosta, e pretendiam aproveitar a oportunidade para a visita carinhosa.

O diretor ouviu-nos atencioso, bem-humorado, mas, com imensa surpresa para mim, observou:

— Como responsáveis pela organização primordial do novo corpo de carne do nosso irmão Segismundo, agradecemos a atenção de todos, porém, não podemos autorizar a visita a esta hora. Estamos aproveitando o escasso tempo de harmonia relativa que a mente maternal nos oferece para delicados serviços de magnetização celular mais urgente.

E sorrindo afável, acrescentou:

14.8

— Depois do vigésimo primeiro dia, porém, quando o embrião atingir a configuração básica, nossos amigos podem ser visitados a qualquer hora, salientando-se que, a esse tempo, ambos, mãe e filho, conseguirão ausentar-se do corpo com facilidade. Por enquanto, nosso amigo Segismundo não pode afastar-se e a nossa irmã Raquel, ainda mesmo em estado de sono físico, é obrigada a permanecer junto de nós, a pequena distância.

— Não há dúvida! — replicou o cavalheiro de nossa esfera — não desejamos perturbar o desenvolvimento do trabalho.

— Sabemos que Raquel ficaria muitíssimo comovida com o nosso abraço pessoal — comentou uma das senhoras. — A alegria inesperada, de qualquer modo, é também um choque.

— É o que precisamos evitar — replicou Apuleio satisfeito —; desejo, todavia, fazer-lhe sentir que Segismundo necessita de amparo espiritual de todos nós. Temos recomendação de notificar a todos os seus amigos, quanto a presente reencarnação dele, a fim de que venham até aqui, quando lhes seja possível, não somente para beneficiá-lo com os valores do estímulo espiritual, senão também para colaborarem com as suas vibrações de simpatia na organização harmoniosa do feto.

— Voltaremos na primeira oportunidade — exclamou uma das visitantes que, até ali, se mantivera silenciosa. — Precisamos colaborar em benefício de Raquel.

E acentuou sorridente:

— Temos uma série de excursões espirituais para as próximas noites dela. Faremos tudo por oferecer-lhe um estado de alma confiante e feliz. Diversas amigas se encontram avisadas para esse fim.

14.9   — Muito bem! — respondeu o diretor atencioso.

Logo após, despediam-se os visitantes, enquanto eu registrava mais uma preciosa lição do plano espiritual.

A sós, de novo, Apuleio esclareceu-me bondoso:

— O momento que atravessamos é delicado e não podemos distrair a atenção.

E, noite a noite, penetrei na câmara de trabalho reencarnacionista, aprendendo e cooperando, para melhor conhecer a generosidade dos benfeitores espirituais e a sabedoria de Deus, manifesta em todas as coisas.

Depois da vesícula germinal, com a cooperação magnética dos construtores para cada célula, formaram-se os três folhetos blastodérmicos, aproveitando-se o molde que Raquel idealizara mentalmente para o futuro filhinho, que foi aplicado sobre o modelo vivo de Segismundo, em processo de nova reencarnação.

Reparei que os trabalhos dos técnicos espirituais eram, em tudo, semelhantes aos serviços que acompanhara na sessão de materialização de desencarnados. Tomava-se concurso do interessado, valia-se da colaboração de Raquel, que, no caso, tomava a função de "médium" da vida, mobilizavam-se amigos, utilizava-se de recursos magnéticos, requisitava-se o auxílio direto e positivo de Adelino, o futuro pai de Segismundo, como se requeria, na sessão, o concurso do orientador mediúnico sobre as forças passivas da intermediária. O símile era completo, apenas com a diferença de que, nos trabalhos de materialização dos desencarnados, gastavam-se algumas horas de preparação para um ressurgimento incompleto e transitório, ao passo que ali se gastariam nove meses consecutivos para uma reencarnação tangível da alma, em caráter mais ou menos longo e definitivo.

Com o transcurso dos dias, formava-se o novo corpo de Segismundo, célula a célula, dentro de um plano simples e inteligente.

14.10 Prosseguindo nas observações metódicas, verifiquei que o folheto blastodérmico inferior, obedecendo às disposições do molde vivo, enrolava-se, apresentando os primórdios do tubo intestinal, ao passo que o folheto superior tomava o mesmo impulso de enrolamento, formando os tubos epidérmico e nervoso. O folheto médio, assumindo feição especialíssima, dava lugar às primeiras manifestações da coluna vertebral, dos músculos e vasos diversos.

O tubo intestinal, em certas regiões, começou a dilatar-se, dando origem ao estômago e às alças de vária espécie e revelando, em seguida, determinados movimentos de invaginação, interna e externamente, organizava, aos poucos, as estrias inferiores e superiores, constituídas de pregas, vilosidades e glândulas. O tubo cutâneo começava o serviço de estruturação complicada da pele, ao mesmo tempo em que o tubo nervoso dobrava-se paulatinamente sobre si mesmo, preparando a oficina encefálica. Enquanto isso ocorria, as substâncias do folheto médio transformavam-se de modo surpreendente. E, dia a dia, eram para mim cada vez mais belas as lições que recebia, observando, então, por que disposições maravilhosas segmenta-se o cordão axial em vértebras que abraçam o tubo nervoso na parte superior e o tubo intestinal na zona inferior.

O serviço dos Espíritos construtores, aliado à dedicação de Herculano, revelava ensinamentos sempre novos.

Não seria possível descrever-lhes as minúcias de carinho na construção da nova morada carnal de Segismundo. Trabalhavam com zelo inexcedível, desenvolvendo vasto sistema de garantia das organizações celulares. Por vezes, nos pródromos da formação dos órgãos mais importantes, detinham-se em oração, suplicando as bênçãos de Jesus para a tarefa iniciada e observei que, sempre que isso acontecia, brilhantes luzes, procedentes do Alto, derramavam-se pela câmara, incentivando-lhes a ação.

O trabalho assumia características de verdadeira revelação divina. Para fixá-lo em particularidades, seria preciso esquecer a finalidade doutrinária de nossas singelas observações, resvalando para o campo da técnica, propriamente dita, esforço descritivo esse que tem sido objeto de longas considerações dos tratadistas do assunto e que devem servir ao investigador de puras informações de ordem material, nos setores da inteligência.

4.11 A primeira célula da fecundação estava transformada em um verdadeiro mundo de organização ativa e sábia. O embrião revelava-se notavelmente desenvolvido.

Na parte anterior, o tubo intestinal dava origem ao esôfago, enquanto que o intestino, com as suas disposições complexas, situava-se na região posterior; internamente, fizera-se nele perfeito serviço de pregueamento, salientando-se que, na zona interior, se formavam pregas e vilosidades, e, na parte exterior, se organizavam saliências que, por sua vez, pouco a pouco se convertiam em glândulas diversas.

Prosseguia, célere, a formação dos vários departamentos cerebrais, a preparação das glândulas sudoríparas e sebáceas, os órgãos autônomos, os vasos sanguíneos, os músculos e ossos.

No vigésimo dia de serviço, Apuleio mostrava-se muito satisfeito. Informou-me de que o trabalho básico estava pronto. Alguns cooperadores poderiam mesmo afastar-se. Para a continuidade da tarefa, bastariam dois deles, associados ao esforço contínuo de Herculano.

Nesse dia, a futura forma física de Segismundo, acomodada no líquido amniótico, proporcionou-me a perfeita impressão de um peixe. Não faltavam, para isto, nem mesmo as reentrâncias branquiais que se revelavam no feto, com exatidão absoluta, falando-nos do serviço de recapitulação em curso e das reminiscências das velhas épocas de nossa passagem pelas correntes marinhas.

Na noite do vigésimo primeiro dia, abriu-se a porta magnética da câmara de Raquel à visitação afetiva.

Não foram poucos os amigos espirituais que aguardavam 14.12
o momento feliz.

A futura mãezinha, desligada do corpo pela doce influência do sono, sentia-se aliviada e quase ditosa.

Apuleio e os companheiros, bem como Herculano, foram cumprimentados com alegria e emoção.

Alguns amigos de Adelino haviam chegado, igualmente, no propósito de felicitá-lo e de prestar-lhe o concurso possível.

Notei que Segismundo fora igualmente aliviado. Os fios tenuíssimos que ligam os encarnados ao aparelho físico, quando em estado de temporária libertação, prendiam-no também à organização fetal. À medida que Raquel se afastava, também ele podia afastar-se, não lhe sendo, porém, possível abandonar a companhia maternal. Raquel asilava-o nos braços carinhosos, enquanto sorria, ali conosco, fora do campo material mais denso.

Reconheci que a trégua se verificara para todos, com exceção de Herculano, que não arredou da câmara, mantendo-se vigilante. Os construtores, de modo geral, estabeleceram uma grande pausa no serviço, e enquanto os amigos de Adelino o conduziram a planos diferentes, para certas informações que lhe eram necessárias, acompanhei o grupo que formava com Raquel e o filhinho uma assembleia de esperança e alegria. Muitas afeições reunidas conduziam-nos, a ambos, a extenso jardim da própria crosta e, no momento em que o Sol anunciava, de longe, o seu reaparecimento no hemisfério, oramos em conjunto, louvando a bondade de Deus, que nos enchera de bênçãos o caminho evolutivo.

Em seguida, reparei que muitos amigos desencarnados, ali presentes, compunham tônicos e bálsamos reconfortadores com as emanações das plantas e das flores, derramando-os sobre Raquel e o filhinho, fortificando-os para a luta. Era belo comprovar-lhe o carinho fraternal naquelas demonstrações de devotamento e ternura. Aprendia, extasiado, mais uma lição, na esfera espiritual. Como as aves viajoras que sabem buscar longe a penugem suave para o ninho e o precioso alimento para os filhotinhos recém-natos, a alma das mães devotadas e carinhosas sabe atravessar grandes distâncias, à procura de elementos cariciosos para a formação do ninho de carne em que um filhinho bem-amado deve renascer.

14.13 O serviço de organização fetal prosseguiu normalmente, em vista dos hábitos respeitáveis do casal, que, dia a dia, parecia mais integrado com a assistência de nossa esfera de ação.

O desenvolvimento da futura forma de Segismundo compelia Raquel a verdadeiros sacrifícios orgânicos; contudo, em cada noite, pela madrugada, repetiam-se as excursões espirituais que ela e o filho recebiam dos afetos de nosso plano. O trabalho de Herculano mereceu a cooperação de inúmeros amigos. Rara a noite em que não vinham Espíritos, agradecidos a Segismundo, velar pela harmonia da sua nova reencarnação, prestando a casa, aos pais e a ele os mais variados auxílios.

Terminado o período de minhas observações fundamentais, também eu não voltei ao lar de Adelino com a mesma assiduidade. Não obstante continuar interessado no trabalho em processo, somente regressava à câmara da reencarnação, de tempos em tempos, compelido por outro gênero de serviços, junto de Alexandre.

Todavia, na véspera do nascimento da nova forma física de Segismundo, lá compareci, em companhia do meu venerável orientador, que fazia questão de cooperar para o fortalecimento maternal, no momento culminante.

Depois de prolongados esforços em que senti, mais uma vez, a sublime glorificação da esposa–mãe, Segismundo renascia...

Assombrado com a vigorosa assistência espiritual que a nossa esfera dispensava ao assunto, ouvi Alexandre falar comovido:

14.14 — Está pronto o serviço de reencarnação inicial. O trabalho completo, com a plena integração de nosso amigo nos elementos físicos, somente se verificará de agora a sete anos!

Admirado e enternecido em minhas fibras mais íntimas, envolvi-me nas preces de agradecimento que formulávamos ao Senhor, reconhecendo o tesouro divino que constituía a dádiva de um corpo carnal para a nossa experiência e aprendizado na superfície da Terra.

15
Fracasso

15.1   Verificando o meu aproveitamento no caso de Segismundo, Alexandre, sempre gentil, ao despedir-se dos construtores, dirigiu-se ao diretor deles, asseverando:

— Agradeço a você, Apuleio, quanto fez por André nestes últimos dias. Nosso companheiro não esquecerá o seu concurso amável.

O diretor sorriu, disse-me palavras de encorajamento, e, quando se dispunha a sair, em definitivo, meu orientador lhe observou:

— Nosso amigo, porém, necessita consolidar os ensinamentos recebidos. André acompanhou um caso normal de reencarnação, no qual um esposo honesto cedeu, inicialmente, aos nossos rogos para que Segismundo renascesse com a serenidade imprescindível. Viu, de perto, um coração maternal sensível e devotado, e permaneceu, em estudo, em uma câmara conjugal defendida pelo poder sagrado da prece e reconfortada pela proteção do plano superior. Entretanto, seria justo observasse algum processo diferente, dos que existem por aí às centenas, em que somos defrontados por obstáculos de toda espécie. Ficaria, desse modo, habilitado a conhecer a extensão e complexidade de nosso esforço em defender companheiros imprevidentes, que menosprezam a responsabilidade moral, fugindo aos compromissos.

E, fixando um gesto de carinho fraterno, interrogou: **15.2**

— Não terá você, presentemente, um caso dessa ordem, no qual André possa recolher as lições precisas?

— Temos, sim — esclareceu Apuleio, atenciosamente —, temos o caso Volpíni.

E, porque Alexandre ignorasse o processo a que se referia, continuou:

— Logo depois de organizar as bases de Segismundo, ocupei-me de outros serviços da mesma natureza e, entre esses, foi confiada à nossa vigilância a tarefa relativa ao irmão que mencionei. Creiam que tudo movimentamos no setor de assistência para evitar o fracasso do trabalho, entretanto, tenho a experiência por absolutamente impraticável.

— Quer dizer, então — redarguiu o meu instrutor com sabedoria —, que a futura mãe não correspondeu à expectativa do nosso plano de ação...

— Isto mesmo — prosseguiu o interlocutor. — Enquanto os desequilíbrios se localizam na esfera paternal ou procedem da influência de entidades malignas, simplesmente, há recursos a interpor; no entanto, se a desarmonia parte do campo materno, é muito difícil estabelecer proteção eficiente. A pobre criatura, por duas vezes sucessivas, provocou o aborto inconsciente pelo excesso de leviandades e, atualmente, será vítima das próprias irreflexões pela terceira vez, segundo parece. Debalde temos oferecido o socorro de que podemos dispor. A infeliz deixou-se empolgar pela ideia de gozar a vida e irmanou-se a entidades desencarnadas da pior espécie, que, para acentuar os seus planos sombrios, separaram-na do próprio companheiro, ansiosas por lhe precipitarem o coração na esfera das emoções baixas.

15.3   Enquanto Alexandre o ouvia, em silêncio, Apuleio continuava, depois de longo intervalo:

— Volpíni atingiu agora o sétimo mês de gestação da nova forma física, mas a noite próxima será decisiva para ele. Já recebi um apelo dos colaboradores que ficaram nas imediações do caso, em serviço ativo, no sentido de evitar certas extravagâncias da futura mãe, projetadas para hoje; entretanto, não creio sejamos por ela obedecidos. A organização fetal não se encontra em condições de suportar novos desequilíbrios, e, se a pobrezinha não despertar para o dever, abrirá, ainda hoje, uma terceira falência. Se André puder vir conosco, dar-nos-á muito prazer.

Alexandre, que me parecia muito circunspecto, naquele momento, dando a ideia de quem não desejava cultivar qualquer comentário menos edificante, considerou:

— Nosso companheiro irá com vocês. Por vezes, para preservar convenientemente a saúde, é preciso conhecer as enfermidades; para cultivar o bem, é necessário não ignorar a existência do mal.

Com efeito, à noitinha, chegávamos Apuleio, dois companheiros dele e eu, a uma residência confortável e de aparência distinta.

O grande relógio de parede mostrava 19h55.

Seguindo o diretor, penetramos um aposento bem mobiliado, no qual se encontravam três entidades desencarnadas, de horrenda figura, que, em virtude do baixo padrão vibratório, não perceberam a nossa presença. Conversavam entre si, combinando medidas detestáveis que não cabe relacionar aqui. A certa altura da palestra, porém, referiam-se ao caso da reencarnação, de maneira franca:

— Não sei — comentou um daqueles perversos inimigos do bem — por que arte infernal vem resistindo o intruso. Despejá-lo-emos na primeira oportunidade.

— Quando isto ocorre — disse outro — é que há "mãos de anjos" trabalhando por trás.

— Pois que vão para o Inferno! — exclamou o que parecia mais cruel. — Veremos quem pode mais. Cesarina já nos pertence noventa por cento. Atende perfeitamente aos nossos propósitos. Por que um filho intrujão em nossos planos? É preciso combater até o fim.

15.4

— No entanto — considerou o terceiro, que, até então, se mantinha em silêncio —, há mais de seis meses estamos trabalhando em vão por alijá-lo!

— Temos, porém, conseguido muito — tornou o mais revoltado —; não creio que ele se possa aguentar por muito tempo. Talvez hoje façamos o resto. Um filho viria roubar-nos, talvez, a boa companheira com que contamos agora. Todas as atenções dela convergiriam para ele e o nosso prejuízo seria enorme, mas, se existem "mãos de anjo" trabalhando, temos "mãos de demônios" para agir também. Já vencemos duas vezes; por que não vencer agora, igualmente?

— E se o filho vier — considerou um dos interlocutores —, certamente virá o esposo de regresso. Não poderemos conservá-lo à distância, por mais tempo, caso isso se verifique.

— Isto, nunca! — respondeu o adversário mais feroz, com inflexão sinistra.

Como era diferente aquela paisagem interior, comparativamente à câmara de Raquel, na qual levara a efeito tão formosas observações, referentes à tarefa reencarnacionista! O aposento mantinha-se absolutamente desguarnecido de defesas magnéticas e não se via o movimento de visitação espiritual da esfera superior que caracterizava a formação do novo corpo de Segismundo.

— Está observando? — falou Apuleio gentil — nem sempre a nossa tarefa se desdobra ao longo dos jardins afetivos. Muitas vezes, devemos operar sob verdadeiras tormentas de ódio, que desintegram nossos melhores elementos magnéticos de cooperação. Este caso é típico.

15.5   Recordei que a residência de Adelino se enchia diariamente de afeições do plano espiritual, e perguntei:

— Mas a futura mãe não dispõe de relações em nossa esfera?

— De qualquer modo — respondeu ele —, sempre temos bons amigos na zona superior àquela em que nos encontramos; todavia, em certas circunstâncias, afastamo-nos voluntariamente deles. Cesarina poderia contar com diversas amizades; no entanto, ela mesma se incumbe de obrigá-las à ausência.

Impressionado, considerei:

— Não terá ela, contudo, um pai ou mãe, em nossos círculos espirituais, que tome a si o sacrifício de defendê-la?

— Tem um pai que a estima com extremos de afeto — esclareceu o diretor —, no entanto, sofria imerecidamente pela filha leviana e grosseira, e tanto padeceu por ela que os seus superiores, em nossa colônia espiritual, submeteram-no a tratamento para olvido temporário da filha querida, até que ele possa se recordar e se aproximar dela sem angústias emotivas.

O assunto era novo para mim. Havia, então, recursos para aplicação do esquecimento no mundo das almas?

Apuleio sorriu bondoso, e falou:

— Não tenha dúvida. Em nossa esfera, a dureza e a ingratidão não podem perseguir o amor puro. Quando as almas reencarnadas se revelam impermeáveis ao reconhecimento e à compreensão, distanciamo-nos delas, naturalmente, ainda mesmo quando encerrem para nós valiosas joias do coração, até que se integrem no conhecimento das Leis de Deus e se disponham a segui-las, em nossa companhia. Quando somos fracos, porém, embora muito amoráveis, e não nos sentimos com a precisa coragem para o afastamento necessário, se merecemos o auxílio de nossos maiores, somos favorecidos com o tratamento magnético que opera em nós o esquecimento passageiro.

Nesse instante, Cesarina penetrou no quarto, seguida dos Espíritos construtores que velavam por Volpíni, o reencarnante.

15.6

Enquanto a senhora se sentava à frente de grande espelho, dando início a complicados arranjos de apresentação festiva, os cooperadores de Apuleio se aproximavam, saudando-nos atenciosos.

— Infelizmente — disse um deles ao chefe —, a situação é muito grave. É impossível prosseguir em nosso esforço de assistência, com o êxito desejável. Nossa irmã afunda-se, cada vez mais, nos desequilíbrios destruidores. Unindo-se voluntariamente — e indicou as entidades viciosas que a cercavam — a estes adversários infelizes, entrega-se, agora, a prazeres e abusos de toda sorte. Seus desvios sexuais, nos últimos dias, têm sido lastimáveis, e enorme é a quantidade de alcoólicos, aparentemente inofensivos, de que tem feito consumo sistemático. Aliados semelhantes distúrbios às vibrações desordenadas do plano mental, vemos que a posição de Volpíni é insustentável, não obstante nossos melhores esforços de socorro.

Apuleio ouviu as graves notificações em silêncio e observou em seguida:

— Já sei o que se projeta para esta noite.

— Sim — considerou o interlocutor —, apelamos para a sua autoridade, porque a organização fetal não poderá resistir a uma nova investida.

O diretor convidou-me a examinar a gestante. Ao lado dela, permaneciam as entidades inferiores a que me referi, que demonstravam absoluta ignorância de nossa presença.

Cesarina, com o excessivo cuidado das mulheres demasiadamente vaidosas e inscientes da responsabilidade moral, utilizava certos recursos para disfarçar o aspecto da gravidez adiantada, deixando adivinhar que se preparava com esmero para uma noitada de fortes emoções.

15.7   Fixei minha atenção no feto, auxiliado pelo chefe dos construtores, mas não pude esconder minha surpresa e compaixão.

O caso Volpíni era muito diferente do processo de reencarnação verificado em casa de Raquel. A forma física embrionária demonstrava manchas violáceas, revelando dilacerações. Pequeninos monstros, somente perceptíveis ao nosso olhar, nadavam no líquido amniótico, invadindo o cordão umbilical e apropriando-se da maior parte do delicado alimento reservado ao corpo em formação. Toda a placenta era assediada por eles, provocando-me terrível impressão.

Percebi, pela intensa anormalidade dos órgãos geradores, que o aborto não poderia demorar-se.

Apuleio, igualmente, endereçando-me expressivo gesto com a cabeça, acusava forte preocupação.

Abandonou subitamente o exame e falou-nos:

— Se a infeliz obcecada pelos prazeres criminosos não se deter, nesta noite, a organização fetal será expelida até amanhã.

Depois de pensar alguns momentos, salientou:

— Tentarei o derradeiro recurso.

Apuleio dirigiu-se ao interior doméstico e voltou, seguido de uma senhora idosa.

— Esta — disse-me ele, indicando-a — é a dona da casa e velha amiga de Cesarina, suscetível de receber-nos a influenciação. Aproveitar-lhe-ei o concurso para que a nossa desventurada irmã, de futuro, não possa dizer que lhe faltou assistência e conselho adequado.

Em um gesto de bondade, já observado por mim em diversos superiores do nosso plano, colocou a destra sobre a fronte da recém-chegada, que se acercou de Cesarina com muita ternura, e falou:

— Minha amiga, estou receosa por você... Não vá. Desconfie de certas amizades, pouco dignas. Seu estado, Cesarina, é melindroso. Por que exceder-se? Uma festa de aniversário, em pleno bar, não pode servir às suas necessidades presentes. Abriguei você, em nossa residência, como se o fizesse a uma filha e devo estar vigilante. Nutro a esperança de vê-la reaproximar-se do esposo, que, segundo creio, deve estar ausente por simples questão de incompatibilidade de gênios, mas, se você não se defende do mal, como atender à situação?

15.8 Um dos infelizes seres da ignorância e da sombra que perseguiam Cesarina, por invigilância dela, envolveu-a nos braços, como se desejasse comunicar-lhe o seu estranho e perigoso magnetismo. Vi que as entidades inferiores presentes observavam de perto a senhora e lhe ouviam as palavras sensatas, porque todas exibiam gestos e demonstrações de revolta e desagrado, que não podemos registrar aqui.

A interpelada, deixando-se envolver pela influência neutralizante do mal, riu-se de modo franco e acrescentou:

— Tranquilize-se, minha boa Francisca. Não precisará ensinar-me virtude... Tenho meu compromisso para hoje, não posso faltar!...

— Não concordo, Cesarina — tornou a interlocutora com energia, sob a inspiração direta de Apuleio —, nem estou fazendo pregação de virtude à sua consciência responsável. Quero despertar suas fibras de esposa e mãe. O homem, cujo convite você pretende atender, não merece confiança, não é digno de consideração. Além disso, seu organismo deve ser preservado. Não lhe dói a expectativa de prejudicar o filhinho? Não pondera o futuro?

E a respeitável amiga continuou advertindo com severidade maternal, enquanto a futura mãe de Volpíni se manteve em franca posição de negativa e impermeabilidade.

Duas horas durou a conversação, na qual o diretor dos construtores usou da caridade, da lógica e da paciência, nas mais altas doses; todavia, ao fim desse tempo, um automóvel fonfonou à porta.

15.9 Cerrando o pequeno estojo de perfumes, Cesarina abraçou a velha amiga desapontada e despediu-se:

— Adeus, voltarei mais tarde. Não tenho tempo a perder.

O veículo rodou a caminho das avenidas asfaltadas.

As entidades perturbadas seguiram no carro célere, mas nós, esperando a manifestação de Apuleio, ali permanecemos.

Algo triste, o chefe de serviço dirigiu-se aos colaboradores, declarando:

— Podem regressar à nossa colônia, em descanso. Nada mais têm que fazer, por agora. O dever de todos foi bem cumprido.

E olhando para mim, significativamente, acrescentou:

— Irei, eu mesmo, em companhia de André, buscar Volpíni para recolhê-lo em lugar conveniente.

O ambiente era de consternação, porque se os Espíritos superiores são equilibrados, não são insensíveis.

Acompanhei Apuleio, durante longos minutos de silêncio, penetrando, em seguida, em uma casa de barulho ensurdecedor.

O grande salão e departamentos reservados estavam repletos de homens e mulheres inquietos, excitados pela música barulhenta e estonteadora, mas a assembleia de desencarnados de condição grosseira era muito maior, tomada da mesma alucinação de perigoso prazer.

— Mantenha-se em defensiva — advertiu-me o diretor —; são poucos os desencarnados, com reduzido tempo de experiência, que podem penetrar ambientes como este, para serviços de proteção.

Não nos cabe descrever as paisagens tristes, desdobradas ao nosso olhar. Cumpre-nos, tão somente, esclarecer que não tivemos dificuldade para reencontrar Cesarina em companhia de um cavalheiro menos escrupuloso, entre finas taças de alcoólicos, elegantemente disfarçados.

Apuleio aproximou-se e retirou Volpíni, que a ela se abraçava como criança semiconsciente. Em seguida, vi-o aplicar passes magnéticos em toda a região uterina, empregando infinito cuidado. Retomando Volpíni, que confiara às minhas mãos, para poder operar com eficiência, falou-me calmo:

15.10

— Desliguei o reencarnante do santuário maternal; entretanto, não deveríamos esquecer-nos de ministrar o devido socorro à mãe invigilante. Ela precisa continuar a luta terrestre, quanto possível, para aproveitar alguma coisa da oportunidade...

Retiramo-nos conduzindo o companheiro, prematuramente desligado, a uma organização socorrista, mas, depois de atender a todos os deveres que me competiam, desejei, na qualidade de médico, observar o que se passava com a pobre mulher, fracassada em sua missão sublime.

Nas primeiras horas da manhã, dirigi-me à residência que visitáramos na véspera.

Com grande surpresa, porém, verifiquei que Cesarina não se encontrava em casa. Não se passaram muitos minutos e uma vizinha interpelava a senhora que Apuleio influenciara, perguntando-lhe o que eu desejaria saber.

— Cesarina — explicou a matrona preocupada — na manhã de hoje foi recolhida a uma casa de saúde, em estado grave.

No decorrer da rápida conversação, recolhi as informações necessárias, relativamente ao endereço, e procurei visitar, incontinente, a infeliz criatura que deixáramos na festa elegante da véspera.

Fortemente impressionado, soube que Cesarina, em gravíssimas condições, acabava de dar à luz uma criança morta.

16
Incorporação

16.1 Prosseguindo em meus estudos sobre os fenômenos mediúnicos de variada expressão, sempre que meus serviços habituais mo permitiam, regressava à crosta, aprendendo e cooperando no grupo em que Alexandre funcionava na qualidade de orientador.

Minha frequência, porém, em virtude das obrigações por mim assumidas em nossa colônia espiritual, não podia ser assídua, razão por que procurava aproveitar as mínimas oportunidades a fim de enriquecer as minhas experiências.

Em uma das reuniões a que compareci, um dos cooperadores de nossa esfera aproximou-se do compassivo instrutor e pediu humilde:

— Nossos companheiros encarnados, em solicitações sucessivas, insistem pela vinda do irmão Dionísio Fernandes, atualmente recolhido, como sabeis, em uma organização de socorro. Alegam que a família se encontra inconsolável, que haveria conveniência na visita dele e que seria interessante ouvir um antigo companheiro de lutas doutrinárias...

Enquanto Alexandre ouviu em silêncio, o simpático cola- **16.2**
borador prosseguiu, depois de ligeira pausa:

— Estimaríamos receber a devida autorização para trazê-
-lo... Poderia incorporar-se na organização mediúnica de nossa
irmã Otávia e fazer-se ouvir, de algum modo, diante dos amigos e familiares...

O mentor pensou durante alguns momentos e redarguiu:

— Não tenho qualquer objeção pessoal, em face da providência que você sugere, meu caro Euclides; entretanto, embora se constitua o nosso grupo de cooperadores encarnados de excelentes amigos, não os vejo convenientemente preparados para o integral aproveitamento da experiência. Sobra em quase todos eles, na investigação e no raciocínio, o que lhes falta em sentimento e compreensão. Colocam a pesquisa muito acima do entendimento e, como você sabe, as organizações mediúnicas não são filtros mecânicos... Além disso, Dionísio conta com reduzido tempo em nossa esfera; ainda não pôde nem mesmo retirar-se do asilo que o acolheu em nosso plano. Adicionemos a esses fatores a intranquilidade da família, pouco observadora da fé viva, a diferença de vibrações da nova esfera a que o nosso amigo procura adaptar-se, presentemente, a profunda emoção dele com essa reaproximação talvez prematura, a instabilidade natural do aparelhamento mediúnico e, possivelmente, concordaremos com a inoportunidade de semelhante medida.

Euclides, o interlocutor, advogando o pedido veemente do círculo, não se desencorajou e insistiu:

— Reconheço que a vossa palavra é sempre ponderada e amiga. Concordo em que não alcançaremos o objetivo desejado; todavia, reitero-vos a solicitação. Ainda mesmo que o fato não ultrapasse a feição de simples experiência... É que existem irmãos esforçados aos quais muito devemos aqui, no trabalho do bem diário ao próximo sofredor, e sentiríamos felicidade em demonstrar-
-lhes o testemunho do nosso reconhecimento e estima sincera...

16.3   Alexandre sorriu com a generosidade que lhe era característica e observou:

— Só possuo razões para endossar seus pedidos, e, já que você insiste na providência para atender aos companheiros que se sentem igualmente credores de sua confiança e estima, pode avisá-los de que Dionísio virá. Eu mesmo cuidarei de trazê-lo pessoalmente.

E como Euclides agradecesse tocado de imensa alegria, Alexandre encerrou a conversação, acrescentando:

— Faça a promessa para a noite de amanhã. É sempre mais fácil dar com alegria que receber com acerto.

Afastamo-nos.

Porque o interrogasse, quanto ao processo fenomênico da incorporação, o benigno instrutor esclareceu de boa vontade:

— Mediunicamente falando, as medidas são as mesmas adotadas nos casos de psicografia comum, acrescentando-se, porém, que necessitaremos proteger, com especial carinho, o centro da linguagem na zona motora, fazendo refletir nosso auxílio magnético sobre todos os músculos da fala, localizados ao longo da boca, da garganta, laringe, tórax e abdômen.

Atendendo-me as interpelações, o instrutor relacionou diversas elucidações de ordem moral, alusivas ao assunto, comentando as dificuldades para difundir nos corações terrenos os valores da consolação legítima, em virtude das exigências descabidas da pesquisa intelectual. Admirava-lhe a sabedoria profunda e a sublime compreensão das fraquezas humanas, quando atingimos a instituição de socorro a que Dionísio se recolhera, em plena região inferior, não muito distante da crosta terrestre.

Entendendo-se com os Espíritos do Bem, consagrados aos serviços do amor cristão, em zonas semelhantes, conduziu-me à presença do recém-desencarnado, que se mantinha sob forte excitação.

— Dionísio — falou-lhe Alexandre bondoso, após a saudação usual —, lembra-se do nosso grupo de estudos espiritualistas?

— Como não? E com que saudades! — suspirou o interlocutor.

— Nossos amigos do círculo pedem a sua presença, pelo menos por alguns minutos — prosseguiu o mentor gentil —, e deliberei conduzi-lo até lá, para que você fale, não somente a eles, mas também aos familiares...

— Que ventura! — exclamou Dionísio, quase chorando de contentamento.

— Ouça, porém, meu amigo! — tornou Alexandre sereno e enérgico. — É indispensável que você medite sobre o acontecimento. Lembre-se de que você vai utilizar um aparelho neuromuscular que não lhe pertence. Nossa amiga Otávia servirá de intermediária. No entanto, você não deve desconhecer as dificuldades de um médium para satisfazer a particularidades técnicas de identificação dos comunicantes, diante das exigências de nossos irmãos encarnados. Compreende bem?

— Sim — replicou Dionísio, algo desapontado —, estou agora no mundo da verdade e não devo faltar a ela. Recordo-me de que muitas vezes recebi as comunicações do plano invisível, por meio de Otávia, com muitas prevenções, e, não raro, vacilei, acreditando-a vítima de inúmeras mistificações.

Alexandre, muito calmo, observou:

— Pois bem, agora chegou a sua vez de experimentar. E se, antigamente, era tão fácil para você duvidar dos outros, desculpe a fraqueza dos nossos irmãos encarnados, caso agora duvidem de seu esforço. É possível que não alcancemos o objetivo; entretanto, nossos colaboradores insistem pela sua visita e não devemos impedir a experiência.

Antes que Dionísio se internasse em novas considerações, o interlocutor rematou:

— Concentre-se, com atenção, sobre o assunto, peça a Luz Divina em suas orações e espere-me. Conduzi-lo-ei em nossa companhia, deixando-o, na residência da médium, com algumas horas de antecedência, para que você encontre facilidades no serviço de harmonização.

16.5 Despedimo-nos em seguida, registrando efusivos agradecimentos do interlocutor.

O caso interessava-me. Por isso mesmo, roguei a permissão de Alexandre para acompanhá-lo de mais perto.

Autorizado a fazê-lo, segui o instrutor que se dirigiu, no dia seguinte, à instituição a que Dionísio se recolhera, amparando-o convenientemente para a visita projetada.

Com a gentileza de sempre, Alexandre guiou-nos até a moradia da médium Otávia, onde Euclides, o benevolente amigo da véspera, nos aguardava, cheio de atenções.

O prestimoso mentor despediu-se com delicadeza extrema e, deixando-me em companhia dos novos colegas, acrescentou:

— A reunião dos companheiros encarnados terá início às vinte horas; todavia, entre dezoito e dezenove horas, estarei aqui de regresso, a fim de acompanhá-los ao nosso núcleo de serviço.

E, fixando-me, concluiu bondosamente:

— Aproveite a aproximação de Euclides, meu caro André. Um bom trabalhador tem sempre proveitosas lições a ensinar.

Euclides, sorrindo, agradeceu comovido, e conduzia-nos ao interior doméstico, enquanto Alexandre se afastava em outra direção.

Detivemo-nos em humilde aposento.

— Nesta parte da casa — explicou-nos o guia acolhedor — a nossa irmã Otávia costuma fazer meditações e preces. A atmosfera reinante, aqui, é, por isso, confortadora, leve e balsâmica. Estejam à vontade. Em vista de ser hoje um dos dias consagrados ao serviço mediúnico, terminará ela os trabalhos da refeição da tarde mais cedo, a fim de orar e preparar-se.

Consultei o mostruário do grande relógio de parede, não longe de nós, que marcava precisamente dezesseis horas, e manifestei o desejo de ver a nossa irmã que atuaria, naquela noite, como intermediária entre os dois planos.

16.6 Deixando Dionísio no aposento a que me referi, Euclides conduziu-me a pequena cozinha, onde uma senhora idosa se mantinha atenta à preparação de alguns pratos modestos. Tudo limpeza, ordem e harmonia doméstica. Notei-a, porém, algo pálida, abatida...

Ouvindo-me a inquirição discreta, o companheiro informou:

— Otávia é uma excelente colaboradora de nossos serviços espirituais, mas, pela força das provas necessárias à redenção, permanece unida a um homem ignorante e quase cruel. Enquanto o companheiro brutal está ausente, nas horas do "ganha-pão", a casa é tranquila e feliz, porquanto a nossa amiga não oferece hospedagem às entidades perturbadoras da sombra. Todavia, quando o infeliz Leonardo penetra este pequeno domínio, a situação se modifica, porque o pobre esposo é um legítimo "canteiro espinhoso", no jardim deste lar. Faz-se acompanhar de perigosos elementos das zonas mais baixas...

— Não conseguiu ele identificar-se com a missão espiritualizante da esposa? — perguntei, com interesse.

— Não, de modo algum — explicou Euclides, sem titubear. — Não é novo para a compreensão elevada; contudo, é teimoso nos erros que lhe são próprios. Permite que a consorte nos ajude, em vista da insistência de parentes consanguíneos dele, dedicados à nossa causa e que, influenciados por nós, não lhe permitem afastá-la. A tarefa, porém, não é muito fácil, porque, se Otávia é dócil aos Espíritos do Bem, o esposo é obediente aos cultivadores do mal. Basta, às vezes, traçarmos um programa construtivo com a colaboração dela, para que Leonardo, cedendo aos portadores da treva, nos perturbe a ação, criando-nos graves dificuldades.

Percebendo que o abatimento da médium não me passava despercebido, Euclides acrescentou:

16.7 — Tão logo prometi ontem, alegremente, a vinda de Dionísio, desejoso de incentivar o bom ânimo dos amigos encarnados, contando com o concurso mediúnico de nossa irmã, piorou a situação psíquica do esposo imprevidente. Leonardo amanheceu hoje mais nervoso que de costume, embebedou-se pouco antes do almoço, insultou a companheira humilde e chegou mesmo a infligir-lhe tormentos físicos. Assustada, a bondosa senhora sofreu tremendo choque nervoso que lhe atingiu o fígado, encontrando-se, no momento, sob forte perturbação gastrintestinal. Por isso, a alimentação dela foi muito deficiente durante o dia e não tem podido manter a harmonia precisa da mente para atender, com exatidão, aos nossos propósitos. Já trouxe diversos recursos de assistência, inclusive a cooperação magnética de competentes enfermeiros espirituais, para levantar-lhe o padrão das energias necessárias, e só por isto é que a pobrezinha ainda não tombou acamada, embora se encontre bastante enfraquecida, apesar de todos os socorros.

Algo desapontado, Euclides considerou, após curto silêncio:

— Como sabe, a harmonia não é realização que se improvise, e, se nós, os desencarnados devotados ao bem, estamos em luta frequente pela nossa iluminação íntima, os médiuns são criaturas humanas, suscetíveis às vicissitudes e aos desequilíbrios da esfera carnal...

— Oh! — exclamei, fixando a pobre mulher — Não teremos alguém que a substitua? Ela está quase cambaleante...

— Todos os serviços exigem preparo, treinamento — observou o meu interlocutor, sensatamente — e não poderemos trazer alguém que faça às vezes de Otávia, de um instante para outro.

— Não supõe que ela deveria ser feliz para ser mais útil? — indaguei.

— Quem sabe? — respondeu Euclides, com intenção. — A mediunidade ativa e missionária não é incompatível com o bem-estar e, a rigor, todas as pessoas que gozam de relativo conforto material, poderiam disputar excelentes oportunidades de serviço em seus quadros de trabalho e edificação; entretanto, as almas encarnadas, quando favorecidas pela tranquilidade natural da existência física, se mantêm na região de serviço comum que lhes é própria às necessidades individuais, e, como o cumprimento do dever com exatidão já representa grande esforço, raramente ultrapassam a fronteira das obrigações legítimas, em busca do campo divino da renunciação. A luta intensiva, porém, dilata as aspirações íntimas. O sofrimento, quando aceito à luz da fé viva, é uma fonte criadora de asas espirituais.

A essa altura dos esclarecimentos fraternos, o companheiro sorriu e observou:

16.8

— Formulando semelhantes considerações, não queremos dizer que a mediunidade construtiva deva ser apanágio dos corações algemados à dor. Isto não. As missões da Espiritualidade superior pertencem a todas as criaturas de boa vontade. Apenas expressamos a nossa convicção de que almas existem, fervorosas no ideal do Bem e da Verdade, que se valem dos obstáculos para melhor escalarem o monte da redenção divina.

A dona da casa terminara a tarefa de aprontar o jantar humilde e, antes que o esposo voltasse ao lar, dirigiu-se ao quarto íntimo, em que, conforme a notificação de Euclides, costumava fazer as suas preces preparatórias.

Penetramos o aposento em sua companhia.

Euclides acomodou Dionísio ao lado dela, e, enquanto a médium se concentrava em oração, o dedicado amigo aplicava-lhe passes magnéticos, fortalecendo os nervos das vísceras e ministrando, ao que percebi, vigorosas cotas de força, não somente às fibras nervosas, mas também às células gliais.[32]

---

[32] N.E.: Conjunto de células de sustentação do tecido nervoso, formado por células não nervosas, tais como os astrócitos e micrócitos, por exemplo.

16.9   Dona Otávia pedia a Jesus bastante energia para o cumprimento de sua tarefa, comovendo-nos a sua rogativa silenciosa, simples e sincera. Meditou na promessa que os amigos espirituais haviam levado a efeito, na véspera, relativamente à comunicação de Dionísio, recém-desencarnado. Procurava dispor-se ao concurso mediúnico eficiente, tentando isolar a mente das contrariedades de natureza material. Aos poucos, sob a influenciação de Euclides, formou-se um laço fluídico que ligou a médium ao próximo comunicante. O companheiro que preparava o trabalho recomendou ao amigo desencarnado falasse a dona Otávia, com todas as suas energias mentais, organizando o ambiente favorável para o serviço da noite.

Dionísio começou a falar-lhe de suas necessidades espirituais, comentando a esperança de fazer-se sentir, junto da família terrena e dos antigos colegas de aprendizado espiritualista, notando eu que a médium lhe registrava a presença e a linguagem, em forma de figuração e lembrança, aparentemente imaginárias, na esfera do pensamento. Observei, com interesse, a extensão da fronteira vibratória que nos separa dos Espíritos encarnados, porquanto, nos achando ali, em frente a uma organização mediúnica adestrada, precisávamos iniciar o trabalho de comunicação, como quem estivesse muitíssimo distante, vencendo, devagarinho, os círculos espessos de resistência.

Longo tempo durou o singular diálogo, reconhecendo que, ao fim da interessante conversação prévia, entre a médium e o comunicante, palestra essa que foi plenamente orientada pelo tato fraterno de Euclides, em todas as minúcias, dona Otávia parecia mais ambientada com o assunto, aderindo com clareza ao que Dionísio pretendia fazer.

Tudo ia bem e não me cansava de admirar aquele inesperado serviço de preparação mediúnica, quando aconteceu alguma coisa muito grave. O dono da casa chegava, de volta, quebrando, de modo violento, a tranquilidade das vibrações em que nos mergulhávamos. Vociferando, logo à entrada, obrigou a esposa a levantar-se, de súbito. O infortunado senhor semelhava-se a um brutamonte, nas suas características de tirano doméstico. Algumas entidades galhofeiras e perversas constituíam-lhe o séquito.

Dona Otávia serviu o jantar, fazendo prodígios no campo da paciência evangélica.   **16.10**

Finda a refeição muito simples, a que compareceu o esposo junto de dois filhos maiores, a nobre senhora falou ao marido em particular:

— Leonardo, como você sabe, irei hoje à reunião, saindo antes das oito.

— Quê?! — exclamou o interlocutor, encharcado de vinho, a cofiar os bigodes grisalhos — a senhora hoje não pode sair! Nada de sessões! Hoje, não!

Impressionado com aquela atitude intempestiva, perguntei a Euclides, que seguia a cena, muito calmo:

— E agora?

— Já previa a ocorrência — redarguiu-me, com manifesta tristeza no olhar — e pedi a uma de nossas irmãs trouxesse até aqui uma tia do bulhento Leonardo, que intercederá a favor de nossos desejos. Não devem tardar. Trata-se de pessoa a que se renderá, sem esforço.

Com efeito, enquanto dona Otávia enxugava o pranto em silêncio, recompondo a mesa de refeições, ouviam-se palmas à porta.

Leonardo foi atender e, em breves minutos, uma entidade desencarnada, muito simpática, penetrava o interior, acompanhando uma velha senhora de semblante acolhedor e risonho.

A cooperadora de Euclides veio até nós, cumprimentando-nos sorridente. Profundamente surpreendido, em face de tantos trabalhos para a organização de pequeno serviço consolador, fiz-me atento à conversação que se desdobrou entre os encarnados:

16.11   — Ainda bem que a luta do dia terminou — disse a respeitável matrona, dirigindo-se à médium, depois das primeiras saudações —, vim até aqui para irmos juntas.

Otávia procurou esconder sua mágoa, sorriu com esforço, e respondeu:

— Ora, minha boa Georgina, hoje não posso... Leonardo está indisposto e pretende recolher-se mais cedo.

— Já sei, já sei — observou a visitante, com carinho nas palavras e severidade nas atitudes, fixando o chefe da casa —; você, Otávia, tem compromisso e não pode faltar!

Em seguida, levantou-se, tocou os ombros do sobrinho, que se derramara no divã, e falou-lhe com franqueza:

— Meu filho, que você se regale em prazeres e adie a sua realização espiritual, por imprevidência e má vontade, eu não posso impedir; mas advirto-o, quanto aos deveres de sua mulher em nosso núcleo de iluminação, pedindo-lhe não se interponha entre ela e os desígnios superiores. Otávia é uma esposa exemplar, tem tolerado suas impertinências a vida inteira e já entregou ao seu espírito de pai dois filhos maiores, rigorosamente educados na inteligência e no coração. Não lhe impeça agora o serviço divino. Poderia insurgir-me contra você, induzindo-a a resistir, mas prefiro avisá-lo de que a sua atuação contra o bem não ficará impune.

Observei que as palavras da veneranda senhora eram emitidas conjuntamente com grandes jatos de energia magnética, que envolviam Leonardo, obrigando-o a melhor raciocínio. Ele meditou, por alguns momentos, e respondeu vencido:

— Otávia poderá ir, quando quiser, desde que seja em sua companhia.

A matrona agradeceu, estimulando-o no estudo das questões da Espiritualidade, e, quando se dispunham as duas senhoras a tomar o caminho do grupo de estudos, chegou Alexandre, de volta, a fim de acompanhar-nos, por sua vez.

Reconheci que o instrutor notou, de relance, o estado de aba- **16.12**
timento da médium, percebendo as dificuldades que se opunham
à prometida comunicação de Dionísio, mas, longe de se referir às
advertências da véspera, ele próprio, agora, era quem se mostrava
mais otimista, estimulando, ao que notei, o entusiasmo de Euclides
a serviço do bem.

Atingimos o vasto salão daquela oficina de espiritualidade,
precisamente às 19h45.

Como sempre, os trabalhadores de nosso plano eram numerosíssimos, nos múltiplos trabalhos de assistência, preparação
e vigilância. Enquanto alguns amigos ansiosos e a família do comunicante, constituída de esposa e filhos, aguardavam a palavra
de Dionísio, muito grande era o nosso esforço para melhorar a
posição receptiva de Otávia.

Alexandre, como de outras vezes, esmerava-se em ministrar o exemplo da cooperação sadia. Determinou que alguns
colaboradores dos nossos auxiliassem o sistema endocrínico, de
maneira geral, e proporcionassem ao fígado melhores recursos
para a normalização imediata de suas funções, estabelecendo-se
determinado equilíbrio para o estômago e intestinos, em virtude
das necessidades do momento, para que o aparelho mediúnico
funcionasse com a possível harmonia.

Às vinte horas, reunida a pequena assembleia dos irmãos
encarnados, foi iniciado o serviço, com a prece comovedora do
companheiro que dirigia a casa.

Valendo-se do concurso magnético que lhe fora oferecido,
a médium sentia-se francamente mais forte.

Mais uma vez, contemplava, admirado, o fenômeno
luminoso da epífise e acompanhava o valioso trabalho de
Alexandre na técnica de preparação mediúnica, reparando
que ali o incansável instrutor se detinha mais cuidadosamente na tarefa de auxílio a todas as células do córtex cerebral,

aos elementos do centro da linguagem e às peças e músculos do centro da fala.

16.13 Terminada a oração e levado a efeito o equilíbrio vibratório do ambiente, com a cooperação de numerosos servidores de nosso plano, Otávia foi cuidadosamente afastada do veículo físico, em sentido parcial, aproximando-se Dionísio, que também parcialmente começou a utilizar-se das possibilidades dela. Otávia mantinha-se a reduzida distância, mas com poderes para retomar o corpo a qualquer momento em um impulso próprio, guardando relativa consciência do que estava ocorrendo, enquanto que Dionísio conseguia falar, de si mesmo, mobilizando, no entanto, potências que lhe não pertenciam e que deveria usar, cuidadosamente, sob o controle direto da proprietária legítima e com a vigilância afetuosa de amigos e benfeitores, que lhe fiscalizavam a expressão com o olhar, de modo a mantê-lo em boa posição de equilíbrio emotivo. Reconheci que o processo de incorporação comum era mais ou menos idêntico ao da enxertia da árvore frutífera. A planta estranha revela suas características e oferece seus frutos particulares, mas a árvore enxertada não perde sua personalidade e prossegue operando em sua vitalidade própria. Ali também, Dionísio era um elemento que aderia às faculdades de Otávia, utilizando-as na produção de valores espirituais que lhe eram característicos, mas naturalmente subordinado à médium, sem cujo crescimento mental, fortaleza e receptividade, não poderia o comunicante revelar os caracteres de si mesmo, perante os assistentes. Por isso mesmo, logicamente, não era possível isolar, por completo, a influenciação de Otávia, vigilante. A casa física era seu templo, que urgia defender contra qualquer expressão desequilibrante, e nenhum de nós, os desencarnados presentes, tinha o direito de exigir-lhe maior afastamento, porquanto lhe competia guardar as suas potências fisiológicas e preservá-las contra o mal, perto de nós outros, ou a distância de nossa assistência afetiva.

A nossa atmosfera de harmonia, porém, não conseguia sossegar a perturbadora expectativa dos companheiros encarnados. 16.14

Entre nós, prevaleciam o controle, a disciplina, o autodomínio; entre eles, sopravam o desequilíbrio e a inquietação. Exigiam um Dionísio–homem pela boca de Otávia, mas nosso plano lhes impunha um Dionísio–Espírito, pelas expressões da médium. A família humana aguardava o pai emocionado e ainda submetido a paixões menos construtivas, mas auxiliávamos o irmão para que sua alma se mantivesse calma e enobrecida, em benefício dos próprios familiares terrestres.

Falava o comunicante sob forte emotividade, mas Alexandre e Euclides, ocupando-se respectivamente dele e da intermediária, fiscalizavam-lhe as atitudes e palavras, para que se manifestasse tão somente nos assuntos necessários à edificação de todos, responsabilizando-o por todas as imagens mentais nocivas que a sua palavra criasse no cérebro e no coração dos ouvintes.

Em vista disso, o comunicante portou-se, em todos os pontos da mensagem falada, com admirável dignidade espiritual, fazendo, porém, verdadeiros prodígios de disciplina interior, para calar certas situações familiares e conter as lágrimas estancadas no coração.

Depois de falar quase quarenta minutos, dirigindo-se à família e aos colegas de luta humana, Dionísio despediu-se, repetindo tocante oração de agradecimento que Alexandre lhe ditou comovido.

Nosso concurso decorrera com absoluta harmonia. O manifestante ofereceu os possíveis elementos de identificação pessoal, mas a pequena congregação de encarnados não recebeu a dádiva como seria de desejar. Interrompida a concentração mental com o encerramento, iniciaram-se as apreciações, verificando-se que quatro quintos dos assistentes não aceitavam a veracidade da manifestação. Somente a esposa de Dionísio e alguns raros amigos sentiram-lhe, efetivamente, a palavra viva e vibrante. Os próprios filhos internaram-se pela região da dúvida e da negativa.

16.15 Interpelado por um dos companheiros, expressou-se o mais velho:

— Impossível. Não pode ser meu pai. Se fosse ele o comunicante, teria naturalmente comentado nossa difícil situação em família...

Outro dos filhos de Dionísio ajuntou, levianamente:

— Não acredito em semelhante manifestação. Se fosse o papai, teria respondido às minhas interrogações íntimas. Será que no outro mundo os pais não mais se recordam do carinho devido aos filhos?

No grupo em palestra, formado em um dos recantos da sala, começou a insinuação maledicente. Apenas a viúva e mais três irmãos de ideal se mantinham juntos da médium, incentivando-lhe o espírito de serviço, por meio de palavras e pensamentos de compreensão e alegria.

No agrupamento, onde os filhos externavam ingratas impressões, um amigo, tocado de cientificismo, afirmava solene:

— Não podemos aceitar a pretensa incorporação de Dionísio. Otávia conhece todos os pormenores de sua vida passada, permanece quase que diariamente em contato com a família, e o Espírito comunicante não revelou particularidade alguma, pela qual pudesse ser identificado.

E depois de lançar a cinza do cigarro em pequenino vaso próximo, acrescentava mordaz:

— O problema da mediunidade é questão muito grave na Doutrina; o animismo é uma erva daninha em toda parte. Nosso intercâmbio com o plano invisível está repleto de lamentáveis enganos.

Um dos rapazes presentes arregalou os olhos e perguntou, de súbito:

— Considera, porém, o senhor que dona Otávia seria capaz de enganar-nos?

— Não, conscientemente — tornou o cientificista com um sorriso superior —, entretanto, inconscientemente, sim. A maioria dos médiuns é vítima dos próprios desvairamentos emotivos. As personalidades comunicantes, em sentido comum, representam criações mentais dos sensitivos. Tenho estudado pacientemente o assunto para não cair, como acontece a muita gente, em conclusões fantásticas. Há que fugir do ridículo, meus amigos.

Continuando a sorrir sarcástico, acentuava triunfante:

— As emersões do subconsciente nas hipnoses profundas conseguem desnortear os mais valentes indagadores.

E, como se as palavras difíceis e as referências preciosas representassem a derradeira solução do assunto, prosseguia enfático:

— A fim de corrigir os desbordamentos da imaginação no Espiritismo, criou-se a Metapsíquica para dirigir as nossas pesquisas intelectuais e não podemos esquecer que o próprio Richet morreu duvidando. Não lhe bastaram dezenas de anos consecutivos no estudo sistemático dos fenômenos. As próprias materializações não lhe asseguraram a certeza da sobrevivência. Portanto...

A reduzida assembleia escutava-lhe a palavra importante, como se ouvisse um oráculo infalível.

Em outro recanto do salão, comentava-se o mesmo assunto, discretamente.

— Não acredito na veracidade da manifestação — afirmava, em voz baixa, uma senhora relativamente moça, dirigindo-se ao marido e às amigas. — Afinal de contas, a comunicação primou pela banalidade... Nada de novo. Para mim, as palavras de Otávia procedem dela mesma. Não senti qualquer sinal concludente, com respeito à possível presença do nosso velho amigo. Seria muito desinteressante a esfera dos desencarnados, se apenas proporcionasse aos que nos precedem as frivolidades que o suposto Dionísio nos trouxe.

16.17 — Talvez tenha havido alguma perturbação — disse o esposo da mesma senhora. — Não nos achamos livres dos mistificadores do plano invisível...

O grupo abafava o riso franco.

Nunca experimentei tanta decepção como nesses instantes em que examinava o processo de incorporação mediúnica.

Ninguém ali ponderava as dificuldades com que Euclides, o bom cooperador espiritual, fora defrontado para trazer à casa o conforto daquela noite. Ninguém ponderava sobre a luta que o acontecimento representava para a própria médium, interessada em servir com amor na causa do bem. Os companheiros encarnados sentiam-se absolutamente credores de tudo. Os benfeitores espirituais, na apreciação dos presentes, não passariam de meros servidores dos seus caprichos, a voltarem do Além-Túmulo tão somente para atender-lhes ao gosto de novidades. Com raríssimas exceções, ninguém pensou em consolo, em edificação, em aproveitamento da experiência obtida. Em vez de agradecimento, da observação edificante, cultivava-se a desconfiança e a maledicência.

Alexandre percebeu que Euclides acompanhava a cena com justificado desapontamento, agravado pelas advertências da véspera; mas, praticando o seu culto de amor e gentileza, o instrutor recomendou-lhe o afastamento, confiando-lhe aos cuidados a entidade comunicante, que deveria regressar, sem perda de tempo, ao lugar de origem.

O instrutor acercou-se de mim, compreendeu-me o espanto e falou:

— Não se admire, André. Nossos irmãos encarnados padecem complicadas limitações.

Mostrou a fisionomia confiante e sorridente, e acentuou:

— Além disso, como você observa, a maioria tem o cérebro hipertrofiado e o coração reduzido. Nossos amigos da crosta, comumente, criticam em demasia e sentem muito pouco; estimam a compreensão alheia; todavia, raramente se dispõem a compreender os outros... Mas o trabalho é uma concessão do Senhor e devemos confiar na Providência do Pai, trabalhando sempre para o melhor.

16.18

Em seguida, fez algumas recomendações a alguns amigos que ficariam na tenda de realização espiritual e falou:

— Vamo-nos.

Ao nos afastarmos, rente à porta um cavalheiro dizia ao diretor dos serviços:

— Todos nós temos o direito de duvidar.

Não ouvi a resposta do interlocutor encarnado, mas Alexandre considerou, com a expressão fisionômica de um pai otimista e bondoso:

— Quase todas as pessoas terrestres, que se valem de nossa cooperação, se sentem no direito de duvidar. É muito raro surgir um companheiro que se sinta com o dever de ajudar.

17
Doutrinação

17.1   Terminavam os trabalhos de uma das reuniões comuns de estudos evangélicos, quando uma entidade muito simpática acercou-se de nós, cumprimentando o meu instrutor, que respondeu com espontânea alegria.

Tratava-se de mãe afetuosa, que expôs, sem rebuços, as preocupações dolorosas que lhe assaltavam o espírito, solicitando o concurso valioso de Alexandre, logo após as primeiras palavras:

— Ó meu amigo, até hoje permaneço em luta com o meu infortunado Marinho. Não obstante meus ardentes esforços, o pobrezinho continua prisioneiro dos poderes sombrios. Entretanto, esperançada agora em sua possível renovação, venho pedir-lhe a cooperação no serviço de auxílio à sua alma infeliz!

— Uma nova doutrinação? — interrogou o mentor solícito.

— Sim — disse a mãe angustiada, enxugando os olhos —, já recorri a diversos amigos que colaboram na oficina de trabalhos espirituais, onde conheço a sua atuação de orientador, e todos se prontificaram a prestar-me concurso fraterno.

17.2 — Nota em Marinho sinais evidentes de transformação interior? — perguntou Alexandre.

Ela respondeu em um gesto afirmativo com a cabeça, e prosseguiu:

— Há mais de dez anos procuro dissuadi-lo do mau caminho, influenciando-o de maneira indireta. Por mais de uma vez, já o conduzi a situações de esclarecimento e iluminação, sem resultado, como é de seu conhecimento. Agora, porém, observo-lhe as disposições algo modificadas. Não sente o mesmo entusiasmo, ao receber as sugestões malignas dos infelizes companheiros de revolta e desesperação. Sente inexprimível tédio na posição de desequilíbrio e, vezes diversas, tenho tido a satisfação de conduzi-lo à prece solitária, embora sem conseguir furtá-lo ao fundo de rebeldia.

A venerável entidade imprimiu ligeira pausa à conversação, continuando em tom de súplica:

— Quem sabe terá chegado para ele o divino instante da luz íntima? Muito venho sofrendo por esse pobre filho, desviado da estrada reta, e é possível que o Senhor me conceda, presentemente, a graça de reintegrá-lo na senda do bem... Para esse fim, estou congregando as minhas afeições mais puras.

Em seguida, fixando o mentor, com estranho brilho nos olhos, implorou:

— Ó Alexandre, conto com o seu apoio decisivo! Preciso trabalhar por Marinho, de cuja desventura me julgo culpada, até certo ponto, e confesso-lhe, meu amigo, que me sinto cansada, em profunda exaustão espiritual!...

— Compreendo-a — exclamou o interlocutor comovido —, a luta incessante para arrebatar um coração amado, prisioneiro das trevas, dá para esgotar a qualquer um de nós. Tenha calma, porém. Se Marinho permanece agora entediado diante dos companheiros de criminoso desvio, então será fácil ajudar-lhe o espírito, recolocando-o a caminho da verdadeira elevação. De outro modo, não me abalançaria ao concurso ativo. Confie em nossa tarefa e façamos por ele quanto estiver ao alcance de nossas possibilidades. Tudo está pronto no campo preparatório?

17.3 — Sim — elucidou a respeitável matrona desencarnada —, alguns amigos me auxiliarão a trazê-lo, enquanto outros se encarregarão de ajudar Otávia, encaminhando convenientemente o assunto, no agrupamento.

— Pois bem — concluiu Alexandre atencioso —, na noite aprazada, estarei presente, cooperando a favor dele, quanto seja possível.

Depois de comovedores agradecimentos, estávamos novamente a sós.

— Por que a doutrinação em ambiente dos encarnados? — indaguei. — Semelhante medida é uma imposição no trabalho desse teor?

— Não — explicou o instrutor —, não é um recurso imprescindível. Temos variados agrupamentos de servidores do nosso plano, dedicados exclusivamente a esse gênero de auxílio. As atividades de regeneração em nossa colônia estão repletas de institutos consagrados à caridade fraternal, no setor de iluminação dos transviados. Os postos de socorro e as organizações de emergência, nos diversos departamentos de nossas esferas de ação, contam com avançados núcleos de serviço da mesma ordem. Em determinados casos, porém, a cooperação do magnetismo humano pode influir mais intensamente, em benefício dos necessitados que se encontrem cativos das zonas de sensação, na crosta do mundo. Mesmo aí, contudo, a colaboração dos amigos terrenos, embora seja apreciável, não constitui fator absoluto e imprescindível; mas quando é possível e útil, valemo-nos do concurso de médiuns e doutrinadores humanos, não só para facilitar a solução desejada, senão também para proporcionar ensinamentos vivos aos companheiros envolvidos na carne, despertando-lhes o coração para a espiritualidade.

O mentor fixou um sorriso e prosseguiu: **17.4**

— Ajudando as entidades em desequilíbrio, ajudarão a si mesmos; doutrinando, acabarão igualmente doutrinados.

Satisfeito com as elucidações recebidas, passei a considerar o caso pessoal da terna entidade que nos visitara. Por que permaneceria um Espírito iluminado em serviços consecutivos por alguém que se comprazia nas sombras? Seria justo acorrentar corações maternais a filhos impenitentes?

O orientador, contudo, veio ao encontro de minhas interrogações, explicando:

— A dedicada amiga que nos visitou é uma pobre mãe, em luta depois da morte física.

— A quem se refere na intercessão? — perguntei.

— A um filho que foi sacerdote na crosta.

— Sacerdote? — indaguei profundamente surpreendido.

— Sim — esclareceu Alexandre. — Os desvios das almas que receberam tarefas de natureza religiosa são sempre mais graves. Existem padres que, contrariamente a todas as esperanças de nosso plano, se entregam completamente ao sentido literal dos ensinamentos da fé. Recebem os títulos sacerdotais, como os médicos sem amor ao trabalho de curar, ou como os advogados sem qualquer espécie de devotamento ao direito. Estimam os interesses imediatos, requisitam as honrarias humanas e, terminada a existência transitória, se encontram em doloroso fracasso da consciência. Habituados, porém, ao incenso dos altares e à submissão das almas encarnadas, não reconhecem, na maioria das vezes, a própria falência e preferem o encastelamento na revolta lamentável, que os converte em gênios das sombras. Neste particular — acentuou o instrutor, modificando a inflexão de voz —, devemos reconhecer que semelhante condição, neste lado da vida, é

17.5 a de todos os homens e mulheres, de inteligência notável, com primores de cultura terrestre, mas desviados do verdadeiro caminho de elevação moral. Comumente, as pessoas mais sensíveis e cultas criam o mundo que lhes é peculiar e esperam furtar-se à lei de testemunho próprio, no campo das virtudes edificantes. Acostumadas à fácil aquisição de vantagens convencionais na crosta, pretendem resolver, depois da perda do corpo físico, os problemas espirituais pelo mesmo processo, e, encontrando tão somente a Lei, que manda conceder a cada um segundo as suas obras, não raro agravam a situação, internando-se no escuro país do desespero, onde se reúnem a inúmeras companhias da mesma espécie. Dentre as criaturas dessa ordem, sobressai a elevada percentagem dos ministros de várias religiões. Referindo-nos apenas aos das escolas cristãs, verificamos que a maioria não pondera na exemplificação do próprio Mestre Divino. Cerram olhos e ouvidos aos sacrifícios apostólicos. Simão Pedro, João Evangelista, Paulo de Tarso representam para eles figuras demasiadamente distantes. Apegam-se às decisões meramente convencionais dos concílios, estudam apenas os livros eclesiásticos e querem resolver todas as transcendentes questões da alma por meio de programas absurdos, de dominação pelo culto exterior. Erguem basílicas suntuosas, olvidando o templo vivo do próprio espírito; homenageiam o Senhor como os orgulhosos romanos reverenciavam a estátua de Júpiter,[33] tentando subornar o Poder celeste pela grandeza material das oferendas. Mas ai! esquecem o coração humano, menosprezam o espírito de Humanidade, ignoram as aflições do povo, a quem foram mandados servir. E, cegos aos próprios desvarios, ainda aguardam um Céu fantástico que lhes entronize a vaidade criminosa e a ociosidade cruel.

---

[33] N.E.: Deus supremo da mitologia romana, senhor dos céus e das terra e dos outros deuses. Corresponde a Zeus na mitologia grega.

Alexandre, neste ponto das elucidações, como se fora chamado a meditações mais profundas, silenciou por momentos, continuando em seguida:

— Para estes, André, a morte do corpo é um acontecimento terrível. Alguns enfrentam, corajosos, a desilusão necessária e proveitosa. A maioria, porém, fugindo ao doloroso processo de readaptação à realidade, precipita-se nos campos inferiores da inconformação presunçosa, organizando perigosos agrupamentos de almas rebeladas, com os quais temos de lutar por nossa vez... Quase todas as escolas religiosas falam do Inferno de penas angustiosas e horríveis, onde os condenados experimentam torturas eternas. São raras, todavia, as que ensinam a verdade da queda consciencial dentro de nós mesmos, esclarecendo que o plano infernal e a expressão diabólica encontram início na esfera interior de nossas próprias almas.

O orientador amigo fez novo intervalo, e, depois de pensar a sós, durante alguns instantes, considerou:

— Você compreende... Os que caem por ignorância aceitam com alegria a retificação, desde que se mantenham em padrão de boa vontade sincera. Os que se precipitam no desequilíbrio, porém, atendendo à sugestão do orgulho, experimentam grande dificuldade para ambientar a corrigenda em si mesmos. Precisam edificar maior patrimônio de humildade, antes de levarem a efeito a restauração imprescindível.

Observando que o mentor silenciara novamente, perguntei:

— Se, porém, o erro voluntário pertence ao sacerdote, no caso em exame, como explicar o sacrifício materno?

Alexandre não hesitou.

— Há renunciações sublimes, em nosso plano — exclamou sensibilizado —, dentro das quais companheiros existem que se sacrificam pelos outros, através de muitíssimos anos; mas, no processo sob nossa observação, a nossa amiga tem a sua porcentagem de culpa. Na qualidade de mãe, ela quis forçar as tendências do filho jovem. Em verdade, ele renascera para uma tarefa elevada no campo da filosofia espiritualista; contudo, de modo algum se encontrava preparado para o posto de condutor das almas. A genitora, entretanto, obrigou-o a aceitar o ingresso no seminário, violentando-lhe o ideal e, indiretamente, colaborou para que o seu orgulho fosse demasiadamente acentuado. Interpretando suas tendências para a filosofia edificante, à conta de vocação sacerdotal, impôs-lhe o hábito dos jesuítas, que ele deslustrou com a vaidade excessiva. Claro que a nossa irmã estava possuída das mais santas intenções; todavia, sente-se no dever de partilhar os sofrimentos do filho, sofrimentos, aliás, que ele mesmo ainda não chegou a experimentar em toda a extensão, em vista da crosta de insensibilidade com que a revolta lhe vestiu a alma desviada.

17.7 Porque Alexandre fizesse uma pausa mais longa, interroguei:

— Mas se o filho foi conduzido a situação difícil, para a qual não se encontrava convenientemente preparado, será tão grande a culpa dele?

O instrutor sorriu, em vista das minhas reiteradas arguições, e esclareceu:

— A genitora errou pela imprevidência, ele faliu pelos abusos criminosos, em oportunidade de serviço sagrado. Alguém pode abrir-nos a porta de um castelo, por excesso de carinho, mas, porque tenhamos obtido semelhante facilidade, não quer isto dizer isenção de culpa, caso venhamos a menosprezar a dádiva, destruindo os tesouros colocados sob nossos olhos. Por isso mesmo, a carinhosa mãe está efetuando a retificação amorosa de um erro, quando o filho infeliz expiará faltas graves.

Essa explicação encerrou a palestra referente ao assunto.

Na noite previamente marcada, acompanhei o pequeno grupo que procurou Marinho para o auxílio espiritual.

Constituía-se a nossa reduzida expedição apenas de quatro **17.8** entidades: Alexandre, a genitora desencarnada, um companheiro de trabalho e eu. Com grande surpresa, soube que esse companheiro nosso, de nome Necésio, funcionaria na qualidade de intérprete, junto ao sacerdote infeliz. Necésio fora igualmente padre militante e mantinha-se em padrão vibratório acessível à percepção dos amigos de ordem inferior. Marinho não nos veria, segundo me informou Alexandre, mas enxergaria o ex-colega, entraria em contato com ele e receberia nossas sugestões por intermédio do novo colaborador.

Admirando a sabedoria que preside a semelhantes trabalhos de cooperação fraternal, segui atenciosamente o grupo, que se dirigiu a uma igreja de construção antiga.

Se estivesse ainda na carne, talvez o quadro sob meu olhar me despertasse terríveis sensações de pavor, mas, agora, a condição de desencarnado impunha-me a disciplina emotiva. Enchia-se o templo de figuras patibulares. Inúmeras entidades dos planos inferiores congregavam-se ali, cultivando, além da morte, as mesmas ideias de menor esforço no campo da edificação religiosa. Alguns sacerdotes, envolvidos em vestes negras, permaneciam igualmente ao pé dos altares, enquanto um deles, que parecia exercer funções de chefia, comentava, de um púlpito, o poder da igreja exclusivista a que pertenciam, expondo com extrema sutileza novas teorias sobre o céu e a bem-aventurança.

Assombrado, ouvi a palavra amiga de Alexandre, que me explicava gentilmente:

— Não estranhe. Os desesperados e preguiçosos também se reúnem, depois da transição da morte física, segundo as tendências que lhes são peculiares. Como acontece às congregações de criaturas rebeldes, na crosta planetária, os mais inteligentes e sagazes assumem a direção. Muitos males são praticados por estes infelizes, inconscientemente...

17.9 — Oh! — exclamei com espanto — como podem entronizar a ignorância a este ponto? Quem poderia crer no quadro que observamos? Se são criaturas informadas quanto à verdade, por que motivo ainda se entregam à prática do mal?

— Trata-se de ação maléfica inconsciente — esclareceu o bondoso Alexandre.

— Mas — respondi aturdido — por que contrassenso as almas cientes da distância que as separa da carne não se rendem à Lei do Bem?

O instrutor sorriu e obtemperou:

— Entretanto, na própria Humanidade encarnada você encontrará idênticos fenômenos. Decorridos mais de mil anos sobre os ensinamentos do Cristo, com a visão ampla dos sacrifícios do Mestre e de seus continuadores, cientes da lição da manjedoura e da cruz, investidos na posse dos tesouros evangélicos, abalançaram-se os homens às chamadas guerras santas, exterminando-se uns aos outros, em nome de Jesus, instituíram tribunais da Inquisição cheios de suplícios, onde pessoas de todas as condições sociais foram atormentadas, aos milhares, em nome da caridade de nosso Senhor. Como você verifica, a ignorância é antiga e a simples mudança de indumentária que a morte física impõe não modifica o íntimo das almas. Não temos "céus automáticos", temos realidades.

Sem disfarçar meu assombro, voltei a indagar:

— Todavia, como vivem essas criaturas desventuradas? Obedecem a organizações que lhes sejam próprias? Possuem sistemas especiais?

— A maioria aqui — esclareceu o instrutor — é constituída de entidades desencarnadas, em situação de parasitismo. Pesam naturalmente na economia psíquica das pessoas às quais se reúnem e na atmosfera dos lares que as acolhem. Não creia, porém, na inexistência de organizações nas zonas inferiores. Elas existem e, em grande número, não obstante os ascendentes de orgulho e rebeldia que lhes inspiraram as fundações. Em semelhantes agrupamentos, dominam os gênios da perversidade deliberada. Aqui, sob nossos olhos, temos tão somente uma assembleia de almas sofredoras e desorientadas. Você não conhece ainda os antros do mal, em sua verdadeira significação.

E, em um gesto expressivo, acentuou:

17.10

— Não vivemos em paz com esses focos de maldade organizada. Compete-nos lutar contra eles, até a vitória completa do bem.

Mais uma vez, senti a extensão e a magnitude dos serviços que aguardam os leais servidores de Jesus, depois da morte do corpo físico.

Escutava com interesse a engenhosa pregação do dirigente desencarnado, quando o novo cooperador que nos acompanhava fez-nos ligeiro sinal a alguma distância, interessado em não se imiscuir na multidão, por causa da sua condição de visibilidade aos circunstantes, sinal esse a que Alexandre atendeu imediatamente, seguido pela genitora aflita, e por mim.

O companheiro localizara Marinho e chamava-nos ao trabalho.

Em recanto escuro de uma das velhas dependências do templo, mantinha-se a pobre entidade em meditação. A mãe carinhosa aproximou-se e afagou-lhe a fronte. Todavia, o filho infortunado, como acontece à maioria dos homens terrestres em face da influência das almas superiores, apenas sentiu uma vaga alegria no coração. Avistou, porém, o nosso novo amigo com o qual estabeleceu interessante diálogo.

Logo após receber-lhe afetuosa saudação, perguntou Marinho surpreso:

— Foi também padre?

— Sim — respondeu Necésio, com simpatia.

— Pertence aos submissos ou aos lutadores? — interrogou Marinho, algo irônico, dando a entender que por submissos compreendia todos os colegas cultivadores da humildade evangélica, e por lutadores todos aqueles que, não encontrando a realidade espiritual, segundo as falsas promessas do culto exterior, se achavam entregues à faina ingrata de revolta e desesperação.

17.11   — Pertenço ao grupo da boa vontade — respondeu Necésio, com inteligência.

Incapaz de perceber a nossa presença ao seu lado, Marinho fixou o nosso companheiro com sarcasmo e tristeza simultânea e perguntou:

— A que me procura?

— Soube que você, meu amigo — explicou-se o interlocutor, com emoção —, experimenta certas dificuldades íntimas, que também venho sofrendo. A dificuldade para conhecer o bem e o cansaço da permanência no mal, a necessidade de afeições e o tédio das companhias inferiores representaram para mim padecimentos enormes.

Enquanto o sacerdote triste mudava de expressão fisionômica, Necésio continuava:

— É bem amargo reconhecer a impossibilidade de vivermos sem esperança, conservando, ao mesmo tempo, o desencanto de viver.

— Oh! sim, é verdade! — exclamou o interlocutor, comovido com a observação.

— E por que não trabalharmos contra isto?

— Mas como? — interrogou Marinho, com inflexão dolorosa — Prometeram-nos na Terra um céu aberto aos nossos títulos e a morte nos revelou situações francamente opostas. Não ministrávamos nós os sacramentos, não fomos revestidos do poder? Confiaram-nos dominações e impuseram-nos aqui humilhações angustiosas... Para quem apelar? Insubordinar-se agora é um dever.

Notei que o nosso colaborador se prontificava a responder com argumentação sólida, de essência evangelizante, falando-lhe das vaidades terrestres e das interpretações arbitrárias do homem, no campo das Leis Divinas, mas antes que Necésio pudesse imprimir à conversação qualquer sinal de contenda, Alexandre advertiu-o bondosamente:

— Não discuta. **17.12**

O interpelado modificou a disposição e considerou com afabilidade:

— Sim, meu amigo, cada consciência tem suas lutas e problemas próprios. Não venho disputar a sua renovação compulsória. Incumbido por alguns amigos que se interessam pela sua felicidade, em plano mais alto, venho convidá-lo para uma reunião.

— Desejarão, acaso, modificar o meu rumo, como já tentaram? — perguntou Marinho curioso.

— Naturalmente foram avisados de seu novo estado íntimo — aduziu Necésio decidido — e talvez pretendam oferecer-lhe vantagens novas. Quem sabe?

O interlocutor pensou alguns minutos e voltou a fazer indagações, quanto aos seus prováveis benfeitores. O nosso companheiro, porém, informou com serenidade:

— Não dispomos de tempo para muitas elucidações. Creio que o amigo, como aconteceu comigo mesmo, lucrará muitíssimo. Entretanto, se deseja tentar uma solução para o seu caso, não podemos perder os minutos.

Via-se que Marinho penetrava o terreno obscuro da indecisão; no entanto, sua genitora desencarnada enlaçou-o com mais carinho, a pedir-lhe mentalmente que acompanhasse o mensageiro, sem hesitação. Impossibilitado de oferecer resistência àquela vigorosa imposição magnética do amor maternal, exclamou resoluto:

— Vamo-nos!

Necésio estendeu-lhe o braço de irmão e retiramo-nos, apressadamente, por uma das pequenas portas laterais.

17.13   Em breves minutos, penetrávamos o conhecido recinto de orações e trabalhos espirituais.

Observei que muitos servidores de nossa esfera mantinham-se de mãos dadas, formando extensa corrente protetora da mesa consagrada aos serviços da noite. O quadro era para mim uma novidade.

Alexandre, porém, explicou-me discreto:

— Trata-se da cadeia magnética necessária à eficiência de nossa tarefa de doutrinação. Sem essa rede de forças positivas, que opera a vigilância indispensável, não teríamos elementos para conter as entidades perversas e recalcitrantes.

O instrutor, porém, fez-me perceber que a hora não comportava conversações e, auxiliando Necésio, localizou Marinho dentro do círculo magnético, no qual, com surpresa, verifiquei a presença de vários desencarnados sofredores, trazidos por outros pequenos grupos de amigos espirituais e que, por sua vez, aguardavam a oportunidade de doutrinação.

Sentindo, agora, o ambiente em que se achava, Marinho quis recuar, mas não pôde. A fronteira vibratória estabelecida pelos nossos colaboradores, à reduzida distância da mesa de fraternidade, impedia-lhe a fuga.

— Isto é um logro! — clamou revoltado.

— Sossegue! — respondeu-lhe Necésio, sem se alterar — você conquistará grande alívio. Espere! Poderá desabafar suas mágoas e ouvir a palavra compassiva de um orientador cristão, ainda encarnado. E em seguida, quem sabe? talvez possa ver algum ente querido que se encontre em zonas mais altas, à espera de seu fortalecimento e iluminação...

— Não quero! não quero! — bradava o infeliz.

— Sabe assim a verdade, meu amigo? — perguntou-lhe o nosso companheiro, com inflexão de ternura. — Poderá adivinhar a procedência do socorro de hoje? Conseguirá lembrar-se de quem me enviou ao seu encontro?

O sacerdote desencarnado fixou nele os olhos tomados de 17.14
expressão terrível, mas Necésio, sem perder a calma, falou, depois de uma pausa mais longa:
— Sua mãe!
Marinho escondeu o rosto nas mãos e prorrompeu em pranto angustioso.

A esse tempo, secundado por diversos auxiliares, Alexandre prestava ao organismo de Otávia o máximo de concurso fraterno, em cotas abundantes de recursos magnéticos. Compreendi que, se para os fenômenos de intercâmbio com os desencarnados esclarecidos era necessário o auxílio de nosso plano ao campo mediúnico, no caso presente essa cooperação deveria ser muito maior, em vista da condição dolorosa e lastimável dos comunicantes. Com efeito, a médium Otávia recebia os mais vastos recursos magnéticos para a execução de sua tarefa.

Daí a minutos, providenciava-se a incorporação de Marinho, que tomou a intermediária sob forte excitação. Otávia, provisoriamente desligada dos veículos físicos, mantinha-se agora algo confusa, em vista de encontrar-se envolvida em fluidos desequilibrados, não mostrando a mesma lucidez que lhe observáramos anteriormente; todavia, a assistência que recebia dos amigos de nosso plano era muito maior.

Um instrutor de elevada condição hierárquica substituiu Alexandre junto da médium, passando o meu orientador a inspirar diretamente o colaborador encarnado, que dirigia a reunião.

Enquanto isto ocorria, vários ajudantes de serviço recolhiam as forças mentais emitidas pelos irmãos presentes, inclusive as que fluíam abundantemente do organismo mediúnico, o que, embora não fosse novidade, me surpreendeu pelas características diferentes com que o trabalho era levado a efeito.

Não pude conter-me e interpelei um amigo em atividade nesse setor.

17.15 — Esse material — explicou-me ele bondosamente — representa vigorosos recursos plásticos para que os benfeitores de nossa esfera se façam visíveis aos irmãos perturbados e aflitos ou para que materializem provisoriamente certas imagens ou quadros, indispensáveis ao reavivamento da emotividade e da confiança nas almas infelizes. Com os raios e energias, de variada expressão, emitidos pelo homem encarnado, podemos formar certos serviços de importância para todos aqueles que se encontrem presos ao padrão vibratório do homem comum, não obstante permanecerem distantes do corpo físico.

Compreendi a elucidação, reconhecendo que, se é possível efetuar uma sessão de materialização para os companheiros encarnados, em outro sentido a mesma tarefa poderia ser levada a efeito para os irmãos desencarnados, de condição inferior.

Admirando a excelência e a amplitude das atividades dos nossos orientadores, fixei a minha atenção na palestra que se estabeleceu entre Marinho, incorporado em Otávia, e o doutrinador humano, orientado intuitivamente por Alexandre.

A princípio, o sacerdote demonstrava imenso desespero e pronunciava palavras fortes que lhe denunciavam a rebeldia. O interlocutor, contudo, falava-lhe com serenidade cristã, revelando-lhe a superioridade do Evangelho vivido sobre o Evangelho interpretado.

A certa altura da doutrinação, percebi que Alexandre chamava a si um dos diversos cooperadores que manipulavam os fluidos e forças recolhidos na sala e recomendava-lhe que ajudasse a genitora de Marinho a tornar-se visível para ele. Notei que a senhora desencarnada, com os préstimos de outros amigos, atendeu imediatamente, ao passo que Alexandre, abandonando por momentos o seu posto junto ao doutrinador, aplicou passes magnéticos na região visual do comunicante, compreendendo, então, que ali se encontrava em jogo interessantes princípios de cooperação. A genitora amorosa resignava-se ao envolvimento em vibrações mais grosseiras, por alguns minutos, enquanto o filho elevava a percepção visual até o mais alto nível ao seu alcance, para que pudessem efetuar um reencontro temporário de benéficas consequências para ele.

17.16 Voltou Alexandre a fixar-se ao lado do dirigente e, com surpresa, ouvi que o amigo encarnado desafiava o exasperado comunicante, agindo francamente por intuição com a sua voz quente de sinceridade no ministério do amor fraternal:

— Observe em volta de si, meu irmão! — exclamava o doutrinador, comoventemente — Reconhece quem se encontra ao seu lado?

Foi então que o sacerdote lançou um grito terrível:

— Minha mãe! — disse ele, alarmado de dor e vergonha — minha mãe!...

— Por que não render-se ao amor de nosso Pai celeste, meu filho? — disse a genitora emocionada, abraçando-o — Chega de vãs discussões e de contendas intelectuais! Marinho, a porta de nossas ilusões terrenas cerrou-se com os nossos olhos físicos!... Não transfira para cá nossos velhos enganos! Atenda-me! Não se revolte mais! Humilhe-se diante da verdade! Não me faça sofrer por mais tempo!...

Os encarnados presentes viam tão somente o corpo de Otávia, dominado pelo sacerdote que lhes era invisível, quase a rebentar-se de soluços atrozes, mas nós víamos além. A nobre senhora desencarnada postou-se ao lado do filho e começou a beijá-lo, em lágrimas de reconhecimento e amor. Pranto copioso identificava-os.

Cobrando forças novas, a genitora continuou:

— Perdoe-me, filho querido, se em outra época induzi o seu coração à responsabilidade eclesiástica, modificando o curso de suas tendências. Suas lutas de agora atingem-me a alma angustiada. Seja forte, Marinho, e ajude-me! Desvencilhe-se dos maus companheiros! Não vale rebelar-se. Nunca fugiremos à lei do Eterno! Onde você estiver, a voz divina se fará ouvir no imo da consciência...

17.17 Nesse momento, observei que o sacerdote recordou instintivamente os amigos, tocado de profundo receio. Agora, que reencontrava a mãezinha carinhosa e devotada a Deus, que sentia a vibração confortadora do ambiente de fraternidade e fé, sentia medo de regressar ao convívio dos colegas endurecidos no mal.

Apertou a destra materna, confiante, e perguntou:

— Ó minha mãe, posso acompanhá-la para sempre?

A entidade amorável contemplou-o, com redobrado amor, através do véu do pranto, e respondeu:

— Por enquanto, não, meu filho! Poderá você distanciar-se do desequilíbrio, neste momento, quebrar todos os elos que o prendem às zonas inferiores, abandonando-as de vez; entretanto, há que transformar sua condição vibratória, por meio da renovação íntima para o bem, mediante a qual é possível nossa reunião em breve, no Lar Divino. Não tenha receio, porém. Providenciaremos todos os recursos necessários à sua vida nova, desde que você modifique sinceramente os propósitos espirituais. Dê-nos a boa vontade fiel e Jesus nos auxiliará, quanto ao resto!... Temos aqui um desvelado amigo que nos prestará sua valiosa colaboração. Refiro-me a Necésio, o bom irmão que o trouxe ao nosso encontro. Ele colocará à sua disposição os recursos precisos à conduta diferente. A princípio, Marinho, você experimentará dificuldades e dissabores, será assediado pelos antigos companheiros, que se converterão em adversários, mas, sem a luta que facilita a aquisição dos valores reais, não aprenderemos onde se encontra o nosso verdadeiro lugar na obra de Deus.

O filho infortunado prometeu-lhe a transformação imprescindível.

Depois de encorajá-lo com ponderada ternura, a devotada senhora deixou-o entregue aos cuidados de Necésio, que, prazerosamente, recebeu a missão de encaminhá-lo na esfera dos deveres novos. **17.18**

Após despedir-se da mãezinha abnegada, que voltou à nossa companhia, o sacerdote conversou ainda, por alguns minutos, com o dirigente encarnado da reunião, surpreendendo-o com a mudança brusca.

Fora obtida, de fato, uma dádiva do Senhor. A dedicação maternal produzira salutares efeitos naquele coração exasperado e desiludido.

Marinho não poderia ser arrebatado das sombras para a luz somente em virtude da amorosa cooperação de nosso plano, mas recebeu nosso auxílio fraterno e utilizaria os elementos novos para colocar-se a caminho da Vida Mais Alta. Reconheci, admirando a Justiça do Pai, que a genitora dedicada não poderia entregar-lhe a colheita de luz que lhe era própria; contudo, fornecia-lhe valiosas sementes, para que ele as cultivasse como bom lavrador.

Outros grupos, procedentes de outras regiões, traziam seus tutelados para a doutrinação, de acordo com o programa de serviço estabelecido previamente.

Foram quatro as entidades que receberam os benefícios diretos dessa natureza, por intermédio de Otávia e outro médium.

Em todos os casos, o magnetismo foi empregado em larga escala pelos nossos instrutores, salientando-se o de um pobre negociante que ainda ignorava a própria morte. Demonstrando ele certa teimosia, em face da verdade, um dos orientadores espirituais, da condição hierárquica de Alexandre, impondo-lhe sua vontade vigorosa, fê-lo ver, à distância, os despojos em decomposição. O infeliz, examinando o quadro, gritava lamentosamente, rendendo-se, por fim, à evidência dos fatos.

17.19   Em todos os serviços, o material plástico recolhido das emanações dos colaboradores encarnados satisfez eficientemente. Não era mobilizado apenas pelos amigos de mais nobre condição, que necessitavam fazer-se visíveis aos comunicantes; era empregado também na fabricação momentânea de quadros transitórios e de ideias–formas, que agiam beneficamente sobre o ânimo dos infelizes, em luta consigo mesmos. Um dos necessitados, que tomara o médium sob forte excitação, quis agredir os componentes da mesa em tarefa de auxílio fraternal. Antes, porém, que pusesse em prática o sinistro desígnio, vi que os técnicos de nosso plano trabalhavam ativos na composição de uma forma sem vida própria, que trouxeram imediatamente, encostando-a no provável agressor. Era um esqueleto de terrível aspecto, que ele contemplou de alto a baixo, pondo-se a tremer, humilhado, esquecendo o triste propósito de ferir benfeitores.

Depois de trabalhos complexos da nossa esfera, terminou a sessão, com grandes benefícios para todos.

Dentro de mim, germinavam novos mundos de pensamento.

Os trabalhos havidos para cada caso particular constituíam lições diferentes para minha alma. E, aturdido pela dilatação da luz que se fazia cada vez mais intensa e viva no meu círculo mental, reconheci que os gênios celestes poderiam trazer o mais belo e eficiente socorro aos Espíritos da sombra, que, movidos de piedade e amor, conseguiriam instalar abundantes celeiros de bênçãos, junto dos sofredores, mas que, de conformidade com a Eterna Lei, os necessitados só poderiam receber os divinos benefícios se estivessem dispostos a aderir, por si mesmos, aos trabalhos do bem.

18
Obsessão

18.1 A conselho de orientadores experimentados, o agrupamento a que Alexandre emprestava preciosa colaboração reunia-se, em noites previamente determinadas, para atender aos casos de obsessão. Era necessário reduzir, tanto quanto possível, a heterogeneidade vibratória do ambiente, o que compelia a direção da casa a limitar o número de encarnados nos serviços de benefício espiritual.

Semelhante capítulo de nossas atividades impressionava-me fortemente, razão por que, depois de obter a permissão de Alexandre para acompanhá-lo ao trabalho, interroguei-o com a curiosidade de sempre:

— Todo obsidiado é um médium, na acepção legítima do termo?

O instrutor sorriu e considerou:

— Médiuns, meu amigo, inclusive nós outros, os desencarnados, todos o somos, em vista de sermos intermediários do bem que procede de Mais Alto, quando nos elevamos, ou portadores do mal, colhido nas zonas inferiores, quando caímos em desequilíbrio. O obsidiado, porém, acima de médium de energias perturbadas, é quase sempre um enfermo, representando uma legião de doentes invisíveis ao olhar humano. Por isto mesmo, constitui, em todas as circunstâncias, um caso especial, exigindo muita atenção, prudência e carinho.

Lembrando as conversações ouvidas entre os companheiros encarnados, cooperadores assíduos do esforço de Alexandre e outros instrutores, acrescentei: **18.2**

— Pelo que me diz, compreendo as dificuldades que envolvem os problemas alusivos à cura; entretanto, recordo-me do otimismo com que nossos amigos comentam a posição dos obsidiados que serão trazidos a tratamento...

O generoso mentor fixou um sorriso paternal e observou:

— Eles, por enquanto, não podem ver senão o ato presente do drama multissecular de cada um. Não ponderam que obsidiado e obsessor são duas almas a chegarem de muito longe, extremamente ligadas nas perturbações que lhes são peculiares. Nossos irmãos na carne procedem acertadamente entregando-se ao trabalho com alegria, porque de todo esforço nobre resulta um bem que fica indestrutível na esfera espiritual; no entanto, deveriam ser comedidos nas promessas de melhoras imediatas, no campo físico, e, de modo algum, deveriam formular julgamento prematuro em cada caso, porquanto é muito difícil identificar a verdadeira vítima com a visão circunscrita do corpo terrestre.

Depois de pequena pausa, continuou:

— Também observei o exagerado otimismo dos companheiros, vendo que alguns deles, mais levianos, chegavam a fazer promessas formais de cura às famílias dos enfermos. Claro que serão enormes os benefícios a serem colhidos pelos doentes; todavia, se devemos estimar o bom ânimo, cumpre-nos desaprovar o entusiasmo desequilibrado e sem rumo.

— Já conhece todos os casos? — indaguei.

18.3   — Todos — respondeu Alexandre, sem hesitar. — Dos cinco que constituirão o motivo da próxima reunião, apenas uma jovem revela possibilidades de melhoras mais ou menos rápidas. Os demais comparecerão simplesmente para socorro, evitando agravo nas provas necessárias.

Considerando muito interessante a menção especial que se fazia, perguntei:

— Gozará a jovem de proteção diferente?

O instrutor sorriu e esclareceu:

— Não se trata de proteção, mas de esforço próprio. O obsidiado, além de enfermo, representante de outros enfermos, quase sempre é também uma criatura repleta de torturantes problemas espirituais. Se lhe falta vontade firme para a autoeducação, para a disciplina de si mesma, é quase certo que prolongará sua condição dolorosa além da morte. Que acontece a um homem indiferente ao governo do próprio lar? Indubitavelmente será assediado por mil e uma questões, no curso de cada dia, e acabará vencido, convertendo-se em joguete das circunstâncias. Imagine agora que esse homem indiferente esteja cercado de inimigos que ele mesmo criou, adversários que lhe espreitam os menores gestos, tomados de sinistros propósitos, na maioria das vezes... Se não desperta para as realidades da situação, empunhando as armas da resistência e valendo-se do auxílio exterior que lhe é prestado pelos amigos, é razoável que permaneça esmagado. Esta, a definição da maior porcentagem dos casos espirituais de que estamos tratando. Não representa, porém, a característica exclusiva das obsessões de ordem geral. Existem igualmente os processos laboriosos de resgate, em que, depois de afastados os elementos da perturbação e da sombra, perseveram as situações expiatórias. Em todos os acontecimentos dessa espécie, porém, não se pode prescindir da adesão dos interessados diretos na cura. Se o obsidiado está satisfeito na posição de desequilíbrio, há que esperar o término de sua cegueira, a redução da rebeldia que lhe é própria ou o afastamento da ignorância que lhe oculta a compreensão da verdade. Ante obstáculos dessa natureza, embora sejamos chamados com fervor por aqueles que amam particularmente os enfermos, nada podemos fazer, senão semear o bem para a colheita do futuro, sem qualquer expectativa de proveito imediato.

O instrutor imprimiu ligeiro intervalo à conversação, e, **18.4** porque visse minha necessidade de esclarecimento, prosseguiu:

— A jovem a que me referi está procurando a restauração das forças psíquicas, por si mesma; tem lutado incessantemente contra as investidas de entidades malignas, mobilizando todos os recursos de que dispõe no campo da prece, do autodomínio, da meditação. Não está esperando o milagre da cura sem esforço e, não obstante, terrivelmente perseguida por seres inferiores, vem aproveitando toda espécie de ajuda que os amigos de nosso plano projetam em seu círculo pessoal. A diferença, pois, entre ela e os outros, é a de que, empregando as próprias energias, entrará, embora vagarosamente, em contato com a nossa corrente auxiliadora, ao passo que os demais continuarão, ao que tudo faz crer, na impassibilidade dos que abandonam voluntariamente a luta edificante.

Compreendi a elucidação e esperei a noite de socorro aos obsidiados, como Alexandre designava esse gênero de serviço.

Não decorreram muitos dias e, em companhia do instrutor, penetrei, sumamente interessado, o conhecido recinto.

O pessoal estava agora reduzido. Em derredor da mesa, reuniam-se tão somente dois médiuns, seis irmãos experimentados no conhecimento e prática de problemas espirituais e os obsidiados em tratamento.

Os enfermos, em número de cinco, apresentavam características especiais. Dois deles, uma senhora relativamente jovem e um cavalheiro maduro, demonstravam enorme agitação; dois outros, ambos moços e irmãos pelo sangue, pareciam completamente imbecilizados, e, por último, observamos a jovem a que Alexandre se referira, que se controlava com esforço, ante o assédio de que era vítima.

18.5   As entidades inferiores que rodeavam os doentes compareciam em grande número. Nenhuma delas nos registrava a presença, em virtude do baixo padrão vibratório em que se mantinham, mas se sentiam à vontade, no contato com os companheiros encarnados. Permutavam impressões, entre si, com grande interesse, e pelas conversações deixavam perceber seus terríveis projetos de ataque e vingança.

Seguia-lhes atentamente a movimentação, quando fui surpreendido com a chegada de dois amigos de nosso plano, para os quais olharam os obsessores, com certo receio.

— São nossos intérpretes junto das entidades perseguidoras — exclamou Alexandre, elucidando-me. — Em virtude da condição em que se encontram, podem ser percebidos por elas e manter estreita ligação conosco, ao mesmo tempo.

Assinalando a serenidade com que sorriam para nós, sem partilharem de entendimento direto com os instrutores de nossa esfera, ali presentes, ouvi o meu orientador explicar:

— Já se encontram de posse das instruções precisas aos trabalhos da noite.

As criaturas desencarnadas, que se congregavam ali em dolorosa perturbação, retificaram, de algum modo, a linguagem que lhes era própria, ao avistarem os dois missionários. Verifiquei, pela modificação havida, que ambos eram já conhecidos de todas.

Um dos obsessores, evidentemente cruel, falou em tom discreto a um dos companheiros.

— Estão chegando os pregadores. Oxalá não nos venham com maiores exigências.

— Não sei o que desejam estes ministros — respondeu o interlocutor, algo irônico —, porque, afinal de contas, conselho e água dão-se a quem pede.

— Parece-me que convidaram os da mesa a cansar-nos até o esquecimento de nossos propósitos de fazer justiça pelas próprias mãos.

— Palavras o vento leva — aduziu o outro.

A essa altura, os novos amigos entravam em palestra com as entidades da sombra. Um deles dirigiu-se a uma senhora desencarnada, em tristes condições, que se ligava a um dos obsidiados em posição de idiotia, e falou-lhe bondoso:

— Com que então, minha irmã parece melhorada, mais forte! Ainda bem!

Ela explodiu em crise de pranto. Todavia, prosseguiu o missionário, sem qualquer inquietude:

— Acalme-se! A vingança agrava os crimes cometidos. Para restabelecer a felicidade perdida, minha amiga, é necessário esquecer todo o mal. Enquanto abrigar pensamentos de ódio, não poderá atingir as melhoras que deseja. A cólera perseverante constitui estado permanente de destruição. Não conseguirá articular os elementos da paz íntima, até que perdoe de coração.

— É quase impossível — respondeu a interpelada —, este homem afrontou meu ideal de mulher, lançou-me à corrupção, escarneceu de minha sorte, transformou-me o destino em corrente de males. Não será justo que pague agora? Não apregoam que o Pai é justo? Eu não vejo, porém, o Pai e preciso fazer justiça, usando minhas próprias forças.

E, porque o doutrinador desencarnado a fitasse compadecido, murmurou:

— E se fosse o senhor a mulher? Ponha-se no meu caso e pense como procederia. Prontificar-se-ia a desculpar os malvados que lhe atiraram lama ao coração? Cerraria as portas da memória, a

18.6

ponto de anestesiar os mais belos sentimentos do caráter? Não acredito. O senhor reagiria como estou reagindo. Há condições para perdoar. E as condições que eu imponho, na qualidade de vítima, são as de que o meu verdugo experimente também o sarcasmo da sorte. Ele infelicitou-me e voltou ao mundo. Preparou-se para uma vida regalada de considerações sociais. Titulou-se para conquistar a estima alheia. E o que me deve? Também eu, em outro tempo, não era digna de respeito geral? Não me candidatara a uma existência laboriosa e honesta, com o firme propósito de servir a Deus?

18.7 Acompanhava a discussão com forte interesse, admirando o individualismo que caracteriza cada criatura, ainda mesmo além da morte do corpo.

O intérprete de nossa esfera, contemplando-a, sem irritação, observou:

— Todas as suas considerações, minha amiga, são aparentemente muito respeitáveis. Todavia, em todos os desastres que nos ocorram, devemos examinar serenamente a porcentagem de nossa coparticipação. Apenas em situações raríssimas, poderíamos exibir, de fato, o título de vítimas. Na maioria dos acontecimentos dessa natureza, porém, temos a nossa parte de culpa. Não podemos evitar que a ave de rapina cruze os ares, sobre a nossa fronte, mas podemos impedir que faça ninho em nossa cabeça.

Nesse ponto, a interlocutora, parecendo melindrada, acentuou asperamente:

— Suas palavras são filhas da pregação religiosa, mas eu estou à procura da Justiça...

E com riso irônico, terminava:

— Aliás, da Justiça apregoada por Jesus.

O missionário não se exaltou ante o sarcasmo do gesto que acompanhou a observação ingrata e disse-lhe bondoso:

— A Justiça! Quantos crimes se praticam no mundo em seu nome! Quantos homens e mulheres, que, procurando fazer justiça sobre si mesmos, nada mais fazem que incentivar a tirania do "eu"? Refere-se a irmã ao Divino Mestre. Que espécie de justiça reclamou o Senhor para Ele, quando vergava sobre a cruz? Nesse sentido, minha amiga, o Cristo nos deixou normas de que não deveremos esquecer. O Mestre mantinha-se vigilante em todos os atos alusivos à Justiça para os outros. Defendeu os interesses espirituais da coletividade, até a suprema renunciação; entretanto, quando surgiu a ocasião do seu julgamento, guardou silêncio e conformação até o fim. Naturalmente não desejou o Mestre, com semelhante atitude, desconsiderar o serviço sagrado dos juízes retos, no mundo carnal, mas preferiu adotá-la, estabelecendo o padrão de prudência para todos os discípulos de seu Evangelho, nas mais diferentes situações. Ao se tratar de interesses alheios, minha irmã, devemos ser rápidos na justificação legítima; entretanto, quando os assuntos difíceis e dolorosos nos envolvem o "eu", convém moderar todos os impulsos de reivindicação. Nem sempre a nossa visão incompleta nos deixa perceber a altura da dívida que nos é própria. E, na dúvida, é lícita a abstenção. Acredita que Jesus tivesse algum débito para merecer a sentença condenatória? Ele conhecia o crime que se praticava, possuía sólidas razões para reclamar o socorro das leis; no entanto, preferiu silenciar e passar, esperando-nos no campo da compreensão legítima. É que o Mestre, acima do "olho por olho" das antigas disposições da lei, ensinou o "amai-vos uns aos outros", praticando-o invariavelmente. Confirmou a legalidade da Justiça, mas proclamou a divindade do amor. Demonstrou que será sempre heroísmo o ato de defender os que merecem, mas se absteve de fazer justiça a si mesmo, para que os aprendizes da sua doutrina estimassem a prudência humana e a fidelidade divina, nos problemas graves da personalidade, fugindo aos desvarios que as paixões do "eu" podem desencadear nos caminhos do mundo.

18.8

18.9 A interlocutora, em face da argumentação veemente e bela, emudeceu, fortemente impressionada.

E Alexandre, que seguia, também comovido, as explicações do intérprete, observou-me:

— O trabalho de esclarecimento espiritual, depois da morte, entre as criaturas, exige de nós outros muita atenção e carinho. É preciso saber semear na "terra abandonada" dos corações desiludidos, que se afastam da crosta sob tempestades de ódio e angústia desconhecida. Diz o Livro Sagrado que no princípio era o Verbo... Também aqui, diante do caos desolado dos Espíritos infelizes, é necessário utilizar o verbo no princípio da verdadeira iluminação. Não podemos criar sem amor, e somente quando nos preparamos devidamente, edificaremos com êxito para a vida eterna.

Silenciando a entidade que fora criteriosamente advertida, passei a observar a senhora, ainda jovem, que se mostrava sob irritação forte, no recinto, preocupando os amigos encarnados. Diversos perseguidores, invisíveis à perquirição terrestre, mantinham-se ao lado dela, impondo-lhe terríveis perturbações, mas de todos eles sobressaía um obsessor infeliz, de maneiras cruéis. Colara-se-lhe ao corpo, em toda a sua extensão, dominando-lhe todos os centros de energia orgânica. Identificava a luta da vítima, que buscava resistir, quase inutilmente.

Meu bondoso orientador percebeu-me a estranheza e explicou:

— Este, André, representa um caso de possessão completa.

E, dirigindo-se ao intérprete que argumentava momentos antes, recomendou-lhe estabelecer ligeiro diálogo com o perseguidor temível, para que eu ajuizasse quanto ao assunto.

Sentindo-se tocado pela destra carinhosa do nosso companheiro, o infortunado gritou:

— Não! não! não me venha ensinar o caminho do Céu! 18.10
Conheço minha situação e ninguém pode deter o meu braço vingador!...

— Não desejamos forçá-lo, meu irmão — acentuou o amigo com serenidade evangélica —, tranquilize-se! Enquanto alimentar propósitos de vingança, será castigado por si mesmo. Ninguém o molesta, senão a própria consciência; as algemas que o prendem à inquietude e à dor foram fabricadas pelas suas próprias mãos!

— Nunca! — bradou o desventurado — nunca! E ela?

Fez acompanhar a pergunta de horrível expressão e continuou:

— O senhor que prega a virtude justifica a escravidão de homens livres? Acredita no direito de construir senzalas para humilhar os filhos do mesmo Deus? Esta mulher foi perversa para nós todos. Além de meu esforço vingador, vibram de ódio outros corações que não a deixam descansar. Persegui-la-emos onde for.

Esboçou um gesto sinistro e prosseguiu:

— Por simples capricho, ela vendeu minha esposa e meus filhos! Não é justo que sofra até que mos restitua? Será crível que Jesus, o Salvador por excelência, aplaudisse o cativeiro?

O nosso intérprete, muito calmo, obtemperou:

— O Mestre não aprovaria a escravidão; contudo, meu amigo, recomendou-nos o perdão recíproco, sem o qual nunca nos desvencilharemos do cipoal de nossas faltas. Qual de nós, antigos hóspedes da carne, conseguirá exibir um passado sem crimes? Neste momento, seus olhos revelam a culpa de uma irmã infeliz. Sua alma, entretanto, meu irmão, permanece desvairada pelo furacão da revolta. Sua memória está consequentemente desequilibrada e ainda não pode reapossar-se das lembranças totais que lhe dizem respeito. Não lhe sendo possível recordar o pretérito, com exatidão, não seria mais razoável esperar, em seu caso, pelo Justo Juiz? Como julgar e executar alguém, pelas próprias mãos, se ainda não pode avaliar a extensão dos seus próprios débitos?

Missionários da luz | Capítulo 18

8.11   O revoltado parecia chocar-se ante os argumentos ouvidos, mas, longe de capitular em sua posição de perseguidor, respondeu asperamente:

— Para os mais fracos, suas observações serão valiosas. Não para mim, porém, que conheço as sutilezas dos pregadores de sua esfera. Não abandonarei meus propósitos. Minha situação não se resolverá com simples palavras.

Nosso companheiro, compreendendo o endurecimento do antagonista e apiedando-se-lhe da ignorância, continuou, em tom fraterno:

— Não se trata de sutileza, e sim de bom senso. Aliás, não desejo retirar-lhe as razões de natureza individualista, mesmo porque vigorosos laços unem-lhe a influenciação à mente da vítima. Entretanto, apelo para os sentimentos nobres que ainda vibram em seu coração, fazendo-lhe reconhecer que, sem as desculpas recíprocas, não liquidaremos nossos débitos. Em geral, o credor exigente é cego para com os próprios compromissos. A sua reclamação, na essência, deve ser legítima; no entanto, é estranhável o seu processo de cobrança, no qual não descubro qualquer vantagem, visto que suas atividades de vingador, além de aprofundar suas chagas íntimas, tornam-no antipático aos olhos de todos os companheiros.

Ferido talvez, mais fundamente, em sua vaidade, o obsessor calou-se, enquanto o intérprete se voltou para nós outros, indagando de meu orientador quanto à conveniência de ajudar-se magneticamente ao infeliz, a fim de que as reminiscências dele pudessem abranger alguns quadros do passado distante.

Alexandre, todavia, considerou:

— Não seria oportuno dilatar-lhe as lembranças. Não conseguiria compreender. Antes de maior auxílio ao seu entendimento, é necessário que sofra.

Aproveitando a pausa mais longa que se fizera entre todos, observei detidamente a pobre obsidiada. Cercada de entidades agressivas, seu corpo tornara-se como que a habitação do perseguidor mais cruel. Ele ocupava-lhe o organismo desde o crânio até os pés, impondo-lhe tremendas reações em todos os centros de energia celular. Fios tenuíssimos, mas vigorosos, uniam-nos ambos, e, ao passo que o obsessor nos apresentava um quadro psicológico de satânica lucidez, a desventurada mulher mostrava aos colaboradores encarnados a imagem oposta, revelando angústia e inconsciência:

— Salvem-me do demônio! Salvem-me do demônio! — **18.1** gritava sem cessar, comovendo os companheiros em torno da mesa humilde — Oh! Meu Deus, quando terminará meu suplício?

Olhos desmesuradamente abertos, como a fixar os inimigos invisíveis à observação comum, bradava angustiosamente, após ligeiros instantes de silêncio:

— Chegaram todos do Inferno! Estão aqui! Estão aqui! Ai! Ai!

Seus gemidos semelhavam-se a longos silvos estertorosos.

Atendendo-me à expectação, esclareceu o instrutor:

— Esta jovem senhora apresenta doloroso caso de possessão. Desde a infância, era perseguida pelos adversários tenazes de outro tempo. Na vida de solteira, porém, no ambiente de proteção dos pais, ela conseguiu, de algum modo, subtrair-se à integral influenciação dos inimigos persistentes, embora lhes sentisse a atuação de maneira menos perceptível. Sobrevindo, no entanto, as responsabilidades do matrimônio, em que, na maioria das vezes, a mulher recebe maior quinhão de sacrifícios, não pôde mais resistir. Logo após o nascimento do primeiro filhinho, caiu em prostração mais intensa, oferecendo oportunidade aos desalmados perseguidores e, desde então, experimenta penosas provas.

Ia expor novas questões que o assunto suscitava, mas o instrutor amigo fez-me ver que a reunião de auxílio, por parte dos encarnados, teria início naquele mesmo instante.

Precisávamos manter o concurso vigilante da fraternidade.

8.13   Observei, agradavelmente surpreendido, as emissões magnéticas dos que se reuniam ali, em tarefa de socorro, movidos pelo mais santo impulso de caridade redentora. Nossos técnicos em cooperação avançada valiam-se do fluxo abundante de forças benéficas, improvisando admiráveis recursos de assistência, não só aos obsidiados, mas também aos infelizes perseguidores.

De todos os enfermos psíquicos, somente a jovem resoluta a que nos referimos conseguia aproveitar nosso auxílio cem por cento. Identificava-lhe o valoroso esforço para reagir contra o assédio dos perigosos elementos que a cercavam. Envolvida na corrente de nossas vibrações fraternas, recuperara normalidade orgânica absoluta, embora em caráter temporário. Sentia-se tranquila, quase feliz.

Apesar de manter-se em trabalho ativo, Alexandre chamou-me a atenção, assinalando o fato.

— Esta irmã — disse o orientador — permanece, de fato, no caminho da cura. Percebeu a tempo que a medicação, qualquer que seja, não é tudo no problema da necessária restauração do equilíbrio físico. Já sabe que o socorro de nossa parte representa material que deve ser aproveitado pelo enfermo desejoso de restabelecer-se. Por isso mesmo, desenvolve toda a sua capacidade de resistência, colaborando conosco no interesse próprio. Observe.

Efetivamente, sentindo-se amparada pela nossa extensa rede de vibrações protetoras, a jovem emitia vigoroso fluxo de energias mentais, expelindo todas as ideias malsãs que os desventurados obsessores lhe haviam depositado na mente, absorvendo, em seguida, os pensamentos regeneradores e construtivos que a nossa influenciação lhe oferecia. Aprovando-me o minucioso exame com um gesto significativo, Alexandre tornou a dizer:

— Apenas o doente convertido voluntariamente em médico de si mesmo atinge a cura positiva. No doloroso quadro das obsessões, o princípio é análogo. Se a vítima capitula sem condições, ante o adversário, entrega-se-lhe totalmente e torna-se possessa, após transformar-se em autômato à mercê do perseguidor. Se possui vontade frágil e indecisa, habitua-se com a persistente atuação dos verdugos e vicia-se no círculo de irregularidades de muito difícil corrigenda, porquanto se converte, aos poucos, em polos de vigorosa atração mental aos próprios algozes. Em tais casos, nossas atividades de assistência estão quase circunscritas a meros trabalhos de socorro, objetivando resultados longínquos. Quando encontramos, porém, o enfermo interessado na própria cura, valendo-se de nossos recursos para aplicá-los à edificação interna, então podemos prever triunfos imediatos.

18.1 Calando-se o instrutor, prossegui observando os serviços que se desenrolavam no recinto.

O doutrinador encarnado, companheiro de grande e bela sinceridade, era o centro de um quadro singular. Seu tórax convertera-se em um foco irradiante, e cada palavra que lhe saía dos lábios semelhava-se a um jato de luz alcançando diretamente o alvo, fosse ele os ouvidos perturbados dos enfermos ou o coração dos perseguidores cruéis. Suas palavras eram, com efeito, de uma simplicidade encantadora, mas a substância sentimental de cada uma assombrava pela sublimidade, elevação e beleza.

Reparando-me a estupefação, Alexandre veio em meu socorro, esclarecendo:

— Estamos aqui numa escola espiritual. O doutrinador humano encarrega-se de transmitir as lições. Você pode registrar, porém, que, para ensinar com êxito, não basta conhecer as matérias do aprendizado e ministrá-las. Antes de tudo, é preciso senti-las e viver-lhes a substancialidade no coração. O homem que apregoa o bem deve praticá-lo, se não deseja que as suas palavras sejam carregadas pelo vento, como simples eco de um tambor vazio. O companheiro que ensina a virtude, vivendo-lhe as grandezas em si mesmo, tem o verbo carregado de magnetismo positivo, estabelecendo edificações espirituais nas almas que o ouvem. Sem essa característica, a doutrinação, quase sempre, é vã.

18.15 Vendo o quadro expressivo, analisado pelos esclarecimentos do instrutor, compreendi que o contágio pelo exemplo não constitui fenômeno puramente ideológico, mas sim que é um fato científico nas manifestações magnético-mentais.

Com exceção da pobre irmã, que se encontrava possessa, os demais obsidiados, naqueles momentos, ficavam livres da influência direta dos perseguidores; entretanto, menos a jovem que reagia valorosamente, os outros apresentavam singular inquietude, ansiosos de se reunirem de novo ao campo de atração dos algozes. Auxiliares nossos haviam arrebatado os verdugos, expulsando-os daqueles corpos enfermos e atormentados; todavia, os interessados nas melhoras físico-psíquicas primavam pela ausência íntima, conservando-se a longa distância espiritual dos ensinamentos que o doutrinador encarnado, ao influxo dos mentores de Mais Alto, ministrava com admirável sentimento. A atitude deles era de insatisfação e ansiedade. Dir-se-ia que não suportavam a separação dos obsessores invisíveis. Habituado a enfermos que, pelo menos aparentemente, demonstravam desejo de cura, estranhei a posição mental daqueles que se reuniam em pequenino grupo, à nossa frente, tão lamentavelmente desinteressados do remédio que a Espiritualidade lhes oferecia, por amor.

Alexandre percebeu-me a surpresa e observou-me:

— Em geral, noventa por cento dos casos de obsessão que se verificam na crosta, constituem problemas dolorosos e intricados. Quase sempre, o obsidiado padece de lastimável cegueira, com relação à própria enfermidade. E, porque não atende ao chamamento da verdade pela cristalização personalista, torna-se presa fácil e inconsciente, embora responsável, de perigosos inimigos das zonas de atividades grosseiras. Comumente, verificam-se casos dessa natureza, em vista de ligações vigorosas e profundas pela afetividade mal dirigida ou pelos detestáveis laços do ódio que, em todas as circunstâncias, é a confiança desequilibrada convertida em monstro.

18.16 — O orientador amigo fez longa pausa, verificando os trabalhos em curso, mas como quem desejasse socorrer-me, com lições inesquecíveis na luta prática, prosseguiu, apesar das absorventes obrigações da hora:

— Por este motivo, André, ainda mesmo para o psiquiatra esclarecido à luz do Espiritismo Cristão, a maioria dos casos desta ordem é francamente desconcertante. Em virtude dos ascendentes sentimentais, cada problema destes exige solução diferente. Além disso, importa notar que os nossos companheiros encarnados observam somente uma face da questão, quando cada processo desse teor se caracteriza por aspectos infinitos, com vistas ao passado dos protagonistas encarnados e desencarnados. Diante do obsidiado, fixam apenas um imperativo imediato — o afastamento do obsessor. No entanto, como rebentar, de um instante para outro, algemas seculares, forjadas nos compromissos recíprocos da vida em comum? Como separar seres que se agarram um ao outro, ansiosamente, por compreenderem que na dor de semelhante união permanece o preço do resgate indispensável? Efetivamente, não faltam os casos, raros embora, de libertação quase instantânea. Aí, porém, vemos o fim de laborioso processo redentor, ou então encontramos o doente que, de fato, faz violência a si mesmo, a fim de abreviar a cura necessária.

Examinando a extensão dos obstáculos ao restabelecimento completo dos enfermos psíquicos, considerei:

— Depreende-se então que...

18.17 Alexandre, porém, não me deixou terminar. Cortando-me a frase inoportuna, respondeu:

— Já sei o que vai dizer. Verificando as dificuldades que relaciono para o seu aprendizado natural, você pergunta se não será infrutífero o nosso trabalho e se não será melhor entregar o obsidiado à própria sorte. Esta observação, contudo, é um contrassenso. Se você estivesse na Terra, ainda na carne, e visse um filho amado, em condições pré-agônicas, totalmente desenganado pela Medicina humana, teria coragem de abandoná-lo ao sabor das circunstâncias? Não confiaria em algum recurso inesperado da Providência Divina? Não aguardaria, ansioso, a manifestação favorável da Natureza? Quem está firmemente no âmago do coração de um homem, nosso irmão, para dizer, com certeza matemática, se ele vai reagir contra o mal ou deixar de fazê-lo, se pretende o repouso ou o trabalho ativo? Não podemos, desse modo, mobilizar qualquer argumento intelectual para fugir ao nosso dever de assistência fraterna ao ignorante e sofredor. Urge atender à nossa parte de obrigação imediata, compreendendo que a construção do amor é também uma obra de tempo. Nenhuma palavra, nenhum gesto ou pensamento, nos serviços do bem, permanece perdido.

Compreendi a nobreza da observação, e mantive-me em silêncio. E porque o meu orientador voltasse a cooperar ativamente nos trabalhos em andamento, passei a examinar os doentes psíquicos, enquanto o doutrinador terreno prosseguiu em sua luminosa tarefa de evangelização.

A jovem que reagia contra a perigosa atuação dos habitantes das sombras demonstrava regular normalidade em seu aparelho fisiológico. Semelhava-se a alguém que movimentava todas as possibilidades da defensiva para conservar intacto o equilíbrio da própria casa; entretanto, os demais exibiam lamentáveis condições orgânicas. A desventurada possessa apresentava sérias perturbações, desde o cérebro até os nervos lombares e sacros, demonstrando completa desorganização do centro da sensibilidade, além de lastimável relaxamento das fibras motoras. Tais desequilíbrios não se caracterizavam apenas no sistema nervoso, mas igualmente nas glândulas em geral e nos mais diversos órgãos. Nos demais obsidiados, os fenômenos de degradação física não eram menores. Dois deles revelavam estranhas intoxicações no fígado e rins. Outro mostrava singular desequilíbrio do coração e pulmões, tendendo à insuficiência cardíaca em conúbio com a pré-tuberculose avançada.

Enquanto examinava, atento, aqueles inquietantes quadros clínicos, o orientador encarnado da assembleia, fazendo-se intérprete de grandes benfeitores do nosso plano de ação, espalhava o amor cristão e a sabedoria evangélica, a longos jorros, efetuando, com extrema fidelidade ao Cristo, a semeadura da caridade, da luz, do perdão.

Desejando a minha elevação nas atividades construtivas, Alexandre aproximou-se de mim e observou:

— Repare no serviço de fraternidade legítima. Não temos o milagre das transformações repentinas, nem a promoção imediata, aos planos mais elevados, dos que se demoram no campo inferior. A tarefa é de sementeira, de cuidado, persistência e vigilância. Não se quebram grilhões de muitos séculos em um instante, nem se edifica uma cidade em um dia. É indispensável desgastar as algemas do mal, com perseverança, e praticar o bem, com ânimo evangélico.

Os serviços iam a termo.

Percebendo que o meu instrutor voltava à nossa conversação mais fácil, expus-lhe as minhas observações, perguntando, em seguida:

— Ante os distúrbios fisiológicos que me foi dado verificar nos enfermos psíquicos, devo considerá-los como doentes do corpo também?

18.19 — Perfeitamente — asseverou o instrutor —, o desequilíbrio da mente pode determinar a perturbação geral das células orgânicas. É por este motivo que as obsessões, quase sempre, se acompanham de característicos muito dolorosos. As intoxicações da alma determinam as moléstias do corpo.

Antes que eu pudesse voltar a perguntas, percebi que a reunião estava sendo definitivamente encerrada, por parte dos amigos da crosta. Interrompera-se a cadeia magnética defensiva. Notei, surpreendido, que a jovem resoluta e firme na fé alcançara melhoras consideráveis, enquanto a possessa ia retirar-se com a situação inalterada. Reparei os três outros enfermos. Tão logo se quebrou a corrente de vibrações benéficas, ali estabelecida, voltaram a atrair intensamente os verdugos invisíveis, a cuja influenciação se haviam habituado, demonstrando escasso aproveitamento.

Valendo-me da hora, acerquei-me de Alexandre, para não perder as suas lições alusivas ao assunto, e indaguei:

— Como atingir as conclusões finais, no tratamento aos obsidiados?

Ele sorriu e respondeu:

— Em todas as nossas atividades de socorro há sempre imenso proveito, ainda mesmo quando a sua extensão não seja perceptível ao olhar comum. E qualquer doente dessa natureza que se disponha a cooperar conosco, em benefício próprio, colaborando decididamente na restauração de suas atividades mentais, regenerando-se à luz da vida renovada no Cristo, pode esperar o restabelecimento da saúde relativa do corpo terrestre. Quando a criatura, todavia, roga a assistência de Jesus com os lábios, sem abrir o coração à influência divina, não deve aguardar milagres de nossa colaboração. Podemos ajudar, socorrer, contribuir, esclarecer; não é, porém, possível improvisar recursos, cuja organização é trabalho exclusivo dos interessados.

— Penaliza-me, porém, o quadro clínico dos obsidiados **18.20**
infelizes — considerei, sob forte impressão. — Quão dolorosa a
condição física de cada um!

— Sim, sim! — revidou o instrutor — O problema da
responsabilidade não se circunscreve a palavras. É questão vital
no caminho da vida. Preservando os seus filhos contra os perigos do rebaixamento, criou Deus o aparelhamento das luzes
religiosas, acordando as almas para a glorificação imortal. Raros homens, entretanto, se dispõem a respeitar os desígnios da
Religião, olvidando, voluntariamente, que as menores quedas e
mínimas viciações ficam impressas na alma, exigindo retificação.
Você está observando aqui alguns pobres obsidiados em processo
positivo de tratamento, mas esquece de que inúmeras criaturas,
ainda na carne, não obstante informadas pela Religião quanto às
necessidades do espírito, se deixam empolgar pelo apego vicioso
ao campo de sensações de vária ordem, contraindo débitos, assumindo compromissos pesados e arrastando companheiros outros
em suas aventuras menos dignas, forjando laços fortes para os
dolorosos dramas de obsessão do futuro.

E, depois de sorrir paternalmente, acrescentou:

— Que deseja você? É certo que devemos trabalhar tanto
quanto esteja ao nosso alcance, pelo bem do próximo; todavia,
não podemos exonerar os nossos semelhantes das obrigações
contraídas. O servo fiel não é aquele que chora ao contemplar as
desventuras alheias, nem o que as observa, de modo impassível, a
pretexto de não interferir no labor da justiça. O sentimentalismo
doentio e a frieza correta não edificam o bem. O bom trabalhador é o que ajuda, sem fugir ao equilíbrio necessário, construindo todo o trabalho benéfico que esteja ao seu alcance, consciente
de que o seu esforço traduz a Vontade Divina.

Alexandre não podia ser mais claro. Compreendi-lhe o esclarecimento instrutivo, mas, notando a saída dos enfermos, sob o amparo vigilante dos familiares, que os aguardavam à porta, voltei a indagar:

18.21 — Meu amigo, e se conseguíssemos o afastamento definitivo dos perseguidores implacáveis? Na qualidade de antigo médico do mundo, reconheço que estes doentes psíquicos não trazem as enfermidades, de que são portadores, circunscritas à mente. Com exceção da jovem que reage valorosamente, os demais revelam estranhos desequilíbrios do sistema nervoso, com distúrbios no coração, fígado, rins e pulmões. Admitamos que fosse obtida a conversão dos verdugos que os atormentam. Voltariam depois disto à normalidade orgânica, alcançariam o retorno à saúde completa?

Alexandre meditou alguns momentos, antes de responder, e asseverou, em seguida:

— André, o corpo de carne é como se fora um violino entregue ao artista, que, nesse caso, é o Espírito reencarnado. Torna-se indispensável preservar o instrumento dos animálculos destruidores e defendê-lo contra ladrões. Observou a jovem que tudo faz por guardar-se do mal? Tem estado a cair sob os golpes dos perseguidores que lhe assediam impiedosamente o coração. Entretanto, como alguém que atravessa longa e perigosa senda sobre o abismo, confiante em Deus, ela tem recorrido à prece, incessantemente, estudando a si mesma e mobilizando as possibilidades de que dispõe para não perturbar a ordem dentro dela própria. Na tentação de que é vítima, tem essa irmã a provação que a redime. Ela, porém, com o heroísmo silencioso de seu trabalho, tem esclarecido os próprios perseguidores, compelindo-os à meditação e à disciplina. Segundo vê, essa lutadora sabe preservar o instrumento que lhe foi confiado e, convertida em doutrinadora dos verdugos, pelo exemplo de resistência ao mal, transforma os inimigos, iluminando a si mesma. Ante a colaboração dessa natureza, temos o problema da cura altamente facilitado. Não se verificará, porém, o mesmo com aqueles que não se acautelam com a defesa do instrumento corporal. Entregue aos malfeitores, o violino simbólico a que nos referimos pode permanecer semi-destruído. E, ainda que seja restituído ao legítimo possuidor, não pode atender ao trabalho da harmonia, com a mesma exatidão de outro tempo. Um Stradivárius[34] pode ser autêntico, mas não se fará sentir com as cordas rebentadas. Como vemos, os casos de obsessão apresentam complexidades naturais e, na solução deles, não podemos prescindir do concurso direto dos interessados.

— Compreendo! — exclamei.

18.22

E, em virtude da pausa mais longa que o mentor imprimiu à conversação, obtemperei:

— Convenhamos, porém, que os perseguidores se convertam, que se afastem definitivamente do mau caminho, depois de seviciarem o organismo das vítimas, durante longo tempo... Nesse caso, não terão elas o restabelecimento imediato? não recuperarão o equilíbrio fisiológico integral?

Com a bondade que lhe é peculiar, Alexandre respondeu:

— Já observei acontecimentos dessa ordem e, quando se verificam, os antigos verdugos se transformam em amigos, ansiosos de reparar o mal praticado. Por vezes, conseguem, recebendo a ajuda dos planos superiores, a restauração da harmonia orgânica naqueles que lhes suportaram a desumana influência; no entanto, na maioria dos casos, as vítimas não mais restabelecem o equilíbrio do corpo.

— E permanecem de saúde incompleta até o sepulcro? — perguntei fortemente impressionado.

— Sim — elucidou Alexandre, tranquilamente.

Observando-me, porém, o espanto enorme, o orientador acrescentou:

---

[34] N.E.: Uma das mais famosas marcas de instrumentos de corda do mundo.

18.23 — Seu assombro prende-se ainda à deficiente análise humana. O perseguidor, reconhecido como tal, entre os companheiros encarnados, pode revelar modificações, mas talvez a suposta vítima não esteja convertida. Na obsessão, as dificuldades não são unilaterais. O eventual afastamento do perseguidor nem sempre significa a extinção da dívida. E, em qualquer parte do Universo, André, receberemos sempre de acordo com as nossas próprias obras.

O assunto sugeria grandes e belas interrogações, mas exigências outras requisitavam-nos mais além.

Alexandre dispôs-se a partir, despedindo-se, afetuoso, dos cooperadores, e acompanhei-o, em silêncio, meditando na grandeza das mínimas disposições da Justiça Divina.

19
Passes

19.1   Em todas as reuniões do grupo, junto ao qual funciona Alexandre, com atribuições de orientador, vários são os serviços que se desdobram sob a responsabilidade dos companheiros desencarnados. Nem sempre me foi possível estudá-los separadamente; todavia, respeito a alguns deles, não me furtei ao desejo forte de receber elucidações do respeitável instrutor. Um desses serviços era o de passes magnéticos, ministrados aos frequentadores da casa.

O trabalho era atendido por seis entidades, envoltas em túnicas muito alvas, como enfermeiros vigilantes. Falavam raramente e operavam com intensidade. Todas as pessoas, vindas ao recinto, recebiam-lhes o toque salutar e, depois de atenderem aos encarnados, ministravam socorro eficiente às entidades infelizes do nosso plano, principalmente as que se constituíam em séquito familiar dos nossos amigos da crosta.

Indagando de Alexandre, relativamente àquela seção de atividade espiritual, indicando-lhe os companheiros, em esforço silencioso, esclareceu o mentor com a bondade de sempre:

— Aqueles nossos amigos são técnicos em auxílio magnético que compareçam aqui para a dispensação de passes de socorro. Trata-se de um departamento delicado de nossas tarefas, que exige muito critério e responsabilidade.

19.2

— Esses trabalhadores — interroguei — apresentam requisitos especiais?

— Sim — explicou o mentor amigo —, na execução da tarefa que lhes está subordinada, não basta a boa vontade, como acontece em outros setores de nossa atuação. Precisam revelar determinadas qualidades de ordem superior e certos conhecimentos especializados. O servidor do bem, mesmo desencarnado, não pode satisfazer em semelhante serviço, se ainda não conseguiu manter um padrão superior de elevação mental contínua, condição indispensável à exteriorização das faculdades radiantes. O missionário do auxílio magnético, na crosta ou aqui em nossa esfera, necessita ter grande domínio sobre si mesmo, espontâneo equilíbrio de sentimentos, acendrado amor aos semelhantes, alta compreensão da vida, fé vigorosa e profunda confiança no Poder Divino. Cumpre-me acentuar, todavia, que semelhantes requisitos, em nosso plano, constituem exigências a que não se pode fugir, quando, na esfera carnal, a boa vontade sincera, em muitos casos, pode suprir essa ou aquela deficiência, o que se justifica, em virtude da assistência prestada pelos benfeitores de nossos círculos de ação ao servidor humano, ainda incompleto no terreno das qualidades desejáveis.

Ouvindo as considerações do orientador, lembrei-me de que, de fato, vez por outra, viam-se nas reuniões costumeiras do grupo os médiuns passistas, em serviço, acompanhados de perto pelas entidades referidas. Vali-me, então, do ensejo para intensificar meu aprendizado.

— Os amigos encarnados — perguntei —, de modo geral, poderiam colaborar em semelhantes atividades de auxílio magnético?

19.3   — Todos, com maior ou menor intensidade, poderão prestar concurso fraterno, nesse sentido — respondeu o orientador —, porquanto, revelada a disposição fiel de cooperar a serviço do próximo, por esse ou aquele trabalhador, as autoridades de nosso meio designam entidades sábias e benevolentes que orientam, indiretamente, o neófito, utilizando-lhe a boa vontade e enriquecendo-lhe o próprio valor. São muito raros, porém, os companheiros que demonstram a vocação de servir espontaneamente. Muitos, não obstante bondosos e sinceros nas suas convicções, aguardam a mediunidade curadora, como se ela fosse um acontecimento miraculoso em suas vidas, e não um serviço do bem, que pede do candidato o esforço laborioso do começo. Claro que, referindo-nos aos irmãos encarnados, não podemos exigir a cooperação de ninguém, no setor de nossos trabalhos normais; entretanto, se algum deles vem ao nosso encontro, solicitando admissão às tarefas de auxílio, logicamente receberá nossa melhor orientação, no campo da espiritualidade.

— Ainda mesmo que o operário humano revele valores muito reduzidos, pode ser mobilizado? — interroguei curioso.

— Perfeitamente — aduziu Alexandre atencioso. — Desde que o interesse dele nas aquisições sagradas do bem seja mantido acima de qualquer preocupação transitória, deve esperar incessante progresso das faculdades radiantes, não só pelo próprio esforço, senão também pelo concurso de Mais Alto, de que se faz merecedor.

Não longe de nós, permaneciam os técnicos espirituais do auxílio magnético, em atividade metódica. Reconhecia-lhes nos trabalhos silenciosos um mundo novo de ensinamentos, convidando-me a experiências proveitosas; todavia, anotando as explicações do instrutor, ponderei quanto à possibilidade de contribuição pelo esclarecimento de algum amigo encarnado, em face do assunto, e perguntei:

19.4 — Quando na crosta, envolvidos pelos fluidos mais densos, como poderemos desenvolver a capacidade radiante, depois da edificação de nossa boa vontade real, a serviço do próximo?

O orientador percebeu-me a intenção e elucidou, de pronto:

— Conseguida a qualidade básica, o candidato ao serviço precisa considerar a necessidade de sua elevação urgente, para que as suas obras se elevem no mesmo ritmo. Falaremos tão só das conquistas mais simples e imediatas que deve fazer, dentro de si mesmo. Antes de tudo, é necessário equilibrar o campo das emoções. Não é possível fornecer forças construtivas a alguém, ainda mesmo na condição de instrumento útil, se fazemos sistemático desperdício das irradiações vitais. Um sistema nervoso esgotado, oprimido, é um canal que não responde pelas interrupções havidas. A mágoa excessiva, a paixão desvairada, a inquietude obsidente constituem barreiras que impedem a passagem das energias auxiliadoras. Por outro lado, é preciso examinar também as necessidades fisiológicas, a par dos requisitos de ordem psíquica. A fiscalização dos elementos destinados aos armazéns celulares é indispensável, por parte do próprio interessado em atender as tarefas do bem. O excesso de alimentação produz odores fétidos, pelos poros, bem como das saídas dos pulmões e do estômago, prejudicando as faculdades radiantes, porquanto provoca dejeções anormais e desarmonias de vulto no aparelho gastrintestinal, interessando a intimidade das células. O álcool e outras substâncias tóxicas operam distúrbios nos centros nervosos, modificando certas funções psíquicas e anulando os melhores esforços na transmissão de elementos regeneradores e salutares.

O mentor fez uma pausa mais longa, observando em mim o efeito de suas palavras, e concluiu:

— Levada a efeito a construção da boa vontade sincera, o trabalhador leal compreende a necessidade do desenvolvimento das qualidades a que nos referimos, porquanto, em contato incessante com os benfeitores desencarnados, que se valem dele na missão de amparo aos semelhantes, recebe indiretas sugestões de aperfeiçoamento que o erguem a posições mais elevadas.

19.5 As observações de Alexandre não podiam ser mais claras; contudo, aventurei-me ainda a ponderar:

— Consideremos, todavia, que surja a necessidade imediata de socorrer alguém, no círculo dos encarnados, e examinemos a hipótese da imprescindibilidade de um instrumento humano. Imaginemos que não exista, de pronto, em derredor de nossa tarefa, o órgão completo e adequado à influenciação das potências superiores. Existirá, porém, certamente ao nosso lado, um companheiro em condições comuns, que, mergulhado na ignorância, ainda não percebe os perigos a que expõe o próprio corpo, mas que se deixará aproveitar pelo nosso esforço espiritual em benefício de outrem. Será crível que não possa ser aproveitado?

O instrutor sorriu bondosamente, e considerou:

— Seria demasiado rigor. Em todo lugar onde haja merecimento nos que sofrem e boa vontade nos que auxiliam, podemos ministrar o benefício espiritual com relativa eficiência. Todos os enfermos podem procurar a saúde; todos os desviados, quando desejam, retornam ao equilíbrio. Se a prática do bem estivesse circunscrita aos Espíritos completamente bons, seria impossível a redenção humana. Qualquer cota de boa vontade e espírito de serviço recebe de nossa parte a melhor atenção.

Imprimiu Alexandre pequeno intervalo à palestra, e, depois de pensar um minuto, esclareceu:

— Quando nos referimos às qualidades necessárias aos servidores desse campo de auxílio, a ninguém desejamos desencorajar, mas orientar as aspirações do trabalhador para que a sua tarefa cresça em valores positivos e eternos.

Nesse momento, aproximou-se um dos companheiros em serviço, pedindo a cooperação de Alexandre em determinado setor.

19.6

Ele atendeu gentil. No entanto, antes de separar-se de mim, conduziu-me ao reduzido grupo de entidades que se encarregavam dos passes e, apresentando-me ao amigo que chefiava o trabalho, explicou generoso:

— Anacleto, nosso irmão André Luiz, que exerceu funções de médico na última experiência terrestre, estimaria receber alguns esclarecimentos, quanto aos serviços de sua especialidade. Desde já, agradeço tudo o que você fizer por ele.

O diretor daquele departamento de auxílio acolheu-me fraternalmente e, fosse porque estava em trabalho ativo ou porque se dava a poucas palavras, convidou-me, sem perda de tempo, às observações diretas das atividades sob sua chefia.

Delicadamente, colocou-me ao lado de uma senhora respeitável, que se localizara à mesa, não longe do orientador da casa.

— Vejamos esta irmã — exclamou Anacleto, prontificando-se ao auxílio afetuoso —, observe-lhe o coração e, principalmente, a válvula mitral.[35]

Detive-me em acurado exame da região mencionada e, efetivamente, descobri a existência de tenuíssima nuvem negra, que cobria grande extensão da zona indicada, interessando ainda a válvula aórtica e lançando filamentos quase imperceptíveis sobre o nódulo sinoauricular.[36] Expus ao novo amigo minhas observações, ao que me respondeu:

— Assim como o corpo físico pode ingerir alimentos venenosos que lhe intoxicam os tecidos, também o organismo perispiritual pode absorver elementos de degradação que lhe

---

[35] N.E.: Estrutura cardíaca responsável pela passagem do sangue do átrio esquerdo para o ventrículo esquerdo.

[36] N.E.: Região do coração que controla a frequência cardíaca. É o marcapasso natural do coração.

corroem os centros de força, com reflexos sobre as células materiais. Se a mente da criatura encarnada ainda não atingiu a disciplina das emoções, se alimenta paixões que a desarmonizam com a realidade, pode, a qualquer momento, intoxicar-se com as emissões mentais daqueles com quem convive e que se encontrem no mesmo estado de desequilíbrio. Às vezes, semelhantes absorções constituem simples fenômenos sem maior importância; todavia, em muitos casos, são suscetíveis de ocasionar perigosos desastres orgânicos. Isto acontece, mormente quando os interessados não têm vida de oração, cuja influência benéfica pode anular inúmeros males.

19.7 Indicou o coração de carne da irmã presente e continuou:

— Esta amiga, na manhã de hoje, teve sérios atritos com o esposo, entrando em grave posição de desarmonia íntima. A pequena nuvem que lhe cerca o órgão vital representa matéria mental fulminatória. A permanência de semelhantes resíduos no coração pode ocasionar-lhe perigosa enfermidade. Atendamos ao caso.

Sempre sob minha observação, Anacleto assumiu nova atitude, dando-me a entender que ia favorecer suas expansões irradiantes e, em seguida, começou a atuar por imposição. Colocou a mão direita sobre o epigastro[37] da paciente, na zona inferior do esterno e, com surpresa, notei que a destra, assim disposta, emitia sublimes jatos de luz que se dirigiam ao coração da senhora enferma, observando-se nitidamente que os raios de luminosa vitalidade eram impulsionados pela força inteligente e consciente do emissor. Assediada pelos princípios magnéticos, postos em ação, a reduzida porção de matéria negra, que envolvia a válvula mitral, deslocou-se vagarosamente e, como se fora atraída pela vigorosa vontade de Anacleto, veio aos tecidos

---

[37] N.E.: Parte média superior da parede abdominal. Corresponde, em profundidade, ao estômago e ao lobo esquerdo do fígado.

da superfície, espraiando-se sob a mão irradiante, ao longo da epiderme. Foi então que o magnetizador espiritual iniciou o serviço mais ativo do passe, alijando a maligna influência. Fez o contato duplo sobre o epigastro, erguendo ambas as mãos e descendo-as, logo após, morosamente, através dos quadris até os joelhos, repetindo o contato na região mencionada e prosseguindo nas mesmas operações por diversas vezes. Em poucos instantes, o organismo da enferma voltou à normalidade.

Eu estava admirado. E como o assunto envolvia problemas espirituais de elevada significação, assim que o instrutor terminou o trabalho, indaguei: **19.8**

— Perdoe-me a pergunta, mas, na hipótese de não se socorrer esta irmã, da colaboração de uma Casa Espírita, como se haveria com a doença oculta? Estaria ao abandono?

— De modo algum — respondeu Anacleto, sorrindo. — Há verdadeiras legiões de trabalhadores de nossa especialidade amparando as criaturas que, por meio de elevadas aspirações, procuram o caminho certo nas instituições religiosas de todos os matizes. A manifestação de fé não se limita a simples afirmação mecânica de confiança. O homem que vive mentalmente, visceralmente, a Religião que lhe ensina a senda do bem, está em atividade intensa e renovadora, recebendo, por isto mesmo, as mais fortes contribuições de amparo espiritual, porquanto abre a porta viva da alma para o socorro de Mais Alto, por intermédio da oração e da posição ativa de confiança no Poder Divino.

O novo companheiro indicou a irmã que se libertara da desastrosa influenciação e esclareceu, depois de uma pausa:

— Nossa amiga está procurando a verdade, cheia de sincera confiança em Jesus. Ovelha fustigada pela tempestade do mundo e inexperiente na esfera do conhecimento, volta-se para o Divino Pastor, como a criança frágil, sequiosa do carinho materno. Estivesse orando em uma igreja católica romana ou em um templo budista, receberia o socorro de nossa Esfera, por intermédio desse ou daquele grupo de trabalhadores do Cristo. Naturalmente aqui, no seio de uma organização indene das sombras do preconceito e do dogmatismo, nosso concurso fraternal pode ser mais eficiente, mais puro, e as suas possibilidades de aproveitamento são muito mais vastas. É preciso assinalar, porém, que os auxiliadores magnéticos transitam em toda a parte, onde existam solicitações da fé sincera, distribuindo o socorro do Divino Mestre, dentro da melhor divisão de serviço. Onde vibre o sentimento sincero e elevado, aí se abre um caminho para a proteção de Deus.

19.9   A elucidação fez-me grande bem pela revelação de imparcialidade na distribuição dos bens de nosso plano. Entretanto, outra pergunta ocorreu-me, de imediato.

— Todavia, meu amigo — considerei —, admitamos que esta nossa irmã fosse estranha a qualquer atividade de ordem espiritual. Imaginemo-la sem fé, sem filiação a qualquer escola religiosa e sem qualquer atestado de merecimento na prática da virtude. Ainda assim, receberia o benefício dos passes libertadores?

Anacleto, com aquela bondade paciente que eu conhecia em Alexandre, observou:

— Se fosse uma criatura de sentimentos retos, embora infensa à Religião, em suas meditações naturais receberia auxílio, não obstante menor, pela sua incapacidade de recepção mais intensa das nossas energias radiantes; mas, se ficasse integralmente mergulhada nas sombras da ignorância ou da maldade, permaneceria distante da colaboração de ordem superior e as suas forças físicas sofreriam desgastes violentos e inevitáveis, pela continuidade da intoxicação mental. Quem se fecha às ideias regeneradoras, fugindo às leis da cooperação, experimentará as consequências legítimas.

Satisfeito com as elucidações recebidas, reconheci que não me competia interromper o curso dos trabalhos, tão somente para satisfazer minha curiosidade pessoal.

O novo companheiro dirigiu-se a diferente setor.   19.10

Postávamo-nos, agora, ao lado de um cavalheiro idoso, para cujo organismo Anacleto me reclamou atenção.

Analisei-o acuradamente. Com assombro, notei-lhe o fígado profundamente alterado. Outra nuvem, igualmente muito escura, cobria grande parte do órgão, compelindo-o a estranhos desequilíbrios. Toda a vesícula biliar permanecia atingida. E via-se, com nitidez, que os reflexos negros daquela pequena porção de matéria tóxica alcançavam o duodeno e o pâncreas, modificando o processo digestivo. Alguns minutos de observação silenciosa davam-me a conhecer a extrema perturbação de que o órgão da bile se sentia objeto. As células hepáticas pareciam presas de perigosas vibrações.

Endereçei ao amigo espiritual meu olhar de admiração.

— Observou? — disse ele, bondosamente — Toda perturbação mental é ascendente de graves processos patológicos. Afligir a mente é alterar as funções do corpo. Por isso, qualquer inquietação íntima chama-se desarmonia e as perturbações orgânicas chamam-se enfermidades.

Colocou a destra amiga sobre a fronte do cavalheiro e acrescentou:

— Este irmão, portador de um temperamento muito vivo, está cheio dos valores positivos da personalidade humana. Tem atravessado inúmeras experiências em lutas passadas e aprendeu a dominar as coisas e as situações com invejável energia. Agora, porém, está aprendendo a dominar a si mesmo, a conquistar-se para a iluminação interior. Em semelhante tarefa, contudo, experimenta choques de vulto, porquanto, dentro de sua individualidade dominadora, é compelido a destruir várias concepções que se lhe figuravam preciosas e sagradas. Nesse empenho, os próprios ensinamentos do Cristo, que lhe serve de modelo à renovação, doem-lhe no íntimo como marteladas, em certas circunstâncias.

Este homem, no entanto, é sincero e deseja, de fato, reformar-se. Sofre intensamente, porque é obrigado a ausentar-se de seu campo exclusivo, a caminho do vasto território da compreensão geral. No círculo dos conflitos dessa natureza, vem lutando, desde ontem, dentro de si mesmo, para acomodar-se a certas imposições de origem humana que lhe são necessárias ao aprendizado espiritual, e, no esforço mental gigantesco, ele mesmo produziu pensamentos terríveis e destruidores, que segregaram matéria venenosa, imediatamente atraída para o seu ponto orgânico mais frágil, que é o fígado. Ele, porém, está em prece regeneradora e facilitará nosso serviço de socorro, pela emissão de energias benéficas. Não fosse a oração, que lhe renova as forças reparadoras, e não fosse o socorro imediato de nossa esfera, poderia ser vítima de doenças mortais do corpo. A permanência de matéria tóxica, indefinidamente, na intimidade deste órgão de importância vital, determinaria movimentos destruidores para os glóbulos vermelhos do sangue, complicaria as ações combinadas da digestão e perturbaria, de modo fatal, o metabolismo das proteínas.

19.11   Anacleto fez uma pausa mais longa, sorriu cordialmente e acentuou:

— Isto, porém, não acontecerá. Na luta titânica em que se empenha consigo mesmo, a vontade firme de acertar é a sua âncora de salvação.

Permanecia tão surpreso com o ensinamento, que não ousei dirigir-lhe qualquer interrogação.

Anacleto continuou de pé e aplicou-lhe um passe longitudinal sobre a cabeça, partindo do contato simples e descendo a mão, vagarosamente, até a região do fígado, que o auxiliador tocava com a extremidade dos dedos irradiantes, repetindo-se a operação por alguns minutos. Surpreendido, observei que a nuvem, de escura, se fizera opaca, desfazendo-se, pouco a pouco, sob o influxo vigoroso do magnetizador em missão de auxílio.

O fígado voltou à normalidade plena.   19.12

Mais alguns minutos e nos encontramos diante de uma senhora grávida, em sérias condições de enfraquecimento.

Anacleto deteve-se mais respeitoso.

— Aqui — disse ele, sensibilizado — temos uma irmã altamente necessitada de nossos recursos fluídicos. Profunda anemia invade-lhe o organismo. Em regime de subalimentação, em virtude das dificuldades naturais que a rodeiam de longo tempo, a gravidez constitui para ela um processo francamente doloroso. O marido é parcamente remunerado e a esposa é obrigada a vigílias, noite adentro, a fim de auxiliá-lo na manutenção do lar. A prece, porém, não representa para este coração materno tão somente um refúgio. A par de consolações espontâneas, ela recolhe forças magnéticas de substancial expressão que a sustentam no presente drama biológico.

Em seguida, indicou a região do útero e ponderou:

— Observe as manchas escuras que cercam a organização fetal.

Efetivamente, aderindo ao saco de líquido amniótico, viam-se microscópicas nuvens pardacentas vagueando em várias direções, dentro do sublime laboratório de forças geradoras.

Dando-me a perceber seu fundo conhecimento da situação, Anacleto continuou:

— Se as manchas atravessarem o líquido, provocarão dolorosos processos patológicos em toda a zona do epiblasto.[38] E o fim da luta será o aborto inevitável.

Comovidíssimo, contemplei o quadro divino daquela mãe sacrificada, unida à organização espiritual daquele que lhe seria o filho no porvir. Foi o chefe da assistência magnética que me arrebatou daquela silenciosa admiração, explicando:

---

[38] N.E.: Estrutura embrionária a partir da qual se formará os tecidos e órgãos do embrião.

19.13   — Não obstante a fé que lhe exorna o caráter, apesar dos seus mais elevados sentimentos, nossa amiga não consegue furtar-se, de todo, à tristeza angustiosa, em certas circunstâncias. Há seis dias permanece desalentada, aflita. Dentro de algum tempo, o esposo deve resgatar um débito significativo, faltando-lhe, porém, os recursos precisos. A pobre senhora, contudo, além de suportar a carga de pensamentos destruidores que vem produzindo, é compelida a absorver as emissões de matéria mental doentia do companheiro, que se apoia na coragem e na resignação da mulher. As vibrações dissolventes acumuladas são atraídas para a região orgânica, em condições anormais e, por isso, vemo-las congregadas como pequeninas nuvens em torno do órgão gerador, ameaçando, não só a saúde maternal, mas também o desenvolvimento do feto.

    Estupefato, ante os novos ensinamentos, reparei que Anacleto chamou um dos auxiliares, recomendando-lhe alguma coisa.

    Logo após, muito cuidadosamente, atuou por imposição das mãos sobre a cabeça da enferma, como se quisesse aliviar-lhe a mente. Em seguida, aplicou passes rotatórios na região uterina. Vi que as manchas microscópicas se reuniam, congregando-se numa só, formando pequeno corpo escuro. Sob o influxo magnético do auxiliador, a reduzida bola fluídico-pardacenta transferiu-se para o interior da bexiga urinária.

    Intensificando-me a admiração, o novo companheiro, dando os passes por terminados, esclareceu:

    — Não convém dilatar a colaboração magnética para retirar a matéria tóxica de uma vez. Lançada no excretor de urina, será alijada facilmente, dispensando a carga de outras operações.

    Foi então que se aproximou de Anacleto o servidor a quem me referi, trazendo-lhe uma pequenina ânfora que me pareceu conter essências preciosas.

    O orientador do serviço tomou-a zeloso, e falou:

— Agora, é preciso socorrer a organização fetal. A alimentação da genitora, por força de circunstâncias que independem de sua vontade, tem sido insuficiente.

19.14

Anacleto retirou do vaso certa porção de substância luminosa, projetando-a nas vilosidades uterinas, enriquecendo o sangue materno destinado a fornecer oxigênio ao embrião.

Expressando minha profunda admiração pelo concurso eficiente de que fora testemunha, considerou o generoso auxiliador:

— Não podemos abandonar nossos irmãos na carne, ao sabor das circunstâncias, mormente quando procuram a cooperação precisa por meio da prece. A oração, elevando o nível mental da criatura confiante e crente no Divino Poder, favorece o intercâmbio entre as duas esferas e facilita nossa tarefa de auxílio fraternal. Imensos exércitos de trabalhadores desencarnados se movimentam em toda parte, em nome de nosso Pai. Em vista disso, meu irmão, o homem de bem encontrará, depois da morte do corpo, novos mundos de trabalho que o esperam e onde desenvolverá, infinitamente, o amor e a sabedoria, de que possui os germens no coração.

Em seguida, Anacleto passou a atender um cavalheiro, cujos rins pareciam envolvidos em crepe negro, tal a densidade da matéria mental fulminante que os cercava. Aplicou-lhe passes longitudinais, com muito carinho, e, finda a operação, observou-me:

— Um dia, compreenderá o homem comum a importância do pensamento. Por agora, é muito difícil revelar-lhe o sublime poder da mente.

O chefe da assistência magnética ia estender-se, talvez, em considerações educativas, mas um dos cooperadores do serviço aproximou-se e notificou-lhe atencioso:

— Estimaria receber a sua orientação em um caso de "décima vez". Trata-se do nosso conhecido, que apresenta graves perturbações no baço.

19.15   Extremamente surpreendido, acompanhei Anacleto, que se dirigiu para um dos recantos da sala.

À nossa frente estava um cavalheiro idoso, que o orientador examinou com atenção. Por minha vez, observei-lhe o fígado e o baço, que acusavam enorme desequilíbrio.

— Lastimável! — exclamou o chefe do auxílio, depois de longa perquirição. — Entretanto, apenas poderemos aliviá-lo. Agora, após dez vezes de socorro completo, é preciso deixá-lo entregue a si mesmo, até que adote nova resolução.

E, dirigindo-se ao auxiliar, acentuou:

— Poderá oferecer-lhe melhoras, mas não deve alijar a carga de forças destruidoras que o nosso rebelde amigo acumulou para si mesmo. Nossa missão é de amparar os que erraram, e não de fortalecer os erros.

Percebendo-me o espanto, Anacleto explicou:

— Nosso esforço é também educativo e não podemos desconsiderar a dor que instrui e ajuda a transformar o homem para o bem. Nas normas do serviço que devemos atender, nesta Casa, é imprescindível ajuizar das causas na extirpação dos males alheios. Há pessoas que procuram o sofrimento, a perturbação, o desequilíbrio, e é razoável que sejam punidas pelas consequências de seus próprios atos. Quando encontramos enfermos dessa condição, salvamo-los dos fluidos deletérios em que se envolvem por deliberação própria, por dez vezes consecutivas, a título de benemerência espiritual. Todavia, se as dez oportunidades voam sem proveito para os interessados, temos instruções superiores para entregá-los à sua própria obra, a fim de que aprendam consigo mesmos. Poderemos aliviá-los, mas nunca libertá-los.

Depois de ligeira pausa e sentindo que eu não me atreveria a interromper-lhe os preciosos ensinamentos, Anacleto prosseguiu:

— Este homem, não obstante simpatizar com as nossas atividades espiritualizantes, é portador de um temperamento menos simpático, por extremamente caprichoso. Estima as rixas frequentes, as discussões apaixonadas, o império de seus pontos de vista. Não se acautela contra o ato de encolerizar-se e desperta incessantemente a cólera e a mágoa dos que lhe desfrutam a companhia. Tornou-se, por isso mesmo, o centro de convergência de intensas vibrações destruidoras. Veio ao nosso grupo em busca de melhoras, e, desde há muitas semanas, buscamos orientá-lo no serviço do amor cristão, chamando-lhe a consciência à prática de obrigações necessárias ao seu próprio bem-estar. O infeliz, porém, não nos ouve. Adquire ódios com facilidade temível e não percebe a perigosa posição em que se confina. Frequenta-nos há pouco mais de três meses e, durante esse tempo, já lhe fizemos as dez operações de socorro magnético integral, alijando-lhe as cargas malignas, não só dos pensamentos de angústia e represália que ele provoca nos outros, mas também dos pensamentos cruéis que fabrica para si. Agora, temos de interromper o serviço de libertação por algum tempo. A sós com a sua experiência forte, aprenderá lições novas e ganhará muitos valores. Mais tarde, receberá, de novo, o socorro completo.

Profundamente edificado com o processo educativo, ousei perguntar:

— Qual a medida de tempo estipulada para os casos dessa natureza?

O interlocutor, porém, assumindo atitude discreta, contornou a pergunta e respondeu:

— Varia de acordo com os motivos. O efeito obedece à causa.

Anacleto prosseguia auxiliando, enquanto eu me perdia em profundas considerações de ordem superior. Depois de partir os laços carnais, compreendemos, com mais clareza e intensidade, a função da dor no campo da justiça edificante. Aquela permanência de minutos, junto ao serviço de assistência magnética, renovava-me as concepções referentemente a socorros e corrigendas. O Senhor ama sempre, mas não perde a ocasião de aperfeiçoar, polir, educar...

19.17 Foi Alexandre que, ao reaproximar-se de mim, chamou-me à realidade. Os trabalhos haviam terminado.

Abraçando-me, às despedidas, Anacleto acentuou:

— Será sempre bem-vindo. Volte ao nosso setor, quando quiser. Seu concurso ser-nos-á valioso estímulo!...

Não encontrei expressões para corresponder-lhe à generosidade humilde, mas creio que o devotado auxiliar compreendeu-me o olhar de profundo reconhecimento.

E, acompanhando o meu instrutor, de volta à nossa colônia espiritual, reconheci que meu entendimento se dilatava, como se nova fonte de luz me borbulhasse no coração.

20
Adeus

20.1 Esperava a continuidade de meus novos estudos em companhia de Alexandre; todavia, com surpresa, o meu amigo Lísias foi portador de um convite que me destinara o caritativo instrutor. Tratava-se de uma reunião de despedidas.

Li a mensagem pequenina e delicada, erguendo os olhos para o mensageiro.

— Despedidas? — perguntei.

Esclareceu-me Lísias pressuroso:

— Sim. Alexandre, como acontece a outros orientadores da mesma posição hierárquica, de quando em quando se dirige a planos mais altos, desempenhando tarefas de sublime expressão que ainda não podemos compreender. Creio deva partir amanhã, em companhia de alguns mentores que lhe são afins, e deseja apresentar despedidas aos colaboradores e aprendizes, na próxima noite.

— E os trabalhos da crosta? — indaguei — Não é Alexandre um dos instrutores diretos de um dos grandes grupamentos espíritas que conhecemos?

O companheiro respondeu com segurança:

20.2

— Naturalmente, já foi providenciada a substituição devida, de acordo com o mérito e aproveitamento da instituição a que você se refere.

E sentindo, talvez, a mágoa que me invadira o espírito, Lísias comentou:

— O que lhe posso assegurar é que o venerável orientador não nos esquecerá. Dirigindo-se a esferas mais altas, a única preocupação dele será o serviço de Jesus, com o enriquecimento de si mesmo para ser-nos mais útil.

— Entretanto — objetei —, far-nos-á muita falta... Sinto que nos deixará em meio da tarefa, quando tanto necessitamos de seu concurso valioso para o aprendizado...

Lísias percebeu a natureza passional de minha ponderação e redarguiu firme:

— Nada de egoísmo, André! Sabemos que Alexandre se ausentará em serviço, mas ainda mesmo que a sua excursão fosse muito longa e plenamente consagrada ao repouso recreativo, cabe a nós outros, seus devedores, a participação da alegria de seus elevados merecimentos. É necessário examinar o bem que ainda se pode fazer, vibrando de júbilo e esperança com as realizações porvindouras, para não sermos indolentes e improdutivos; não devemos, porém, esquecer o bem que se fez ou que recebemos, a fim de não sermos ingratos.

Aquela observação teve a virtude de acordar-me a consciência. Coloquei-me no equilíbrio emocional indispensável. Modifiquei a atitude íntima, reagindo contra as primeiras impressões que a notícia me causara.

O bondoso amigo compreendeu, sorriu e acentuou:

— Ao demais, não podemos esquecer as obrigações que nos são próprias. O aprendizado, nos cursos diversos em que se apresenta, chega sempre a um fim, embora a sabedoria seja infinita.

Precisamos demonstrar aproveitamento prático das lições recebidas. Que melhor testemunho de assimilação poderemos dar ao instrutor amigo que o de receber-lhe o campo de serviço em que a sua bondade nos iniciou, até que ele volte da provisória excursão?

20.3 — É verdade! — exclamei.

E, reanimado pela palavra esclarecedora do companheiro, conversamos por abençoados minutos, prometendo-me Lísias regressar ao crepúsculo, a fim de seguirmos juntos para a reunião referida.

À noitinha, voltava o prezado companheiro e pusemo-nos a caminho em agradável palestra.

Contemplado de nossa colônia espiritual, o firmamento mostrava-se singularmente belo. Numerosas constelações brilhavam deslumbrantes, e a Lua, muito maior do que ao ser vista da crosta planetária, figurava-se mais acolhedora e tranquila. Distantes do bombardeio dos raios solares, que renovam a vida incessantemente, as flores exalavam delicioso perfume, dançando de mansinho aos sopros do vento leve.

— Muitos aprendizes de Alexandre — comentava Lísias, alegremente — virão visitá-lo esta noite. Mantenhamo-nos à altura dos demais, conservando atitudes interiores de gratidão e serenidade.

Concordava, com esforço, lembrando-me das sublimes lições recebidas. Alexandre sabia fazer-se amar. Superior sem afetação, humilde sem servilismo, orientador sempre disposto, não somente a ensinar, mas também a aprender, atendia aos elevados encargos que lhe eram atribuídos, sem qualquer desvario do "eu", profundamente interessado em cumprir os desígnios do Pai e em aceitar nossa cooperação singela, aproveitando-a. Em virtude da sua abençoada compreensão, aquele afastamento do instrutor, embora temporário, doía-me no espírito.

Nessas disposições íntimas, contra as quais reagia pruden- **20.4**
temente, alcançamos o belo edifício residencial, no qual se reuniria a afetuosa assembleia.

Entramos.

Surpreendeu-me o salão magnificamente iluminado. Não havia luxo decorativo no interior; todavia, o lampadário em forma de estrelas, irradiando claridade azul brilhante, proporcionava ao ambiente uma expressão de misteriosa beleza, de mistura com elevada espiritualidade. Delicados e simbólicos arabescos de flores naturais adornavam as paredes, dando-nos a impressão de alegria e bem-estar.

Apresentado por Lísias a diversos companheiros, certifiquei-me, depressa, do pequeno número de aprendizes que ali se congregariam. Compareceriam apenas os discípulos de Alexandre, com permanência eventual em nossa colônia, 68 colegas, inclusive 15 mulheres. Todos os presentes referiam-se ao mentor amoroso com palavras encomiásticas. Éramos todos nós grandes devedores ao seu coração.

Verificada a presença de todos os convidados, veio até nós o benévolo instrutor, dividindo o carinho de suas saudações com cada um, sem desperdício de atitudes exteriores. Era o mesmo Alexandre, admirável e simples. Irmanado conosco, deixando-nos inteiramente à vontade, entendeu-se com todos nós, individualmente, a respeito das nossas tarefas, estudos, realizações. Em seguida, com toda a naturalidade, começou a falar-nos, em tom paternal:

— Sabem vocês o objetivo da presente reunião. Quero apresentar-lhes minhas despedidas, em virtude da ausência temporária a que sou compelido por elevadas razões de serviço.

Notei pelo olhar dos circunstantes que a maioria partilhava comigo o mesmo desgosto. Devíamos intensamente àquele Espírito sábio e benevolente.

20.5   Depois de pequena pausa, continuou:

— Conheço a pureza do amor que vocês me dedicam e estou certo de que não ignoram a extensão da estima que lhes consagro. É natural. Somos amigos na mesma empresa do bem e associados felizes na execução da Divina Vontade. Companheiros de luta construtiva, pesar-nos-ia, sobremaneira, a separação de agora, não obstante efêmera, se não guardássemos no âmago da alma a luz do esclarecimento.

Nesse ponto, Alexandre fez longo intervalo, descansando seus olhos nos nossos, como a perscrutar-nos o íntimo, e prosseguiu:

— Alguns colaboradores, a quem muito devo, endereçaram-me apelos para que permaneça em nossa colônia de trabalho, gentileza que agradeço comovido. Não vibra em minhas palavras qualquer prurido de personalidade, mas a estima recíproca e fiel a que nos devotamos. Urge considerar, porém, meus amigos, que este servo humilde não deve absorver o lugar que Jesus deve ocupar em suas vidas. É muito difícil descobrir o amor sem jaça e a ele nos entregarmos sem reservas. E porque essa dificuldade é flagrante em todos os caminhos de nossa evolução, quase sempre incidimos no velho erro da idolatria. É bem verdade que nos encontramos em uma assembleia de corações simples e amigos, e que não cabem nesta sala vastas e maciças considerações filosóficas, para restringirmo-nos ao abençoado setor do sentimento. No entanto, não posso ver fugir a oportunidade de sérias reflexões a respeito do problema dos laços sagrados que nos unem, sem algemar-nos uns aos outros. Nossa estrada de aperfeiçoamento, bem como a senda de progresso da Humanidade terrestre, em geral, têm sido tortuoso caminho no qual pisamos sobre os ídolos quebrados. Sucedem-se nossas reencarnações e as civilizações repetem o curso em longas espirais de recapitulação, porque temos sido invigilantes quanto aos caminhos retos.

Verificando-se nova pausa, em sua afetuosa e significativa **20.6**
exposição, observei que profundo respeito nos identificava a todos, em face da palavra venerável.

— Temos criado muitos deuses à parte — continuou o instrutor comovido —, para destruí-los, muita vez, em profundo desespero do coração, quando a realidade nos dilata a visão, ante o horizonte infinito da vida. Na procura do conforto individual, em face de problemas graves de nossa vida, raramente encontramos a solução, e sim a fuga, da qual nos valemos com todas as forças de que somos capazes, para adiar indefinidamente a ação imprescindível da corrigenda ou do resgate. Virá, porém, o dia da restauração da verdade, o momento de nosso testemunho pessoal.

Ele pousou em nós o olhar muito lúcido, no qual víamos o reflexo de serena emotividade, e, depois de longa pausa, retomou as elucidações das despedidas.

— É, por isso, meus amigos — prosseguiu, em tom fraterno —, que o orientador consciencioso de sua tarefa não pode fugir aos imperativos da evolução de seus tutelados. De quando em quando, é necessário deixar o discípulo entregue a si mesmo, ainda que as mais belas notas de carinho nos sugiram o contrário. Junto do instrutor, o aprendiz, quase sempre, apenas observa. À distância, porém, experimenta e age, vivendo o que aprendeu. É indispensável desenvolver os valores ilimitados, inerentes a cada um de nós, guardados como divina herança no potencial de nosso mundo íntimo. A proteção inconsciente, que subtrai o protegido ao clima de realização que lhe é próprio, elimina os germens do progresso, da elevação, do resgate individual. Estabelecer a dependência dessa ordem é criar o cativeiro do espírito, que anula nossa capacidade de improvisação e estimula os vícios do pensamento. Fujamos ao condenável sistema de adoração recíproca, em que a falsa ternura opera a cegueira

20.7 do sentimento. Respeitemo-nos mutuamente, na qualidade de irmãos congregados para a mesma obra do bem e da verdade, mas combatamos a idolatria; bem-queiramo-nos uns aos outros, como Jesus nos amou; todavia, cooperemos contra a insuflação do exclusivismo destruidor. Somos depositários de grandes lições da vida superior. Pô-las em prática, estendendo mãos amigas aos nossos semelhantes, é o nosso objetivo fundamental. Cada um de vocês tem obrigações em separado, nos setores diferentes da atividade espiritual. Durante alguns meses, estivemos quase sempre juntos, quando a oportunidade permitia. Associados na mesma experiência, criamos laços santificados de amor que nos irmanam uns aos outros. Não podemos, porém, descansar sobre as comodidades do afeto. É preciso enfrentar as asperezas do serviço, conhecer a luta, testemunhar aproveitamento. Nunca me valeria da qualidade de instrutor para impedir o crescimento mental de vocês. A Terra, que nos é mãe comum, reclama filhos esclarecidos que colaborem na divina tarefa de redenção planetária. Há multidões, por toda parte, escravas do bem-estar e da miséria, da alegria e do sofrimento, estranhas ao caráter temporário das condições em que se agitam. Todos vivem, mas raros Espíritos de nosso mundo tomaram posse da vida eterna. O campo de trabalho é vastíssimo. Experimentem nele o que aprenderam, despertando as consciências que dormem ao longo do caminho. O aprendizado fornece-nos conhecimento. A vida oferece-nos a prática. Unamos a sabedoria com o amor, na atividade de cada dia, e descobriremos a divindade que palpita dentro de nós, glorificando a Terra que aguarda nosso concurso eficiente, pelo equilíbrio e compreensão. Não faltam instrutores benevolentes e generosos e, além disso, vocês devem aplicar as lições que receberam, orientando, igualmente, seus semelhantes em luta e os companheiros ainda frágeis. Só as vítimas voluntárias da idolatria convertem a ausência em um vácuo. Não, meus amigos, não alimentemos qualquer processo doloroso de saudade sem otimismo e sem esperança. Imenso futuro de realizações sublimes com o Pai espera cada um de nós. Edifiquemo-nos, aceitando as experiências construtivas que nos convocam o esforço a uma possibilidade maior. Estimo profundamente a consolação individual, mas, acima de nosso conforto, devemos procurar a libertação com o Cristo.

20.8 Incontestavelmente, a preleção era vazada em severidade afetuosa, que, no momento, não nos sabia bem ao coração, habituado às expressões de incessante carinho, mas tinha a virtude de acordar-nos para a verdade, chamando-nos a uma atitude de legítimo entendimento. Ainda aí, numa simples reunião de despedidas, Alexandre sabia ser grande e generoso, impondo-nos um equilíbrio que, de outro modo, não saberíamos conservar. Apesar da compreensão, tínhamos os olhos úmidos. A separação dos bons, não obstante temporária, é sempre dolorosa. Na companhia dele, havíamos aprendido sublimes ensinamentos. Forte e sábio, carinhoso e enérgico, exercitara-nos as asas frágeis nos grandes voos de novos conhecimentos. Comparando nossa situação anterior à presente, observávamos evidente melhoria geral. Como não lhe devermos, a ele, abençoado amigo de todas as horas, ilimitados testemunhos de amor?

Creio que a maioria partilhava os meus pensamentos, porque Alexandre, dando a ideia de que nos ouvia as reflexões mais íntimas, acrescentou:

— Devemos ao Cristo Jesus todas as graças! Ele é o divino intermediário entre o Pai e nós outros. Saibamos agradecer ao Mestre as bênçãos, as lições, as tarefas. O espírito de gratidão ao Senhor alegra a vida e valoriza o trabalho dos servos fiéis!...

Em seguida, o instrutor levantou-se e, sorridente, abraçou cada um de nós, dirigindo-nos palavras de incitamento ao bem e à verdade, enchendo-nos de coragem e fé.

20.9 Equilibrados pela sua palavra esclarecida, os aprendizes não ousaram pronunciar qualquer exclamação, filha da ternura indiscreta. Estávamos todos edificados, em posição serena e digna.

Epaminondas, o discípulo mais respeitável de nosso círculo, tomou a palavra e agradeceu, sobriamente, estampando nas afirmativas nossos sentimentos mais nobres e endereçando ao instrutor amigo nossos ardentes votos de paz e êxito, na continuidade de seus trabalhos gloriosos.

Vimos que Alexandre recebia nossas vibrações de amor e reconhecimento em meio de profunda emoção. Sua fronte venerável emitia sublimes irradiações de luz.

Terminada a breve saudação do companheiro, pronunciou algumas frases de agradecimento, que não merecíamos, e falou:

— Agora, meus amigos, elevemos ao Cristo nossos pensamentos de júbilo e gratidão, consagrando-lhe as inesquecíveis emoções de nosso adeus.

Manteve-se de pé, cercado de intensa luz safirino brilhante, e, de olhos erguidos para o Alto, estendeu os braços como se conversasse com o Mestre presente, embora invisível, orando com infinita beleza:

Senhor, sejam para o teu coração misericordioso
Todas as nossas alegrias, esperanças e aspirações!
Ensina-nos a executar teus propósitos desconhecidos,
Abre-nos as portas de ouro das oportunidades do serviço
E ajuda-nos a compreender a tua vontade!...
Seja o nosso trabalho a oficina sagrada de bênçãos infinitas,
Converte-nos as dificuldades em estímulos santos,
Transforma os obstáculos da senda em renovadas lições...
Em teu nome,
Semearemos o bem onde surjam espinhos do mal,

Acenderemos tua luz onde a treva demore,
Verteremos o bálsamo do teu amor onde corra o pranto do sofrimento,
Proclamaremos tua bênção onde haja condenações,
Desfraldaremos tua bandeira de paz junto às guerras do ódio!
Senhor,
Dá que possamos servir-te
Com a fidelidade com que nos amas,
E perdoa nossas fragilidades e vacilações na execução de tua obra.
Fortifica-nos o coração
Para que o passado não nos perturbe e o futuro não nos inquiete,
A fim de que possamos honrar-te a confiança no dia de hoje,
Que nos deste
Para a renovação permanente até a vitória final.
Somos tutelados na Terra,
Confundidos na lembrança
De erros milenários,
Mas queremos, agora,
Com todas as forças da alma,
Nossa libertação em teu amor para sempre!
Arranca-nos do coração as raízes do mal,
Liberta-nos dos desejos inferiores,
Dissipa as sombras que nos obscurecem a visão de teu plano divino
E ampara-nos para que sejamos
Servos leais de tua infinita sabedoria!
Dá-nos o equilíbrio de tua lei,
Apaga o incêndio das paixões que, por vezes,
Irrompe, ainda,
No âmago de nossos sentimentos,

20.11 *Ameaçando-nos a construção da Espiritualidade superior.*
Conserva-nos em tua inspiração redentora,
No ilimitado amor que nos reservaste
E que, integrados no teu trabalho de aperfeiçoamento incessante,
Possamos atender-te os sublimes desígnios,
Em todos os momentos,
Convertendo-nos em servidores fiéis de tua luz, para sempre!
Assim seja.

A comovedora prece de Alexandre fora a última nota do maravilhoso adeus.

Saímos. Em torno, as flores exalavam agradabilíssimo perfume, à luz prateada da noite. E, ao longe, no alto dos céus, brilhavam os astros, como fulgurantes corações de luz, em praias distantes do Universo, imanados, como nós, uns aos outros, à procura das alegrias supremas da união com a Divindade.

Índice geral[39]

A

Abnegação
médium – 1.4

Aborto
Cesarina – 15.4
excesso de leviandade e *
    inconsciente – 15.2
inevitável – 19.12
origem – 14.2

Abscesso miliar
definição – 6.1, nota

Adelino
abandono da oração – 13.4
condição espiritual – 13.5
desdobramento – 13.7
despertamento dos valores
    afetivos – 13.18
instrutor Alexandre – 13.14
lavagem perispiritual – 13.16
perdão – 13.3, 13.16
promessas no Plano Espiritual – 13.3
Raquel – 12.2, 13.1
reminiscência do passado
    sombrio – 13.15
Segismundo – 12.2, 13.1, 13.12
sonhos – 13.7, 13.16
substância da hereditariedade – 13.18

afetivos – 13.19
vítima de homicídio – 12.4
zonas inferiores – 12.4

Adrenalina
glândulas suprarrenais – 1.6, nota

Afinidade
lei – 11.7

Afonso
doador de fluidos – 7.5

Agostinho
tio de Ester – 11.8

Alcoólicos
Cesarina – 15.6
sistema endócrino – 3.6
Sr. P... – 10.10

Alencar, controlador mediúnico
sessão de materialização – 10.7

Alexandre, instrutor
Anacleto – 19.6
André Luiz – 1.1
Antônio, moribundo – 7.3, 7.4
auxílio magnético – 1.5, 5.7, 5.11
destino fixado – 13.48
Dionísio Fernandes,
    Espírito – 16.1-16.9

---

[39] N.E: Remete à numeração presente à margem das páginas.

Índice geral

divisão da cromatina – 13.27
elucidações sobre epífise
   – 2.2-2.7, 3.3
Epaminondas – 20.9
escolha do elemento mais
   apto – 13.53, 14.3, 14.6
Espiritismo Cristão – 3.8
Ester, viúva – 11.1-11.5
Etelvina – 11.2
fenômeno de materialização – 10.1
garganta artificial – 10.14
garganta ectoplásmica e voz – 10.13
grupo irmão Francisco – 7.4
Herculano – 12.2
idolatria – 20.5
intercâmbio mediúnico – 1.1
irmão Calimério – 10.3
Josino, assistente – 12.8
mapa cromossômico – 13.17
Marinho – 17.1
mediunidade – 9.1-9.10, 16.8
observação do futuro óvulo
   materno – 13.52
oração cooperadora – 13.11
oração de despedida – 20.9
oração no ato da ligação
   inicial – 13.49
pedidos de orientação
   mediúnica – 9.3
preparação mediúnica – 16.12
reunião de despedida – 20.4
Segismundo – 12.2, 13.9
Sertório, auxiliar – 8.7
serviço intercessório – 11.5
serviços preparatórios – 13.9
tarefas em planos mais altos – 20.1
trabalho de aproximação – 13.2
transferência de fluidos – 7.6
transfiguração – 9.6, 9.13
visão das disposições
   cromossômicas – 13.52
zigoto – 13.53

Algemas
   desencarnados e * familiares – 11.6
   libertação das * seculares – 18.16
   rompimento – 5.9

Alimentação
   absorção da * desintegrada – 11.6
   excessos – 3.7
   processo de * dos
      desencarnados – 11.6
   processo de * por formas
      mentais – 14.4

Alimento mental
   perispírito – 14.4

Alma
   contágio e enfermidades – 4.4
   disciplina e edificação – 3.3
   epífise e valores – 2.5
   espertamento da * adormecida – 9.8
   patogênese – 4.3
   requisitos para edificação – 3.3
   situações de desequilíbrio – 2.4

Altar de pedra
   matadouro – 11.13
   sucção de forças de plasma
      sanguíneo – 11.13

Ambiente doméstico
   desencarnados imantados – 4.5

Ambiente maligno
   atração – 5.6

Amor
   planos mais baixos – 13.19
   reencarnação e luz – 12.6
   sexo – 13.23

Anacleta, irmã
   história – 12.19
   Manassés – 12.19
   planta da forma futura – 12.21
   projetos de reencarnação – 12.19

tarefa de abnegação – 12.20
vício no afeto de mãe – 12.21

Anacleto
chefe do serviço de passes – 19.6
instrutor Alexandre – 19.6

Animal
auxiliar da Ciência – 4.8
homem, vampiro insaciável – 4.10
indiferença para com a sorte – 4.8
missão do superior – 4.9

Animalidade
persistência na condição – 9.7
transição entre Espiritualidade
superior – 3.2

Animismo
conceito – 16.15
mediunidade – 16.15

Antônio, moribundo
desencarnação – 7.5
invigilância – 7.7
Justina, Espírito – 7.2
moratória – 7.3-7.7
origem da doença – 7.4
quadro clínico – 7.3
reajustamento célula a célula – 7.6

Aparelho mediúnico *ver* Médium

Apoplexia
significado do termo – 7.3, nota

Aprendiz
instrutor, adoração recíproca – 20.6
proteção inconsciente do
instrutor – 20.6

Aprendizado
esclarecimento educativo – 9.9

Apuleio, Espírito diretor
Espíritos construtores – 14.1
reencarnação de Volpíni – 15.2

Arteriosclerótico
significado do termo – 7.3, nota

Aura
perispírito, corpo físico – 13.54

Autodomínio
curso – 14.6

B

Bacilo psíquico *ver também* Larva
cultivo – 3.4
dicionário médico – 3.4
Microbiologia – 4.2
vampirismo – 4.2

Barbosa, Espírito desencarnado
Vieira – 8.9-8.11

Bem
prática verdadeira – 2.6

Bom trabalhador
características – 18.20

C

Calimério, irmão
instrutor Alexandre – 10.3
sessão de materialização – 10.3

Calixto
bênçãos do trabalho – 1.8
simbiose * e médium – 1.8

Canais seminíferos
definição – 3.3, nota

Cartilagem aritenoide
definição – 10.13, nota

Cecília
benefícios da oração – 6.6
desligamento do corpo físico – 6.6

Índice geral

Célula
coeficiente magnético e
* nervosa – 1.6
companheira de evolução – 13.43
individualismo magnético – 14.6
motor elétrico – 1.7

Células gliais
definição do termo – 16.8, nota

Centro de força
corrosão – 19.6
perispírito – 19.6

Centro Espírita
aproveitamento dos recursos
 magnéticos – 8.4
Espíritos desencarnados – 8.4
família evangélica – 8.4
Marcondes, Espírito encarnado – 8.6
Raul, passes magnéticos – 11.17
reencontro de Ester e Raul – 11.25
Vieira, Espírito encarnado – 8.6

Cesarina
aborto inconsciente – 15.2
desligamento do santuário
 materno – 15.10
desvios sexuais, alcoólicos – 15.6
Francisca, Srª – 15.8
natimorto – 15.10

Céu
promessa – 17.10

Ciência
extensão e complexidade das
 enfermidades – 12.23

Ciência médica
corpo, alma eterna – 6.4
morte do corpo – 6.3

Completista
anônimos na Terra – 12.16-12.18
atenuação do magnetismo
 pessoal – 12.18
condições – 12.18
dispensa de magnetismo
 pessoal – 12.18
escolha do corpo futuro – 12.16
Espíritos amadurecidos – 12.18
Espíritos anônimos – 12.17
Manassés em preparação – 12.17
realização da Vontade Divina – 12.18
recepção de corpo
 enobrecido – 12.16
significado da palavra – 12.16
Silvério – 12.16

Comunicação espiritual
Calixto – 1.7
características – 1.3

Concentração
sessão de materialização e
 abstenção – 10.12, 10.14

Conflito biológico
Lei de Cooperação Espiritual – 13.46

Conflito vibratório
dificuldade da reencarnação – 13.9

Coração
matéria mental – 19.7

Corpo etéreo
epífise – 2.3

Corpo físico
alegoria – 4.4
analogia com violino – 18.21
aperfeiçoamento incessante – 12.9
aura – 13.54
causa da diferenciação – 13.54
completista e escolha – 12.16
enfermidade, * e plasticidade
 do perispírito – 13.36
extensão do débito – 12.9
herança – 13.42-13.43

influenciadores na formação – 13.46
maravilha estatuária – 12.9
média de tempo – 12.15
mediunidade e importância – 9.10
perispírito e modelo – 13.54
plasma – 13.42
projetos para futuro – 12.19
raios luminosos – 1.2
recepção de * enobrecido – 12.16
respeito e gratidão – 12.9
responsabilidade na
preservação –.13.37
responsabilidade na recepção – 2.5
templo do Senhor – 12.19

Corpo perispirítico *ver* Perispírito

Corpo perispiritual *ver* Perispírito

Corrente de força
características – 1.2
diversidades das energias – 1.2
elementos vitais – 1.2
raios luminosos – 1.2

Cristalização mental
dissolução de esclarecimentos
diários – 11.9

Cristianismo
futuro da Humanidade
e templos – 8.5
primeira instituição visível – 8.5

Cristo *ver também* Jesus
mediunidade – 9.6

Cromatina
definição – 3.6, nota

Cromossomo
influência da epífise – 2.3
visão do instrutor Alexandre – 13.52

Cura
conquista da * positiva – 18.13
promessas formais – 18.2

D

Desencarnação
modificações no corpo – 13.36
reencarnação e *
inconscientes – 13.26
santificação – 9.5

Desenvolvimento do embrião
modelagem fetal – 13.27

Desenvolvimento fetal
perturbação – 13.33

Desenvolvimento mediúnico
André Luiz e demonstração – 3.1
aproveitamento dos valores – 3.2
ascensão espiritual – 4.10
candidata ao * de incorporação – 3.6
poderes psíquicos, funções
fisiológicas – 3.3

Desequilíbrio
distinção entre harmonia – 2.7

Destino fixado
instrutor Alexandre – 13.48

Disciplina
edificação da alma – 3.3

Diurese
significado do termo – 123, nota

Dor
benefícios – 7.10
função – 19.16
medida de auxílio – 11.11
preço do resgate – 18.16
queda da indiferença – 7.10
queda do egoísmo cristalizado – 7.10
transformação do homem
para o bem – 19.15

Doutrina Espírita *ver
também* Espiritismo
origem – 9.10

Doutrinação
cadeia magnética – 17.13
cooperação do magnetismo
humano – 17.3
manipulação de fluidos – 17.15
Otávia, médium – 16.14,
16.6, 17.14

E

Ectoplasma *ver também*
Força nervosa
médium – 10.6

Educação
mediunidade, * e
responsabilidade – 9.8

Egoísmo
André Luiz – 20.2
dor e queda do * cristalizado – 7.10

Elemento masculino
de fecundação *ver
também* Espermatozoide
escolha do elemento mais apto
– 13.53, 14.3, 14.6
força positiva – 14.6
merecimento – 14.6
sintonia magnética – 14.6

Embolia
definição – 6.1, nota

Embrião
configuração básica – 14.8
desenvolvimento – 13.27, 14.11
útero materno – 14.2

Embriologia
processo de reencarnação
– 12.3, 13.55

Embriologista
feto humano na visão – 4.8

Energia psíquica
necessidade de preservação – 2.5
sensações inferiores – 2.5

Energia sexual
caráter sublime – 12.14

Energia vital
sucção – 4.7

Enfermidade
benefícios – 7.10
causa – 19.7
Ciência, extensão e
complexidade – 12.23
conceito – 19.10
contágio e * da alma – 4.4
corpo físico e * mortal – 13.36
doenças psíquicas e * terrestre – 4.3
fluxo sanguíneo – 13.41
hereditariedade – 13.40
micróbios – 4.3
operação redutiva – 13.36
sintomas patológicos – 12.23

Enfermo
origem do comportamento
positivo – 7.11

Epaminondas
agradecimentos ao instrutor
Alexandre – 20.9

Epiblasto
definição – 342, nota

Epidídimo
definição – 3.3, nota

Epífise
André Luiz e função clássica da – 2.1
astro de vida – 12.12
conceito – 1.5, nota
corpo etéreo – 2.3
cromossomos – 2.3
elucidações – 2.2

Índice geral

exercício mediúnico – 1.6
experiência sexual – 2.4
freio às manifestações do sexo – 2.2
Freud – 2.2
funções – 2.1, 2.5, 2.7
glândula da vida espiritual
   do homem – 2.3
glândula da vida mental – 2.2
glândulas genitais – 2.1
hormônios psíquicos – 2.3
importância – 1.6
localização – 12.12
lótus de pétalas sublimes – 2.1
luminosidade – 2.1, 16.12
materialistas – 2.5
médium – 1.5
núcleo radiante – 2.1
papel – 1.6
perispírito – 2.2
personalidade e controle – 2.4
potência adivinha embrionária – 1.6
psicólogo – 2.2
psiquiatra – 2.2
raios azulados – 1.5
reajuste da * ao corpo físico – 2.2
secreções elétricas – 2.5
semente luminosa – 3.3
sistema endócrino – 2.4
unidades-forças – 2.3, 2.5
vida mental – 2.7

Epigastro
   definição – 19.7, nota

Esclarecimento espiritual
   depois da morte – 18.9

Escola religiosa
   conduta – 17.6
   guerras santas – 17.9
   tribunais da Inquisição – 17.9

Esfera da crosta *ver* Terra
Espermatozoide *ver*
também Elemento
   masculino de fecundação
   força positiva – 14.6
   sintonia magnética – 14.6, 14.7

Espiritismo *ver também*
Doutrina Espírita
   igrejas apostólicas e * evangélico – 8.5
   instrutor Alexandre – 3.8
   mediunidade – 3.8
   restaurador das igrejas – 8.5
   Richet – 16.16

Espírito
   materialização das expressões – 9.5
   qualidades – 9.7

Espírito construtor
   atuação do * nos processos de
      reencarnação – 13.36
   extensão dos trabalhos – 13.36
   formação básica dos corpos – 13.19
   reencarnação de Segismundo – 13.24

Espírito de Verdade
   Jesus – 9.6

Espírito desencarnado
   chegada do * na sessão de
      materialização – 10.1
   comportamento do * na
      reunião mediúnica – 1.1
   cooperação magnética – 1.6
   elétrons, fótons – 9.5
   exploração inferior – 5.12
   fios luminosos – 1.2
   influenciação – 5.5
   responsabilidade – 1.4
   vampirismo – 4.10

Espírito encarnado
   cérebro hipertrofiado, coração
      reduzido – 16.18

Índice geral

comportamento do * na
  reunião mediúnica – 1.2
elétrons, fótons – 9.5
luminosidade da epífise – 2.1
raios luminosos – 1.2
sono físico e preparação – 8.1

Espírito Superior
  aprendendo a subir – 9.12

Espiritualidade
  renovação de energias viciadas – 9.10
  transição entre animalidade
    e * superior – 3.2

Esposa fiel
  participação da * e devotada – 13.28

Esquecimento
  recursos para aplicação – 15.5
  reencarnação – 12.14

Estatuária
  centros genitais – 12.13
  corpo físico – 12.9, 12.11, 12.12
  epífise – 12.12
  hipófise – 12.12, nota
  minudências fisiológicas – 12.11
  sistema nervoso – 12.12
  tronco celíaco – 12.12, nota

Ester, viúva
  Agostinho, tio – 11.8
  instrutor Alexandre – 11.1, 11.2
  causa da ocultação da
    verdade – 11.23
  Noé, primeiro noivo – 11.2, 11.20
  preparação espiritual para
    visita – 11.24
  Raul, esposo suicida – 11.2,
    11.10, 11.20
  Romualda – 11.24, 11.25
  sonho – 11.8, 11.28
  trabalho em oficina de
    costura – 11.31

Estria cromossômica
  significado do termo – 13.24, nota

Etelvina
  instrutor Alexandre – 11.2

Euclides, Espírito
  desapontamento – 16.17
  visita de Dionísio Fernandes,
    Espírito – 16.2

Experiência sexual
  posição da epífise – 2.4
  viciação – 2.4

F

Faculdade geradora
  ausência de filhos – 14.2

Faculdade psíquica
  desenvolvimento prematuro – 9.11

Família
  apego aos fluidos vitais – 11.6

Fé
  lâmpadas sublimes – 5.3
  manifestação – 19.8

Fecundação
  criação – 13.23
  dispensa do corpo físico e
    * psíquica – 13.21
  disposições da forma e *
    física – 13.21
  escolha do elemento mais
    apto – 13.53, 14.3, 14.6
  intervenção na lei biogenética – 14.7
  minúcias do fenômeno – 13.52
  momento – 13.28
  reentrâncias branquiais – 14.11
  sintonia magnética – 14.6
  término do trabalho básico – 14.11

Índice geral

Felicidade
problemas da * humana – 12.3

Fenda glótica
definição – 10.13, nota

Fenômeno de materialização
André Luiz, Espírito – 10.1
condições exigidas – 10.1

Fenômeno teratológico
procedência – 13.28

Fernandes, Dionísio, Espírito
Euclides, Espírito – 16.2
inconvenientes na visita – 16.3
incorporação e comportamento – 16.13
insinuação maledicente, dúvidas – 16.15
instrutor Alexandre – 16.1
mistificações – 16.4
organização de socorro – 16.1, 16.3
Otávia, médium – 16.2, 16.4
preparação mediúnica – 16.9
recém-desencarnado – 16.9

Festa de núpcias
Jesus – 8.5

Feto
cooperadores na organização – 13.26
fios prendem Segismundo – 14.12
modelagem – 13.27
perispírito e edificação – 14.5
serviço inicial – 14.1
visão do embriologista e* humano – 4.8

Filogênese
ontogênese – 13.54
reentrâncias branquiais – 14.11

Fio luminoso
turmas de Espíritos desencarnados – 1.2

Fluidos
Afonso, doador – 7.5
apego aos * vitais da família – 11.6
critério na escolha do doador – 7.5
doutrinação e manipulação – 17.15
exigência para doação – 7.5
instrutor Alexandre e transferência – 7.6

Folhetos blastodérmicos
formação – 14.9
significado do termo – 14.1, nota
zigoto – 14.1

Força nervosa *ver também*
Ectoplasma
privilégio – 10.6

Francisca, Srª
advertência – 15.8

Francisco
chefe do grupo irmão Francisco – 7.5

Freud
epífise – 2.2

G

Garganta ectoplásmica
improvisação – 10.13
voz do instrutor Alexandre – 10.13

Gene
estrias cromossômicas – 13.24, nota

Geneticista
sintonia magnética – 14.6

Georgina, Srª
advertências – 16.11
Leonardo, sobrinho – 16.11

Glândula genital
epífise – 2.2
hormônios do sexo – 2.3

Glândula pineal *ver* Epífise

Glândulas suprarrenais
adrenalina – 1.6

Glória mediúnica
conquista – 9.5
imagem – 9.5

Graça Divina
escolhidos – 8.8

Gráfico do organismo físico
Segismundo – 13.17

Grupo irmão Francisco
atuação – 7.8
comportamento positivo
do enfermo – 7.11
Francisco, chefe – 7.5
instrutor Alexandre – 7.4
Nosso Lar, colônia – 7.9, nota
tarefas específicas – 7.9
turma de serviço noturno – 7.6

Guerra santa
Inquisição – 17.9

H

Harmonia
distinção entre desequilíbrio – 2.7

Herança
corpo físico – 13.42
tendências, qualidades – 13.40

Herculano, mensageiro
consolidação do processo
reencarnacionista – 13.39
instrutor Alexandre – 12.3, 13.2

Hereditariedade
aquisições abençoadas – 2.4
enfermidades, disposições
criminosas – 13.40

funcionamento da lei – 12.8
genes – 13.40
pensamento envenenado
de Adelino – 13.18
serviços intercessórios – 12.8
uniforme humano – 13.46

Hipófise
localização e funções – 12.12, nota

Homem
alimentação por formas
mentais – 14.4
epífise e sentido novo – 1.6, 2.5
percepção e sentimento – 3.7
rebeldia milenária – 9.8
vampiro insaciável – 4.10

Homem eterno
lembranças – 8.3

Homem físico
lembranças – 8.3

Homicida
colheita – 12.24
perispírito de * desencarnado – 12.24

Hormônio psíquico
epífise – 2.3

Hospital volante *ver* Centro Espírita

Humanidade
templos do Cristianismo
e futuro – 8.5
tragédia sexual – 2.7

Humildade
médium – 1.4

I

Idolatria
combate – 20.7
velho erro – 20.5

vítimas voluntárias – 20.7

Igreja apostólica
Espiritismo evangélico – 8.5

Incorporação
analogia da * com árvore
frutífera – 16.13
candidata à mediunidade – 3.6
glutonaria crassa – 3.7
médium e Espírito – 16.13
proteção especial – 16.3
psicografia – 16.3

Indiferença
dor e queda – 7.10

Individualismo magnético
célula – 14.7

Instituição espiritista *ver*
Centro Espírita

Instrutor
aprendiz e proteção
inconsciente – 20.6
aprendiz, adoração recíproca – 20.6

Inteligência
degradação – 12.16

Intercâmbio *ver*
Comunicação espiritual

Intuição
possibilidades receptivas – 5.13

J

Jesus
Divino Intermediário entre
o Pai e nós – 20.8
Espírito de Verdade – 9.6
festa de núpcias – 8.5
materialização – 10.4
mediunidade – 9.6
união – 9.11

Joãozinho
oração – 13.7, 13.9, 13.10
Raquel, Adelino – 13.4

Josino, assistente
instrutor Alexandre – 12.8
planejamento de
reencarnações – 12.7

Júpiter
definição – 17.5, nota
Zeus – 17.5, nota

Justiça Divina
processos – 11.27

Justina, Espírito
mãe de Antônio – 7.2

L

Lar
desequilíbrio religioso – 11.6
residência das almas – 6.5

Larva *ver também* Bacilo psíquico
magnetismo animal – 4.7

Lei biogenética
intervenção – 14.7

Lei de Afinidade
mesa familiar – 11.7

Lei de Cooperação Espiritual
conflitos biológicos – 13.46

Lei de elevação
grandeza da * pelo sacrifício – 2.6

Lei de hereditariedade fisiológica
modificação na matéria – 12.8

Lei Divina
cativeiro, escravidão – 9.6

imutabilidade, eternidade – 9.4

Lei física
feto, embrião – 13.27

Leito de morte
humanização – 7.10

Leonardo
Georgina, tia – 16.11
Otávia, médium, esposa – 16.6
tirano doméstico – 16.9

Ligação definitiva
Segismundo – 13.52

Ligação fluídica
plasticidade do perispírito – 13.31
Segismundo e * com futuros pais – 13.31

Ligação inicial
Segismundo e * com a matéria orgânica – 13.27, 13.44, 13.52, 14.3
término do processo – 13.54

Lísias
André Luiz e convite – 20.1

Livre-arbítrio
relativo – 13.48

Lóbulos cilíndricos
definição – 33.5, nota

Luiz, André, Espírito
Alexandre, instrutor – 1.1
apreensão visual – 1.5, 11.26, 13.16
comentários – 6.2
concepção sobre socorro e corrigenda – 19.15
curiosidade sadia – 10.2
curso de autodomínio – 14.6
demonstração de desenvolvimento mediúnico – 3.1
demonstração de peças do organismo humano – 12.18
desapontamento – 10.16
disciplina emotiva – 17.8
egoísmo – 20.2
fenômenos de materialização – 10.1
filogênese, ontogênese – 13.54
forças magnéticas – 2.1
função clássica da epífise – 2.1
Lísias – 20.1
Manassés – 12.14
médium e observações – 1.5
pai terrestre – 12.10, nota
serviço de proteção – 15.9
trabalho de proteção – 13.55
Verônica, enfermeira – 10.7

Luz vermelha
sessão de materialização – 10.11

M

Magnetismo lunar
influência – 7.9

Magnetismo pessoal
completista e ausência – 12.17, 12.18

Mágoa
impedimento à passagem das energias auxiliadoras – 19.4

Manassés
André Luiz e – 12.14
irmã Anacleta – 12.19
planejamento de reencarnações – 12.14
preparação para completista – 12.17
Silvério – 12.16

Manifestação inferior
causa – 9.7

Manifestação psicofísica
influenciação espiritual – 3.4

Índice geral

Mapa cromossômico
  Espíritos construtores – 13.24
  exame – 13.24, 13.39
  instrutor Alexandre – 13.18

Mapa da forma orgânica
  trabalho de intercessão – 12.7

Mapa de provas
  organização – 13.47

Marcondes, Espírito encarnado
  Centro Espírita – 8.6
  Sertório – 8.13
  viciado do ópio – 8.11

Marinho, ex-sacerdote
  comportamento – 17.1
  culto exterior – 17.5
  doutrinação – 17.1
  instrutor Alexandre – 17.1
  Necésio – 17.8, 17.10, 17.17
  Otávia, médium – 17.14
  sacrifício materno – 17.6, 17.17
  vocação sacerdotal – 17.6

Matadouro
  sucção de forças do plasma
    sanguíneo – 11.13

Matéria
  espiritualização – 9.5

Matéria negra
  válvula mitral – 19.6, nota; 19.7

Materialização, sessão de
  abstenção da concentração
    – 10.11, 10.14
  Alencar, controlador
    mediúnico – 10.7
  auxílio magnético – 10.7
  características – 10.3
  chegada dos desencarnados – 10.2
  condensação do oxigênio – 10.6

desapontamento de André
  Luiz – 10.16
ectoplasma – 10.6
elevação moral – 10.4
esperanças no futuro
  humano – 10.14
filhas provisórias – 10.15
fronteiras vibratórias – 10.3
garganta ectoplásmica – 10.13
homogeneidade – 10.4
importância – 10.1
importância da música – 10.12
impressões de desagrado – 10.11
indagação científica – 10.2
instrutor Alexandre – 10.1
irmão Calimério – 10.3
Jesus – 10.4
luz vermelha – 10.11
material luminoso – 10.6
material utilizado – 10.12, 10.14
passe magnético – 10.9
plexo solar – 10.8, nota
possibilidade de * para encarnados
  e desencarnados – 17.15
preparação do ambiente – 10.5
raciocínio, sentimento – 10.4
reação ao toque – 10.14
recursos da Natureza – 10.6
reencarnação tangível da alma – 14.9
senhor P..., alcoólicos – 10.10
sistema digestivo – 10.7
sistema nervoso – 10.8
Verônica, enfermeira – 10.7
vítimas do vampirismo – 10.4

Maternidade
  altar sublime da * humana – 13.52

Medicação espiritual
  processos – 6.5

Médico
  providências espirituais – 12.23

Médico legista
identificação do sangue – 4.8

Médium
abnegação, humildade – 1.4
Alencar, controlador
   mediúnico – 10.7
aparência – 1.7
ectoplasma – 10.6
egoísmo, vaidade – 9.12
epífise – 1.5, nota; 2.1
espelho cristalino – 1.3
fibras inibidoras e interferência – 1.8
fidelidade ao mandato superior – 1.3
improvisação do estado
   receptivo – 1.6
intermediários do bem,
   do mal – 18.1
observações de André Luiz – 1.5
obsidiado – 18.1
psicografia – 1.8
qualidades – 1.4
sessão de materialização – 10.1-10.16
simbiose Calixto – 1.8
treinamento e colaboração – 1.5

Mediunidade
André Luiz e estudos – 1.1
animismo – 16.15
ascendentes morai – 1.1
ciência do bem viver – 3.8
conceito – 3.3, 3.9, 9.9
condições – 3.3
construtiva – 3.8
curadora – 19.3
educação, responsabilidade – 9.8
Espiritismo – 3.8
Espírito Santo – 3.3
exclusividade – 3.8
fascínio – 1.1
impedimentos
   psíquicofisiológicos – 9.3
importância do corpo físico – 9.9
instrutor Alexandre – 9.1-9.13
Jesus, porta – 9.6
meio de comunicação – 9.6
paixão pelo fenômeno – 9.9
percepção espiritual – 3.8
preparação necessária e *
   construtiva – 3.3
preparação, responsabilidade
   – 9.8, 9.10
sem o Cristo – 9.6
sexto sentido – 9.10

Mensagem mediúnica
mecanismo intrínseco – 1.6

Mente humana
alimentação nociva – 5.11
analogia com céu – 13.18
campo vibratório – 9.7
epífise – 1.6
equilíbrio do corpo e expressões – 6.4
princípio religiosos – 4.5
razão – 4.5

Merecimento
escolha do elemento
   masculino – 14.6

Mesa familiar
Lei de Afinidade – 11.7
receptáculo de influenciações – 11.7

Metapsíquica
Richet – 16.16

Microbiologia
bacilos psíquicos – 4.2

Miniaturização
processo de * e Segismundo
   – 13.33, 13.54

Ministério do Esclarecimento
planejamento de
   reencarnações – 12.5

Miosite
definição – 6.1, nota

Índice geral

Mistificação
Dionísio Fernandes, Espírito – 16.4
Otávia, médium – 16.4, 16.16

Modelagem fetal
desenvolvimento do embrião – 13.27

Moléstia *ver também* Enfermidade
procedência da * congênita – 13.38

Moratória
Antônio, moribundo – 7.3, 7.5-77

Morte
banho milagroso – 11.10
esclarecimento espiritual
 depois – 18.9
fluidos grosseiros – 4.5
operação redutiva – 13.36
surpresa – 9.7
tarefas de amparo fraternal
 depois – 7.10

N

Natureza
sessão de materialização – 10.6

Necésio
Marinho, ex-sacerdote – 17.8,
 17.10, 17.16, 17.17

Neurologista
epífise – 2.2

Nódulo sino auricular
definição – 19.6, nota

Noé
Ester e seu primeiro noivo – 11.2
Raul, Ester – 11.20

Nosso Lar
grupo irmão Francisco – 7.9
significado do termo – 7.9, nota

O

Obsessão
casos – 18.1-18.23
complexidades naturais – 18.21
dificuldades – 18.23
heterogeneidade vibratória – 18.1

Obsessor
conversão – 18.22
dificuldade na identificação
 da vítima – 18.2
moléstias do corpo – 18.15
obsidiado – 18.1

Obsidiado
atenção, prudência, carinho – 18.1
cristalização personalista – 18.15
dificuldade na identificação
 da vítima – 18.2
médium – 18.1
obsessor – 18.2
problemas espirituais – 18.3
quadro clínico – 18.20
socorro – 18.4

Ontogênese
filogênese – 13.54

Oração
antídoto do vampirismo – 6.5, 6.8
banho de luz – 5.5
caráter – 6.7, 6.8
Cecília e benefícios – 6.6
convite antes – 13.10
influência benéfica – 19.6, 19.14
instrutor Alexandre – 13.11,
 13.49-13.51, 20.9
Joãozinho – 13.7, 13.9, 13.10
renovação das forças
 reparadoras – 19.10
sublimidade – 5.1

Índice geral

Organismo perispiritual
ver Perispírito

Orientação mediúnica
  instrutor Alexandre e pedidos – 9.3

Otávia, médium
  cooperação magnética – 16.7
  Dionísio Fernandes,
    Espírito – 16.1, 16.4
  incorporação e comportamento
    – 16.13
  insinuação maledicente,
    dúvidas – 16.15
  Leonardo, esposo – 16.6
  mistificações – 16.4
  preparação mediúnica – 16.9

Óvulo materno
  determinação do sexo do
    corpo – 13.52
  força receptiva – 14.6
  instrutor Alexandre e futuro – 13.52

Oxigênio
  sessão de materialização e
    condensação – 10.6

P

P..., senhor
  alcoólicos – 10.10
  preparação moral – 10.10

Pai terrestre
  André Luiz – 12.10, nota
  sentinelas viciadas – 4.5

Paixão
  impedimento à passagem das
    energias auxiliadoras – 19.4

Paraíso da ociosidade
  princípios teológicos – 13.36

Paratireoide
  localização e funções – 12.22, nota

Passe magnético
  aquisições sagradas do bem – 19.3
  boa vontade – 19.2, 19.4
  caso de décima vez – 19.14
  condições para benefícios – 19.8
  desdobramento – 10.9, 10.12
  Espíritos encarnados – 19.2
  impedimentos à prática – 19.4
  magnetizador espiritual – 19.7
  missão da equipe – 19.15
  qualidades necessárias – 19.4
  Raul – 11.17
  requisitos para exercício – 19.2
  serviços – 19.1
  técnica – 10.8, 19.7, 19.11,
    19.13, 19.14
  vocação espontânea – 19.3

Pensamento
  Adelino e * envenenado – 13.18
  concentração – 1.2
  importância – 19.14
  propriedade elétricas – 5.1

Percepção mediúnica
  apropriação indébita – 9.4
  desenvolvimento – 9.3

Perdão
  Adelino – 13.3, 13.16
  compromisso – 12.4
  esquecimento do * aos
    antigos erros – 13.
  recomendação de Jesus – 18.10

Perispírito *ver* Organismo
perispiritual
  absorção de elementos
    degradantes – 19.6, 19.13
  ambientação do * e edificação
    do feto – 14.5
  aura – 13.54

Índice geral

centros de força – 19.6
enfermidade, corpo físico e
  plasticidade – 13.36
diminuição da atividade
  espiritual – 13.31
epífise – 2.2
identidade essencial – 13.31
ímã – 13.54
ligação do * de Segismundo
  e Raquel – 13.54
ligação fluídica e plasticidade – 13.31
magnetização – 13.34
modelo do corpo físico – 13.54
propriedade de absorção – 14.4
sangue – 13.41
situação do * de homicida
  desencarnado – 12.24
união sexual e energias – 13.19
uniforme humano – 13.46
Vieira, corpo físico – 8.9
visão da chaga aberto – 11.25

Permuta de qualidades
  apóstolos da Virtude – 13.21
  paternidade, maternidade – 13.21

Personalidade
  aproveitamento e controle
    da epífise – 2.5
  providências para
    enriquecimento – 2.5
  viciação dos centros
    sagrados – 2.7, 4.4

Perturbação mental
  ascendente de processo
    patológico – 19.10

Planejamento de Reencarnação
  assistente Josino – 12.8
  finalidade – 12.7
  Manassés – 12.14
  Ministério do Esclarecimento – 12.5

Plasma
  corpo físico – 13.42

Plasma sanguíneo
  matadouro – 11.13
  sucção de forças – 11.13

Plexo solar
  definição – 10.8, nota

Possessão
  caso de * completa – 18.9, 18.12

Prece *ver* Oração

Primórdios da condição fetal
  Segismundo – 13.25

Processo educativo
  caso de décima vez – 19.15

Processo patológico
  perturbação mental,
    ascendente – 19.10

Procriação
  conceito – 13.20

Promiscuidade
  encarnados, desencarnados – 4.5

Psicografia
  alcoólicos – 3.5
  Calixto – 1.8
  incorporação – 16.3
  médium – 1.8
  observação sobre candidato
    – 3.3, 3.5, 3.8

Psicógrafo
  instrutor Alexandre – 1.1
  saúde física – 1.5

Psicólogo
  epífise – 2.2

Psiquiatra
  epífise – 2.2

Psiquismo inconsciente
  perversão – 2.4

Q

Qualidade
herança – 13.40

Qualidade individual
aperfeiçoamento – 9.10

R

Raios
ação dos * solares – 7.2, 7.9
poder e influência – 6.7

Raquel
Adelino – 12.2, 13.1
coroa brilhante – 13.50
desdobramento – 13.11
médium da vida – 14.9
prostíbulo – 12.4
Segismundo – 12.2, 13.1
sonho – 13.16
tabernáculo – 13.52
visitação à futura mãezinha – 14.12
zonas inferiores – 12.4

Raul
assassino – 11.20
digitais, suicídio – 11.10, 11.20
esposo de Ester – 11.2
invocação – 11.5, 11.18
Noé, Ester – 11.20
passes magnéticos – 11.17
resgate – 11.15
salteadores da sombra – 11.10
subtração das forças vitais – 11.15
triste história – 11.20
vampiros, matadouro – 11.13

Razão
Luz Divina e * humana – 3.7
mente humana – 4.5

Recompensa
solicitação de * imediata – 7.9

Reconciliação
Adelino, Segismundo – 13.15

Reencarnação
adaptação das energias criativas – 14.4
características da * de Segismundo – 13.37
conceito – 13.37
conflito vibratório e dificuldade – 13.9
consolidação do processo – 13.39
curso de lições necessárias – 13.37
desencarnação e * inconscientes – 13.26
diferenciação nos processo – 13.36
Espíritos construtores e processos – 13.35
esquecimento – 12.14
filogênese, ontogênese – 13.54
impressões de Segismundo – 13.24
influenciação sobre os fatores – 12.5
irmã Anacleta e projetos – 12.19
ligação inicial – 13.27
lutas sucessivas e * da alma – 12.6
luz do amor – 12.6
materialização de desencarnados – 14.9
média de tempo no corpo físico – 12.15
projeto para futura – 12.19
retificação no plano – 12.22
Segismundo – 12.1
serviços especiais – 12.5
serviços preparatórios – 13.9
significado do termo – 13.54
término do serviço – 13.41, 258
trabalho de aproximação – 13.2
útero materno – 14.4
zelo no serviço – 12.9

Regeneração
transformação do remorso – 11.21, 11.22

Índice geral

Remorso
 transformação do * em
  regeneração – 11.21, 11.22

Renúncia
 importância – 2.6

Responsabilidade
 educação, * e mediunidade – 9.8

Ressurreição
 materialização de Jesus – 10.4

Reunião mediúnica
 características – 1.1
 círculo magnético – 4.11
 fios luminosos, Espíritos
  desencarnados – 1.2

Richet
 Espiritismo – 16.16
 Metapsíquica – 16.16

Romualda
 preparação espiritual de Ester – 11.24

S

Sangue
 enriquecimento do *
  materno – 19.14
 extinção do tônus vital – 13.41
 organismo materno – 13.39
 perispírito – 13.41
 processo de formação – 13.40

Santificação
 desencarnação – 9.5

Schaudinn
 sífilis – 3.3

Sedução carnal
 perigo – 12.23

Segismundo
 Adelino – 12.2, 13.1, 13.10
 características da
  reencarnação – 13.36
 caso normal de reencarnação – 15.1
 causa do sofrimento – 13.31
 Espírito construtor – 13.19
 fenômeno da fecundação – 13.52
 fios prendem * à organização
  fetal – 14.12
 forma perispiritual
  preexistente – 13.46
 gráfico do organismo físico – 13.17
 homicida – 12.4
 impressões de * e processo
  reencarnacionista – 13.24
 instrutor Alexandre – 12.3, 13.9
 ligação definitiva – 13.52
 ligação fluídica com futuros
  pais – 13.31
 ligação inicial com a matéria orgânica
  – 13.24, 13.34, 13.44, 14.3
 mapas cromossômicos – 13.17
 miniaturização – 13.35
 obra de socorro – 13.32
 orientação quanto a conduta
  mental – 13.9
 primeira ligação de * à
  matéria – 13.28, 13.51
 primórdios da condição fetal – 13.25
 Raquel – 12.2, 13.1
 reencarnação – 12.1, 13.1-13.55
 sintonização com a forma
  pré-infantil – 13.35
 solicitação de perdão – 13.16
 término do serviço de
  reencarnação – 13.41, 14.14
 trabalho de aproximação – 13.2
 união magnética – 13.52
 uniforme humano – 13.46
 zonas inferiores – 12.4

Sensitivo
 criações mentais – 16.16

Sertório, auxiliar
 instrutor Alexandre – 8.7

Índice geral

Marcondes – 8.13

Serviço intercessório
  complexidade – 11.19, 11.23
  lei de hereditariedade
    fisiológica – 12.8

Sexo
  amor – 13.23
  aviltado – 13.19
  concepção – 13.20
  influenciação da epífise – 2.7
  Lei Natural – 13.22
  manifestação cósmica – 13.23
  menosprezo às faculdades – 13.22
  missão divina – 12.13
  óvulo materno e * do corpo – 13.53
  prudência, equilíbrio da vida – 3.4
  santificada missão – 3.8
  ultrajado – 12.14

Sexto sentido
  mediunidade – 9.10

Sexualidade
  recapitulação – 2.2

Sífilis
  Schaudinn – 3.4, nota

Sigmoide
  definição – 3.6, nota

Silvério
  completista – 12.16
  Manassés – 12.16
  média de temo no corpo
    físico – 12.15
  temor de novos débitos – 12.14
  vaidade – 12,15

Sintonia magnética
  fecundação – 14.6
  geneticista – 14.6

Sistema digestivo
  sessão de materialização – 10.7

Sistema endócrino
  alcoólicos – 3.6
  ascendência da epífise – 2.4

Sistema nervoso
  atenção ao * central – 1.6
  sessão de materialização – 10.8

Sistema nervoso simpático
  auxílios energéticos – 1.6

Socorro espiritual
  atividade noturna – 7.2, 7.6
  característica – 7.8

Sofrimento
  asas espirituais – 16.7

Sonho
  Ester – 11.8

Sono físico
  aproveitamento das horas – 8.2, 9.2
  consciência dos serviços – 8.7
  emoções frívolas – 8.7
  preparação do Espírito
    encarnado – 8.1

Stradivárius
  definição – 18.21, nota

Suicida
  situação – 11.20

Suicídio
  causa – 11.10
  sintonia mental com
    superiores – 11.11

T

Tendência
  herança – 13.40

Terra
  escola divina – 13.37

Índice geral

Tigroide
    conceito – 1.6, nota

Timo
    importância na vida infantil – 13.39, nota

Tireoide
    localização e funções – 12.22, nota

Tônus vital
    sangue e extinção – 13.41

Trabalho de aproximação
    Segismundo – 13.2

Trabalho de proteção
    André Luiz – 13.55

Tragédia conjugal
    transferência da * para Além-Túmulo – 13.30

Transfiguração
    instrutor Alexandre – 9.13

Transmissão mental
    trabalho simples – 5.12

Tronco celíaco
    definição do termo – 12.12, nota

U

União celular
    presença do instrutor Alexandre – 13.28

União de qualidades
    afinidade – 13.20
    amor – 13.21
    magnetismo planetário da atração – 13.21
    união sexual – 13.20

União sexual
    ação de Alexandre no momento – 13.28
    energias perispirituais – 13.19
    identificação da * entre irracionais – 13.19
    inviolabilidade – 13.28
    Lei Universal do Bem e da Ordem – 13.23
    realizações espirituais – 13.23
    trabalho criador – 13.19
    união de qualidades – 13.20
    valores afetivos de Adelino – 13.18

Unidades-força *ver* Energia psíquica

Útero materno
    adaptação das energias criativas – 14.4
    divisão da cromatina – 13.27
    edificação do feto – 14.5
    embrião – 14.2
    manchas escuras – 19.12
    porta bendita para a redenção – 12.13
    reencarnação – 14.4

V

Vago
    defesa – 1.6

Vaidade
    perna doente, antídoto – 12.15

Válvula ileocecal
    definição – 3.6, nota

Válvula mitral
    definição – 19.6, nota

Vampirismo
    antídoto – 6.5, 6.7
    auxílio – 4.10
    bacilo psíquico – 4.2

Índice geral

combate – 6.4
contágio – 4.4
defesa contra perigos – 3.9
definição – 4.2
Espíritos desencarnados – 4.10
invocações – 5.9
manifestações – 6.3
oração – 6.1-6.9
origem – 4.2-4.4
recíproco – 11.7
sessão de desenvolvimento
    mediúnico – 4.1
sessão de materialização
    e vítimas – 10.4
socorro – 5.3
subtração de forças vitais – 11.15
trabalho – 4.2

Vampiro
    conceito – 4.2
    hóspede – 5.12
    influenciação – 5.8
    Raul, matadouro – 11.13, 11.15

Veia porta
    definição – 3.5, nota

Vênus
    significado do termo – 12.23, nota

Verbalismo
    excessivo * sem obras – 9.12

Verdade
    causa da ocultação – 11.24

Verdade plena
    libertos das paixões – 11.23

Verônica, enfermeira
    André Luiz, Espírito – 10.7
    passes magnéticos – 10.9
    sessão de materialização – 10.7

Vibração
    planos de * e essencial espiritual – 9.7

Vida espiritual
    epífise – 2.3

Vida eterna
    agonia e aurora – 7.10

Vida infantil
    importância do timo – 13.39, nota

Vida mental
    função da epífise – 2.7

Vieira, Espírito encarnado
    Barbosa, Espírito desencarnado
        – 8.9-8.11
    Centro Espírita – 8.6
    corpo físico, perispírito – 8.9
    maledicência, leviandade – 8.10
    pesadelo – 8.9

Virtude
    esporte da alma – 2.5

Volpíni
    características no caso – 15.7
    desligamento do santuário
        materno – 15.10
    natimorto – 15.10
    reencarnação – 15.3

Vontade
    consequências da *
        desequilibrada – 2.4

Z

Zigoto
    instrutor Alexandre – 13.52
    folhetos blastodérmicos – 14.1 , nota

MISSIONÁRIOS DA LUZ

EDIÇÃO	IMPRESSÃO	ANO	TIRAGEM	FORMATO	EDIÇÃO	IMPRESSÃO	ANO	TIRAGEM	FORMATO
1	1	1945	5.000	12,5x17,5	36	1	2001	20.000	12,5x17,5
2	1	1946	5.000	12,5x17,5	37	1	2003	15.000	12,5x17,5
3	1	1948	5.000	12,5x17,5	38	1	2004	5.000	12,5x17,5
4	1	1949	10.000	12,5x17,5	39	1	2004	20.000	12,5x17,5
5	1	1956	10.000	12,5x17,5	40	1	2006	6.000	12,5x17,5
6	1	1959	10.000	12,5x17,5	41	1	2006	7.000	12,5x17,5
7	1	1965	10.000	12,5x17,5	42	1	2007	15.000	12,5x17,5
8	1	1970	10.000	12,5x17,5	43	1	2007	20.000	12,5x17,5
9	1	1973	10.200	12,5x17,5	43	2	2009	16.000	12,5x17,5
10	1	1976	10.200	12,5x17,5	43	3	2009	20.000	12,5x17,5
11	1	1978	10.200	12,5x17,5	43	4	2011	14.000	12,5x17,5
12	1	1979	10.200	12,5x17,5	43	5	2012	11.000	12,5x17,5
13	1	1980	10.200	12,5x17,5	44	1	2003	5.000	14x21
14	1	1981	10.200	12,5x17,5	44	2	2005	2.000	14x21
15	1	1982	10.200	12,5x17,5	44	3	2007	5.000	14x21
16	1	1983	10.200	12,5x17,5	44	4	2008	1.500	14x21
17	1	1984	10.200	12,5x17,5	44	5	2009	300	14x21
18	1	1985	10.200	12,5x17,5	44	6	2010	6.000	14x21
19	1	1985	10.200	12,5x17,5	45	1	2013	36.000	14x21
20	1	1987	20.000	12,5x17,5	45	2	2015	9.000	13x21
21	1	1988	30.200	12,5x17,5	45	3	2015	6.500	13x21
22	1	1990	25.000	12,5x17,5	45	4	2015	8.000	14x21
23	1	1991	30.000	12,5x17,5	45	5	2016	6.000	14x21
24	1	1993	25.000	12,5x17,5	45	6	2017	7.000	14x21
25	1	1994	20.000	12,5x17,5	45	7	2017	7.500	14x21
26	1	1995	20.000	12,5x17,5	45	8	2017	8.000	14x21
27	1	1996	10.000	12,5x17,5	45	9	2018	5.500	14x21
28	1	1997	20.000	12,5x17,5	45	10	2018	5.500	14x21
29	1	1998	5.000	12,5x17,5	45	11	2019	4.500	14x21
30	1	1998	10.000	12,5x17,5	45	12	2019	5.500	14x21
31	1	1999	10.000	12,5x17,5	45	13	2020	10.000	14x21
32	1	2000	5.000	12,5x17,5	45	14	2021	10.000	14x21
33	1	2000	5.000	12,5x17,5	45	15	2022	10.000	14x21
34	1	2000	5.000	12,5x17,5	45	16	2024	6.000	14x21
35	1	2001	5.000	12,5x17,5	45	17	2024	8.000	14x21

FEB editora
Livro espírita para um novo mundo
www.febeditora.com.br
@febeditoraoficial
@febeditora

Conselho Editorial:
Carlos Roberto Campetti
Cirne Ferreira de Araújo
Evandro Noleto Bezerra
Geraldo Campetti Sobrinho – Coord. Editorial
Jorge Godinho Barreto Nery – Presidente
Maria de Lourdes Pereira de Oliveira
Miriam Lúcia Herrera Masotti Dusi

Produção Editorial:
Elizabete de Jesus Moreira

Revisão:
Elizabete de Jesus Moreira
Lígia Dib Carneiro
Neryanne Paiva
Paula Lopes

Capa:
Evelyn Yuri Furuta

Projeto Gráfico e Diagramação:
Rones José Silvano de Lima – instagram.com/bookebooks_designer

Foto de Capa:
http://www.istockphoto.com/ mediaphotos
http://www.dreamstime.com/ Tasosk
http://www.dreamstime.com/ Serp

Foto Chico Xavier:
Grupo Espírita Emmanuel (GEEM)

Normalização Técnica:
Biblioteca de Obras Raras e Documentos Patrimoniais do Livro

Esta edição foi impressa pela Corprint Gráfica e Editora Ltda., Mogi das Cruzes, SP, com tiragem de 10 mil exemplares, todos em formato fechado de 140x210 mm e com mancha de 104x170 mm. Os papéis utilizados foram Off white bulk 58 g/m^2 para o miolo e o Cartão 250 g/m^2 para a capa. O texto principal foi composto em fonte Adobe Garamond 12/15 e os títulos em Adobe Garamond 28/30. Impresso no Brasil. *Presita en Brazilo.*